诸葛亮临终留下的旷世奇谋
罗贯中没有道破的兵家秘辛

辛欣 ⊙ 著

大历史　大背景　大阅读　大震撼

湖北长江出版集团
崇文书局

图书在版编目(CIP)数据

谋天下 / 辛欣著.—武汉:崇文书局,2009.12
ISBN 978-7-5403-1702-7

Ⅰ.①谋… Ⅱ.①辛… Ⅲ.①历史小说—中国—当代 Ⅳ.①I247.5

中国版本图书馆 CIP 数据核字(2009)第 234939 号

谋 天 下

责任编辑:许举信
装帧设计:夏成云
出版发行:崇文书局(027-87679710、11、12 传真)
地　　址:武汉市雄楚大街 268 号 B 座　430070
经　　销:全国新华书店
印　　刷:荆州市翔羚印刷有限公司
开　　本:710×1010mm　1/16
印　　张:17.5
字　　数:250 千字
版　　次:2010 年 1 月第 1 版
印　　次:2010 年 1 月第 1 次印刷
定　　价:28.00 元

目录

|contents|

既然一定要有人负起背叛之罪，
那就由我来背负吧。
既然他自称为"正义"，
那就由我来担当"邪恶"。
既然他要的是"天下"，
那我便将"山河"倒悬！

公元 223 年 2 月某日, 白帝城。

永安宫内一片愁云惨雾, 到处弥散着一股阴郁、哀绵的气息。刘备早已不复当年叱咤风云、君临万物时的神情, 现在的他只是一个赢弱不堪、躺在床榻上等待死亡降临的老人, 与世间任何一个垂死之人并无不同。

时日无多, 他心知肚明, 不过并不感到孤独, 因为有个人一直守在他身旁。

那人便是诸葛亮。

刘备强提着一缕气息, 握住这位老朋友的手, 虚弱地说: "以丞相之才, 远胜于曹丕十倍, 将来一定能完成朕的大业。" 说到这, 忽然话锋一转: "如果刘禅可以辅佐, 希望丞相尽力辅佐。如其不才, 丞相不妨自立为君。" 说罢, 已是泪流满面。

诸葛亮何等聪明, 自然明白那番话中所蕴涵的真义, 不由得大惊失色、汗出如浆, 扑通一声跪倒在地, 泣不成声: "臣怎敢不竭尽全力, 鞠躬尽瘁死而后已!"

刘备紧锁的眉头终于舒展开了。他又从枕头底下摸索出一件物什, 犹豫了半天, 最后还是塞进了诸葛亮手中。

诸葛亮一愣, 刚要发问, 却被刘备挥手制止: "这件物什本来是要传给刘禅的, 为的是将来以防万一……不过, 还是由丞相来保管吧, 将来托付给可以信赖的人……希望将来用不着它, 唉!" 一声长叹, 道不尽的凄凉。

诸葛亮会意, 将那物什谨慎地收入怀中。

之后, 刘备又写下遗诏告诫刘禅: "人一过半百就不是夭折了, 何况朕已经活到这把年纪, 又有什么可抱怨的? 所担心的不过是你们兄弟。切记: 要近贤臣、远小人, 只有贤德才是真正的王道。朕德行浅, 不足以让你们效仿, 朕去之后, 你们要以父亲的礼节侍奉丞相……"

同年4月，蜀国皇帝刘备驾崩，享年63岁，后追谥为昭烈。

公元234年8月某日，五丈原，蜀军大营。

诸葛亮拖着日渐沉重的病体，在一干文武官员簇拥下巡视全军。看着那些面目黝黑、精神萎靡，有些甚至还带着伤站都站不稳的士兵们，不由得想起当年先主永安托孤时的情景，刘备的遗言似乎仍在耳边响起："……将来一定要完成朕的大业……"

想到此处，诸葛亮不禁仰天长叹："这就是我的命啊！看来我再也无法为国尽力了！"

之前五出祁山北伐曹魏，都半途而废，这已经是第六次了。

只是，这第六次，似乎已是终点。

所有人的目光统统集中到了诸葛亮那虚弱苍白的脸上。此时他脸上表情十分复杂，既带着点悲壮，又带着点即将解脱的欣愉，但更多的却是失望，无比的失望——那是对壮志未酬身先死的不甘！

一直跟在他身后的魏延忽然开口："丞相为何要说如此丧气的话？真是好没道理！先主留下的大好江山还需丞相来打理，一统天下的大业，还需丞相来完成，我等自当效犬马之劳！……你们说是不是？"说完，右手猛地往空中一挥。

"唰——"数万名士兵同时举起手中的刀枪，振臂高呼——"我等自当效犬马之劳！我等自当效犬马之劳——"声如滚雷，地动山摇，惊走了无数飞禽走兽。

看着眼前的这一切，诸葛亮的眼眶内不知不觉已涌起了一层淡淡的水雾。挥了挥手，大营内立刻安静了下来。他回头看了魏延一眼，用略带伤感的口吻缓缓说道："话虽是如此，但我实在是心有余而力不足，怕是要辜负先帝的遗志了。"

"丞相您……"魏延刚要说什么，却被杨仪挥手打断："丞相心中自有数，何必你来啰嗦！"魏延气得一跺脚，转身回自己的营帐去了。

魏延，字文长，河南义阳人，虽身为蜀国名将，深受刘备的信任，但却因性格矜高而备受排挤，始终郁郁不得志。此番诸葛亮病重，他不是不知道，但眼看着破魏指日可待，正是自己建功立业、挽回颓势的大好时机，却要因此半途而废，心里自然是一百个不愿意，再加上杨仪出言喝斥，更觉得不爽，索性恨恨离去。

望着他的背影，诸葛亮轻叹了一声。

这一切都被一旁的李福看在眼里，心里不免黯然。

诸葛亮的身体每况愈下，将不久于人世，这件事已经闹得满朝皆知，相信此时此刻敌国也已经从安插的探子口中得知了这一消息。李福这次来到前线，就是奉了后主刘禅的旨意，表面上是慰问诸葛亮的病情，实则询问后事的安排。

"丞相，"李福跨出行列，躬身行礼，"应以国事为重，还请丞相早做打算。"意思已经是再明显不过了。

诸葛亮虚弱地笑了笑，心里却是一片凄凉：自先帝驾崩之后，这些年来自己掌控蜀国军政大权，皇帝表面上千依百顺，视若己父，心里怕是早就盼着我死吧？但又转念一想：自己大限将至，这也是不争的事实，万事还是应以国事为重。于是想了想，说："你回去禀报后主，我死之后，军政大事可以交由蒋琬处理。蒋琬之后，可以交给费祎。"

"那么，费祎之后呢？"

面对李福的追问，诸葛亮沉思着不再说话，只是看着姜维。一时之间，全场鸦雀无声，静得连一根针掉在地上都听得一清二楚。

当天下午，诸葛亮病情忽然加剧，他知道自己已撑不过一时半刻了。弥留之际，他将杨仪、费祎、姜维三人唤到榻前。首先吩咐杨仪："我死之后，全军指挥权便交于你手，徐徐而退，切莫与敌军交锋，要好自为之。"然后把目光投向费祎和姜维，"你二人要尽力帮助杨仪，撤退的时候，由魏延断后，姜维次之……如果魏延不服从军令，便由得他去，率领军队自行出发便是了。"

三人哭拜，出了寝帐。刚走出几步，后边有卫兵追了出来，说是丞相要姜维一人留下。杨仪和费祎都知道诸葛亮与姜维虽同殿为臣，却情同师徒，关系非比寻常，唏嘘了两句，便匆匆返回各自大营安排后事去了。

姜维这一进去，便是两个时辰，没有人知道诸葛亮对他说了些什么。

是夜，蜀国丞相、武乡侯诸葛亮卒，年54岁。

果不出他所料，他死之后，魏延不服从军令，尤其对杨仪的掌权更是不满，当即便带着本部人马一路放火烧绝栈道，最终被马岱所斩杀。

时光如箭，转眼已是公元263年。

这一年，成都的春天来得好像特别的早，才刚是早春二月，就已经可以只穿一件夹衫出行了。俗话说：二月春风似剪刀。然而这风吹在脸上，却暖暖的，痒痒的，好不舒服。街道上年轻女孩们纷纷换上了春衫，拖在身后的裙摆因为轻薄，走着走着，就会被一阵春风撩起，格外地养眼。春天，就这样一路娉娉袅袅地来到了天府之国。

随着春天到来的，还有来自沓中的急奏——魏国不日将大举进犯。

这一日，成都蜀宫。

后主刘禅看过姜维的急奏后，便把它丢给一旁侍立的宦官黄皓，问道："黄爱卿，对这件事，你可有什么看法？"黄皓接过匆匆看了一遍，面有难色："这个……臣也说不好。"刘禅脸色一沉，训斥道："朕把你养在身边，就是想找人替朕分忧……简直就是废物！"黄皓忙不迭叩头："陛下，臣虽不知，但有人知道！"

"谁？"

"巫师。"

"哦。"刘禅面色有所和缓，轻挥了挥衣袖，"那还等什么？还不速去请巫师占卜！"

"是——"黄皓拖着一溜长音儿，躬身退出了大殿。不一刻便回转来，禀告道："巫师请陛下放心，无事。"

"嗯，无事便好。"坐享天府之国的的刘禅，自然不希望战争，随手便将那封急奏扔到一旁的公文篓中。那公文篓约摸有半人来高，里面密密匝匝堆着不知有几百几千道奏书，姜维的急奏瞬间便淹没其中，不知何时方能见天日。当然，刘禅不爱战争，却也并不糊涂，深知魏人对蜀地虎视已久，战争是迟早的事，但他却宁愿相信"无事"。

"黄爱卿，朕已经有两个月没出宫了，十分憋闷，如今天已暖，不如陪朕到后山打猎去吧。"说着，刘禅伸了个懒腰，将肥胖的身体从龙椅上艰难地挪出来。不知怎么搞的，他当太子的时候还挺瘦，挺精神，可一旦当了皇帝，很快变成了一头肥猪。

黄皓忙上前搀扶主子，说："陛下，才刚刚开春儿，天气仍有些寒……"看到主子一张脸拉得老长，目光不善，后面的话便硬咽了回去，改口道，"是——"

午膳后，一行人浩浩荡荡离开了皇宫，直奔后山。

刘禅不知道，距离决定他命运的时刻，已经越来越近了。

几天后，姜维终于在焦急中等来了答案，不过，却不是他想要的答案——来自成都宫中的密报说，皇帝听信了黄皓之言，将他的急奏给压了下来。

其实这也没什么大不了的，姜维与黄皓素来不睦，这在蜀国是路人皆知的"秘密"，诋毁、进谗言、弹劾、压奏书这种龌龊伎俩，已经不知道发生过多少回了，足可以称得上是皇宫大殿里长久不衰的经典曲目，看客与当事人早已麻木。不过这一次却大为不同，而是关系到蜀国的存亡。

若在平时，一笑而过，忍忍也就算了，但姜维这次却是真的愤怒了，立刻连夜赶往成都，想亲口质问黄皓。谁知人算不如天算，等到了成都，却得到消息，说是黄皓因为陪皇帝外出打猎，受了些风寒，目前正在家中烤火祛病，外人一律不见。他想直接去见皇帝，但想想又放弃了，只得恨恨而归。

回到沓中，姜维越想越是恼火，但又无可奈何，只得连夜又写了封急奏，说明事态的严重性，然后火速派人递到宫里——这次他多长了个心眼儿，奏章并没有通过正常渠道送进宫，而是托右车骑将军廖化亲手呈给皇帝。然而这封奏章的命运也如先前的那封一样，一入宫门便泥牛入海，从此没了音讯。

这下姜维可急了，一连几个晚上辗转反侧、夜不能寐。他琢磨着是应该再赴成都找皇帝当面说清楚，还是继续上奏？思来想去，却始终理不出个头绪来。谁知过了十几日，忽然有军士禀报：皇帝的圣旨到了。

姜维心中一喜，立刻吩咐："有请钦差大人。"

钦差不是别人，正是黄皓。

黄皓一进到大堂，便一溜小碎步朝着姜维走来，站定后深施一礼，尖着嗓子道："在下给姜老将军见礼了！多日不见，老将军别来无恙否？"

怎么会是他？陛下不是一向不许他离开左右吗，怎么忽然跑到沓中来了？姜维顿感不妙。他向来就对这种不男不女之人十分鄙视，对黄皓更是厌恶到了极点，但表面上仍维持着客气，浅浅地还了礼，道："让黄公公挂怀了，老夫身体还过得去。"看到对方两手空空，眉头不禁一皱，问道："皇上的圣旨呢？"

黄皓阴柔一笑，缓缓道："其实也没什么圣旨啦，只是陛下看到姜老将军忧心国家的安危，心生爱惜，便派在下给老将军传个话儿，说咱们蜀地有雄兵数十万，良将上千员，又有险关可依，魏军是决计不敢贸然挺进的，还请老将军稍安勿躁，不要被流言所惑。"

姜维面色阴沉，却并不答话。黄皓看到他这副样子，索性把眼睛闭了起来，也来个默不作声。

沉默了许久，姜维忽然开口："听人说，陛下是听信了黄公公你的话，这才不理老夫的奏章的？"黄皓睁开眼，瞧着对方面色不善，心里不免有些发虚，慌忙道："在下……在下只不过是替陛下找巫师占卜吉凶而已，主意是陛下……陛下自己拿的，怎么能怪在在下的头上？老将军可不要吓唬……"

话音未落，就见姜维猛地起身，目露怨愤之色，直视着对方，沉声道："你知不知道，武侯在世之时，最恨的就是宦官干政？而汉室之所以衰亡，不也正因为如此？"

只是一瞬间，黄皓便起了一身鸡皮疙瘩，雪白的脸蛋微微地抽搐了几下。不过，他立刻又想到，此行有皇帝在背后撑腰，这老家伙还能杀了自己不成？胆气便又壮了，面色也恢复如初，针锋相对道："老将军，话可不能这么说，武侯时代早就已经过去了，你现在还要提他,是不是不把咱们陛下放在眼里?"

"无耻小人!"

黄皓微微一笑,讥讽道:"没错,我就是无耻小人,那又怎么样?你是大将军,是咱们蜀国的大人物嘞,可是十几年来,老将军数次北伐曹魏,劳民伤财不说,每次都是大败而归,我看你这个大将军也快当到头了!"

"你……"姜维怒极,却又无力反驳,毕竟黄皓所说大部分属实。

姜维,字伯约,凉州天水人,原本是曹魏天水郡中郎,被诸葛亮使计招降。诸葛亮对他极为赏识,称其"忠勤时事,思虑精密",为凉州上士。他先是在丞相府任参谋,为诸葛亮训练士卒,后升为征西将军,当时年仅二十七岁。诸葛亮死后,他升任辅汉将军,总领军事,先听命于大司马蒋琬,后与大将军费祎共同参与大政决策。数次兴兵北伐,费祎却以国小民贫为由,对他多所节制,每次仅发兵万余人。后来,费祎被曹魏降将郭循刺杀,他因此得以充分掌权,大举兴兵伐魏,十余年间与曹军反复争战,胜负各半。他屡次用兵均无法取得决定性胜利,成都朝中自然充满了批评、弹劾的论调。他索性便不再回成都,驻军沓中日夜操练军队。

岁月如飞,当年的青年才俊,如今已是历经风霜的百战宿将,可人生的境遇,却又是如此令人尴尬。

送走了黄皓,姜维独自一人坐在帐内借酒浇愁,然而那一杯接一杯穿肠烈酒,反而令他的心绪越发地愁乱了——没错,我渴望战争,因为我是一名军人,军人的天职就是奋勇杀敌,这有错吗?是的,我要一统天下,重现当年汉室的荣光,因为那是诸葛丞相未尽的心愿,这难道也有错吗?

又一杯烈酒下肚,往事如沉渣般泛起。姜维想起当年自己初到蜀地,诸葛亮对自己礼遇有加;战场上,对自己谆谆教诲,不惜倾囊相授;生活中更是恩重如山,情同父子……他放下酒杯,"哧啦"一下扯开胸前的衣襟,低头看向自己那依然健壮却伤痕累累的胸膛,那连成一片的伤疤,那像蜘蛛网一样密密麻麻交织在一起的伤疤,是军人的骄傲,是男人的明证,每一条,都是一段热血沸腾的故事……

可是,我现在已经老了,是个无用之人了。

他叹了口气。

这时,他的目光落在脚边的一件物什上。

他伸手拾起。还好,一直都带在身上,不曾遗失。

抚摸着那件物什,时间仿佛又回到了那晚的五丈原,诸葛亮虚弱的面容既模糊又清晰……让人看着心疼。姜维压制着内心的悲愤,而同时,一腔更加难以压制的豪迈之气直冲头顶。他猛地站起身,冲着天空高声嘶吼:"先帝！丞相！你们多虑了,毕竟还有我姜维在,量那帮魏狗难踏入蜀中半步！"

那究竟是什么东西？

……

公元263年8月,魏国发动了对蜀国的大规模战争。

故事,便从这里开始。

偷渡

10月某日，初秋，有雾。

蜀中阴平小道素来以绝险著称，小道长约三百余里，一路上荒山绝水，怪石丛生，举步维艰，这里除了少数猎户和采药人之外，一向人迹罕至，是猛兽飞禽的乐园。

此时，一片万籁俱寂。忽然间，山谷中传来了一阵急促的脚步声，打破了这沉寂，雾气之中，只见一名轻装士兵，左手提着战刀，右手拎了一只包袱，沿着崎岖的山路疾奔而来。他的前方，是一支悄无声息的军队。

"报——"士兵拖着长音儿奔到一名将军跟前，单膝跪下，气喘吁吁道："启……启禀都督，前方景谷三十余里，道路十分狭窄难行，仅容一人通过。谷中发现采药者一名，怀疑是蜀军探子，已取其首级在此。"说罢，将手中包袱往地上一扔，里面滚出一颗人头来，肤色黝黑，表情十分惊恐，看样子已经死去多时。

那将军看上去约摸有五十多岁的样子，身材十分高大威猛，脸部线条相当硬朗，原本还算整齐的大胡子被风吹得零零乱乱，一望便知是身经百战之人。他的面容犹如铁板一块，毫无表情，两道浓眉微微紧蹙，更显威严和果决。

"可有蜀军的踪迹？"

"启禀都督，并无敌军踪迹。"

"很好。"

将军站直身来，轻轻拂去落在盔甲上的尘土，回身高声下令："各军听令，整束装备，即刻起行，日落之前务必通过景谷！"话音在寂静的山谷间回荡。

他身后那上万名士兵，正横七竖八地瘫坐在乱石林木之间，他们每个人都有着一张年轻稚嫩的脸，如今这脸上却都沾满了尘土、泥水和枯草烂叶，显得颇为狼狈。听到主帅下令,都极不情愿地拾起地上的兵器、粮草等物,缓缓站起身来。

将军顿时横眉怒竖,厉声喝道:"居然敢如此怠慢?听着,再有怠慢者,定当军法处置!听明白了没有?"

"明白——"全军立刻精神抖擞,整齐划一的怒吼仿佛出自一个喉咙。无声的军队一旦有了声音,便如山崩,如地裂,其势不可挡。

将军岿然不动,刚毅的脸上总算挤出了一丝笑意:"好样的,这才像我的军队!"然后转身朝前方走去。

这时,一名军官模样的人大步出列,向将军一拱手:"启禀都督,末将田续有句话,不知当讲不当讲?"

将军停住脚步,偏过头冷冷地瞧着他:"说来听听。"

田续再次拱手,朗声道:"都督,我军两天内急行了一百多里山路,这山是越走越险,谷是越行越狭,道是越走越难,弟兄们早已疲惫不堪,前方这景谷可不可以……"他忽然住口,眼神变得飘忽起来。

将军仍旧面无表情:"你是说,要让兄弟们多歇一会儿?"

田续抿着嘴唇犹豫了许久,终于道:"不,末将以为,还请都督下令撤军。"

将军不怒反笑,回顾众将官:"这是你们的主意?"

没人敢吭声,所有人都低着头。

田续又向前走了一步,躬身道:"启禀都督,这只是末将自己的想法而已,跟旁人无关。都督,阴平小道道狭路险,实在不是行军之地,而且前方景谷仅容一人通过,如果蜀军在该处设下伏兵,或是于路狭林密处用火攻,咱们可是死无葬身之地啊!现在咱们刚入山不久,退回去也还不晚,如果再深入下去,只怕到时进不能进,退又不能退,呈围谷之困,大势则去矣,还望都督三思!"

将军沉思了片刻,忽然大笑起来。

田续的心彻底沉入深渊——他知道那笑声意味着什么。

良久,将军止住笑声,沉声道:"田将军的口才很不错啊,什么时候变得如此能言善道了?差点就连老夫我都被你给说动了……简直就是妖言惑众!"话音落下,早已一拳挥出,重重地击在田续的面颊上。

田续立刻被撂翻在地。将军不依不饶,上前一脚踩住他的头颅,厉声道:"出发之前,我便有言在先,此次进军乃是九死一生,意志不坚者莫入,贪生怕死者莫入……他奶奶的,如今险路尚未开始,便在此建议退兵,惑乱军心,你以为我征西大将军说的话是一文不值的狗屁吗?"说完,重重一脚,将田续的头脸踩进烂泥之中。

田续挣扎着仰起头，从口中吐出几块烂泥巴。

将军不再理会他，大步向前走去，高喊："来人啊，将田续这个孬种就地问斩……我的军队中只有男人，没有女人！他奶奶的，你们给我听着，从今往后如果有人再说出退兵的话来，便以他为榜样！"此人，便是魏国征西大将军邓艾，姜维数次北伐中原未果，便是因为此人的缘故。

邓艾，字士载，自幼丧父，家中贫穷，少年时以养牛放羊为生，从小便喜爱上了行军布阵之道，常手指山川水泽之地，说何处可以驻兵，何处可以屯粮。旁人都笑他是个傻子，只有司马懿知道他有才干，先提拔他为尚书郎，后又担任城阳太守、衮州刺史、长水校尉等职。后来因为郭淮去世，陈泰年迈，朝廷便命他为安西将军，后又升为征西大将军，统领陇右、凉州一带军事。十年间，他与姜维军争不下百回合，双方互有往来，多亏了他的奇计，才力保曹魏西疆安然无失。此番大举出兵伐蜀，主力大军与姜维对峙于剑阁关，他便自领本部军一万人，准备从阴平小道绕过剑阁，奇袭姜维后方。

邓艾下令处斩田续，立刻有士兵上前将田续的头按在一块大石上，行伍中一名刀斧手取出鬼头大刀，走到大石旁正要一刀挥下，就听到两个声音同时响起："等一下！"便看到两名将官奔到邓艾跟前，双双跪下。

其中那个身材较为高大粗犷，年龄四十左右的将官首先开口："都督，田将军随军征战已有多年，屡建奇功，今日只是一时口误，还请都督看在旧日功劳的份上，饶过田将军一命，令他将功补过就是了。"另一个面皮白净，年纪很轻的将官也附和道："是啊，爹，俗话说'蜀道难，难于上青天'，兄弟们本就身心俱疲，如今阵前又斩大将，恐怕会对士气大有影响，还望父亲三思。"

这二名将官，年长的名叫师纂，是邓艾的行军司马，年轻的名叫邓忠，是邓艾的长子，封惠亭侯。二人都是邓艾麾下勇猛之骁将，被邓艾视作左膀右臂。

听了二人的话，邓艾脸上表情一点回暖的意思都没有，电一般的目光扫视着二人，只听他道："所谓'君无戏言'，军令既出，又怎么可能随意收回？你们二人已行军多年，不会不知道这个道理。"

师纂拜伏："请都督息怒，非常之时，自然行非常之事。都督可以令田将军戴罪立功，等到克敌后再论功过。田将军是百战之将，如果因为一时失言就问斩，不但不能正军心，恐怕还会使士气骤降，请督都务必三思啊！"

"是啊爹，师将军说的没错。"

邓艾也是一阵踌躇，田续的确是个难得之才，又跟随自己多年，就这么杀了实在可惜，而且现在正是用人之际，这没错……可是不罚又不足以明军纪。他双手负在背后,来回踱着步,思忖了良久才道:"那好吧,就听你们两个的话,将这狗贼的人头暂时寄下,等到克蜀之后再论处!"

"谢都督!"师纂、邓忠再次拜倒。

邓艾做了个手势,要二人起身,转头对刀斧手道:"不过,死罪可免,活罪难逃,斩去田续左手小指,以示惩戒!"

"是!"

刀斧手得令,将田续左手拉出放在一块大石头上,令小指伸直。手起刀落,随着田续的一声惨号,半节小指已被切断,鲜血自伤口中喷涌而出,瞬间便染红了石头。刀斧手拾起那仍在不住抽搐的断指,向邓艾呈报。邓艾看了一眼,挥手,令其退下。

全场一片肃然。

邓艾扫视众人,朗声道:"天下无不败之战,却无先言败之胜战。在我邓艾的麾下,只许身死,不许心亡!田续擅自言退兵,其心已亡,今后田续要负担十人份的粮草器械行军,如果落于人后,杀无赦!"

田续满脸泥泞,趴伏在地上不住地磕头,口中喃喃自语,似乎是在感谢邓艾的不杀之恩,又像是别的什么。邓艾不再理会,转过身:"众人听令,立刻起程!"

"是——"山谷雷动。

剑阁关前,数十里旌旗飞扬,十万魏军连营结寨,人马嘶鸣,无穷杀气直冲天际,驱散了空中仅有的几片浮云。中央主帅大帐内,一名身材魁梧的将官单膝而跪,身上衣衫破烂,浑身满是血迹,显然是历经激战归来。他的面前一名颇为儒雅的中年将领,年约四十许,相貌俊逸,凤眼狭长,朱唇粉面,三缕美须飘于胸前。此人身着亮金软甲,外面罩着宽大的鹤氅,在一群银盔重铠的将领之中,显得尤为突出。

然而,他的脸上却罩着一层霜气。

"许仪不尊将令,擅自出兵攻打小剑山倒也罢了,可是五千精兵竟然全军覆没,蜀军却未损分毫,按军法该当何罪?"他的声音同样带着霜气。

一旁的军法官躬身道:"启禀都督,论罪当斩。"

那人缓缓闭上眼睛,脸上变幻着颜色。一时间,大帐内静得出奇。

好一会儿,他猛地睁开双眼,从牙缝里迸出一个字:"杀!"

"是!"立刻有两名士兵出列,将许仪架了起来,向帐外拖去。

"放手!"许仪一声暴喝,用力将两名士兵推开,"妈了个巴子的!老子自己会走,不需要你们这两个狗头搀扶!"说着,回身向前走了两步,躬身道:"都督,许某有勇无谋,擅自出兵,结果闹了个灰头土脸不说,还使五千儿郎惨死,令都督蒙羞,此罪该当斩首,许某没有半分怨言,只是……许某还有个请求,望都督恩准。"

"说吧。"

"许某恭祝都督早日破蜀凯旋,为我大魏一统天下立下不世奇功,如此许某便是死也不枉了,到时还请都督在我坟前洒上一杯烈酒,让许某地下有知。"

主帅点了点头:"可以。"

许仪仰天一笑,说道:"那许某便先行一步了,告辞!众位兄弟,许某在地下看着你们杀尽蜀贼,为我大魏建功立业!"说罢团团一揖,昂首出了大帐。

帐内空气一下子变得十分惨烈,众人开始窃窃私语,有几个和许仪私交甚好的将领甚至哽咽出声。"都给我闭嘴!男子汉大丈夫怎么跟个娘们儿似的婆婆妈妈?身为军人,就应该有这样的觉悟,许将军面对死亡能泰然处之,着实令人钦佩,他是好样的!"主帅发怒,众将官纷纷低下头去,紧张得不敢出大气。

这时,一名将官出列,对帐外的行刑军士喝了声"慢着",然后转身向主帅行礼道:"禀都督,许仪将军勇猛善战,素有战功,这次擅自攻打小剑山本是想替都督解忧,却误中了敌军诡计,实在是情有可原,罪不至死。再者说,许仪的父亲乃是虎侯许褚,虎侯有大功于我国,还望都督念在其两代的功绩上,法外开恩,令他戴罪立功,胡烈愿以自身性命担保,望都督明查。"

主帅看着他,轻捋须髯,温言道:"大胡将军,你也是身为百战之将,难道就不知'法令不行,军心不定'的道理吗?如果我今天饶了许仪,士兵们必定会说我循私苟且、畏惧权势,这场仗,你说,还能打得下来吗?"

胡烈顿时愕然无语。

又有几人欲上前求情,不等他们说话,主帅将手一挥,朗声道:"我心意已决,你们什么都不要说了!"然后别过头去,不再言语。

不一会儿,一名士兵捧着托盘进帐复命,上头呈着许仪的首级。主帅转过头看了一眼,挥挥手,缓缓下令:"将许将军的尸首缝合,送回洛阳厚葬……跟朝廷据实呈报就是了,不要有丝毫的隐瞒。"

此人便是钟会,字士季,魏太傅钟繇的幼子,自小便聪明伶俐,为人圆滑,且文采不俗,在洛阳城中颇有些才名。年少起他便追随司马懿东征,在讨平毌丘俭之役中担任参谋,立了些功劳。之后又帮助司马昭夺权,因此得以晋身权力高层,被任命为黄门侍郎。后来,诸葛诞叛乱,他随军出征,献计离间东吴的援军,帮助司马昭平定淮南,大受赏识,被司马昭以"子房"称之,任命他为中郎,在大将军府掌管机要事务。他年纪轻轻便晋身权力高层，无论时政损益，当世与夺，均能见到他的身影。当年竹林七贤之一的嵇康，因为得罪了司马家而被处死，便是他所谋划的。

此次司马昭意图发兵灭蜀，满朝文武都不赞同，唯独钟会一人认为蜀国可灭。司马昭大喜，任命他为镇西大将军，总统灭蜀事宜。他率大军南下，自骆谷、段谷、子午谷三路进发，先破汉、乐二城，再取阳安关，占了汉中之地。大军继续往蜀中推进，与姜维所率大军对峙于剑阁关。剑阁山高关险，易守难攻，魏军屡攻不克，一转眼已在此地驻军三个月，眼看着粮草便要接济不上。

钟会拂了拂衣袖，站起身，在帐内来回踱了几圈，又重新坐回到座位上，对众将官道："军法已毕，下面，列位对攻克剑阁，可还有什么看法？"诸将你看看我，我看看你，都不敢发言。

过了一会儿，见众人都不言语，钟会轻咳了一声，面上露出不悦之色，沉声道："列位如果都没有什么意见，那么我看以后便不需要再军议了。光阴如流，在此对坐相望，岂不是浪费光阴？散了吧！"

"且慢！"

钟会话音刚落，便有一名外表粗豪的将官大步出列，高声道："启禀都督，末将以为，十万大军久驻于此，不利于士气。既然我军人数多于蜀贼，都督不妨破釜沉舟，以示灭蜀的决心，命全军朝剑阁各关寨发动总攻，先杀尽蜀兵，进而灭掉蜀国！"发言之人叫庞会，曹魏已故名将庞德的儿子，当年庞德在樊城之战时，被蜀国名将关羽所擒获，誓死不降而遭杀害，因此庞会恨极了蜀人，欲杀尽而后快。

听了庞会之言，钟会立刻面露轻蔑之色，斥责道："匹夫之勇，不足与谋，退下！"

庞会红着脸退了下去。

又有一名将官大步出列，行礼道："启禀都督，剑阁关十分险要，蜀贼久守在这里，居高临下，粮草充裕，实在是难以攻克。以在下之愚见，我军不如先假意撤退，诱敌前来追击，再一举冲入关内，杀他个片甲不留，剑阁便可一举而破。"此人乃是护军荀恺，司马昭的亲侄子，手中握有重兵，与钟会素来交好，此次灭蜀之役，他特意率领河洛一带精兵三万前来，以补充钟会军力上的不足。

可对于这位老友，钟会却打心眼儿里瞧不起，但又碍于司马昭的面子，不便与之决裂，所以常常以开玩笑的方式出言讽刺。这次荀恺主动撞在枪口上，自然免不了惹来一阵讥讽。只见钟会笑呵呵地说道："我说荀恺啊，你让我怎么说你好呢？你有没有想过，所谓'牵一发而动全身'，十万大军岂是说撤便撤得的？再者说，你以为姜伯约与你一样都长着一颗豆腐脑袋，会中如此劣计？简直就是儿戏，还是退下去，多读些兵书吧！"

荀恺虽为将领，倒也还有些自知之明，知道自己不善于带兵，于谋略之道更是一窍不通，虽受奚落，却也不恼火，苦笑着退了下去。

其他人见庞会和荀恺碰了一鼻子灰，也就不敢再发言了。大帐内一片寂静，只听见钟会用手指轻轻敲击桌面的声音，一下又一下，十分有节奏。

良久，钟会叹了口气，正要说什么，一名将官忽然出列，躬身道："启禀都督，胡烈有一个想法，不知是否行得通。"钟会精神为之一振，挥手道："说来听听。"

"剑阁一线共有十四山，六十五关寨，我军可在各地多设些营寨，故布疑阵，令蜀贼分兵把守。故军分为十，我军专为一，并力进击，剑阁一线必可攻破。"

"好！"钟会猛一拍手，大笑道，"大胡将军所说的，正是我现在心中所想。没错，我军多于蜀贼，令其分兵便是上上之策。我在心中已经酝酿了许久，想不到还是大胡将军一语给点了出来。那么请问将军，如果依照此计，我军应该在哪些地点故布疑阵？又该在哪些地点并力一击？想必将军已经早有定见了。"

胡烈忙拱手："都督过奖了，末将不过一介莽夫而已，哪里谈得上定见，只是粗略地有些想法罢了，详细的部署还请都督亲自筹谋，属下拼死去干就是。"

钟会笑了笑，对胡烈身旁一名青年将官道："那么，小胡将军呢？世元怎么看令尊这分兵之计？"那青年将官立刻上前一步，抱拳道："启禀都督，小子又哪里有什么看法，听从大都督的调度便是。"此人便是胡烈之子，名渊，字世元。父子二人都是勇烈之将，且有谋略，平时十分得钟会的倚重。

钟会微微一笑，快步离了帅案，走到一张悬挂的大地图旁，看着地图上那密密麻麻的关寨名称，缓缓道："咱们便依照大胡将军的计策行事，但是稍微有些改动，用的是'声东击西'之法。"说着，伸手指向地图上的某处，"此处便是白水寨，是剑阁一线最东边的关寨，也是白谷的入口，有蜀军三千人驻守。胡烈听令！"

"末将在！"

"本帅命你率领本部五千人马，沿着白水河谷直趋白水寨，昼夜不停，不破不休！可否明白？"

"明白！"

胡烈领命而去。胡渊正准备跟随父亲一道出去，却被钟会给叫了下来："小胡将军暂且留在帅营里，本帅还有其它安排。"

待胡烈出帐后，钟会又下令："田章，你等胡烈军出发后，率一千人马进驻胡烈的营寨，令军士四处走动，制造一些声势出来，不要让蜀贼发现该营已空。"

"是！"

钟会又道："其余诸将各自回营整顿军马,命令手下兵上胄甲马上鞍蹬,攻城器械全部出帐,使蜀贼以为我军将要大举攻城,吸引其主力聚集。今夜四更造饭,五更束甲,再听我的号令行事。但是千万要记住,此计策务必保密,如果谁胆敢泄露出去,休怪我无情,斩立决！"

众人一声虎吼,分别回营去准备了。

等大家都离开了,钟会这才长出了口气,向胡渊招了招手,转身走入后帐。胡渊会意,也跟着进了后帐。后帐内,一名身材矮小,但却生得结实精干的青年将官正端坐于桌前,一见钟会与胡渊走进来,慌忙起身行礼。

胡渊知道此人名叫丘建,年少时曾是胡烈手下的亲兵,人虽短小,却有一项特殊的本领——飞檐走壁。再加上他为人胆大心细,头脑灵活,所以十分得胡烈的喜爱。后来被编入钟会麾下,同样受到器重,多次担任机密要务,屡建奇功。钟会视其为手上的活棋,除非有必要,从不轻易动用。

钟会一摆手,命胡渊与丘建都坐下,自己也坐了下来。

胡渊不知道钟会把自己留下有何安排,心中正思忖着,忽听钟会开口道："世元觉得本帅这次的部署如何？"

"大都督向来算无疑策,此次必破剑阁。"

谁知钟会却叹了口气,站起身来在帐内缓缓踱着步子,幽幽道："我将二位视为心腹,场面话咱们就不多说了。以前对付毌丘俭、诸葛诞之流,他们只不过是庸人废将而已,以我的计谋,自然是游刃有余。不过此次的对手却是姜维,这就另当别论了。姜伯约乃是当今第一用兵人才,老而弥坚,我的'声东击西'之计固然巧妙,但恐怕还是瞒不过他。我军伐蜀已经有一段时日了,虽已得汉中,但始终不能深入蜀中腹地。大军久旷,粮草接济困难,只怕……只怕到头来也只能落得个草草收兵的下场。"此时他神色凝重,与刚才大帐上的意气风发迥然不同。

丘建起身抱拳道："主子不用担忧,如果有什么差事,尽管吩咐小的去办便是,丘建赴汤蹈火,在所不辞！"

胡渊也不甘示弱："是啊,大都督,我军已经攻下了汉中,蜀国三分已失其一,这说明蜀贼气数已尽,此刻如果退兵,之前所战将前功尽弃,这不是太可惜了吗？如果有什么差遣,便交给小子前去拼命,剑阁再怎么险,也不信攻不下来！"

钟会不由得抚掌大笑："哈哈哈！二位的确是年轻有为的好将士,勇气可嘉！"说罢,从怀中取出两枚赤色令箭,一枚交给胡渊："既然如此,世元,你便领一军绕过白水河谷,走山路直袭白水寨,途中若见山下有军争,不得干预。"

"得令!"

钟会点点头,将另一枚军令交给丘建:"你领一军尾随胡烈之军而去,两军必须间隔三十里,不要让对方发觉。如果胡烈军受到袭击,便出面营救。如果没有受袭,便继续长驱进入蜀地,寻找险要处下寨,以迎接我大军到来。听明白了吗?"

"明白!"

两人刚要离去,却又被钟会叫住:"不要嫌本帅啰嗦,再叮嘱你们一句,军争之时,情势有利便进,无利便退,千万不要争强好胜,弄得跟许仪一样的下场。如果敌军已扼守住险要,便不需要与敌人对垒,回营复命便是,退下吧。"然后挥了挥手,缓缓闭上了眼睛,似乎已是疲倦至极。胡渊、丘建行礼告退。

待到门口时,胡渊像是忽然想到了什么,转身道:"大都督,要破剑阁,其实还有一个办法。小子听说邓将军之前领军走阴平小道直趋蜀中,只要等他绕到剑阁之后,偷袭蜀贼,贼兵必定大乱,我军再趁势攻打关碍,这样一来不就胜券在握了吗?"

钟会睁开双目,难以置信地看着胡渊,忽然哈哈大笑起来:"我说世元,怎么连你也相信邓艾那老家伙的鬼话?阴平小道之险要,只有比剑阁关更胜,蜀贼只要在狭路上或者两旁密林处埋伏一队人马,邓艾那区区万人只不过是个笑话,转眼便灰飞烟灭了。即便蜀贼在阴平小道没有驻军,邓艾也不可能过得了摩天岭,岂不闻蜀谚云'杜鹃欲归,摩天奈何'?连鸟儿都飞不过去,人又怎能过得了?"

胡渊便不再言语,施了个礼,转身出帐。待他走后,钟会脸色忽然阴沉下来,咬着牙道:"邓艾啊邓艾,你最好死在摩天岭,免得坏了我的好事!"

傍晚时分,摩天岭。

已是入秋,崇山峻岭间到处飘舞着萧瑟的落叶,它们被冷风追逐着,一片凄凉的枯黄。然后是初寒的秋雨,无声地洒落下来,笼罩着这一万名衣衫单薄的士兵。他们的手脚、头脸都布满了擦伤和瘀血,衣服上也尽是被山岩、荆棘勾破的裂痕,但他们却丝毫感觉不到疼痛,只因为眼前斯景令他们心中无不充满了绝望和愤怒,那绝望和愤怒胜过身体上的痛苦百倍。

"报——"一名士兵飞奔到邓艾跟前,禀报道:"都督,小的刚才又察看了一遍,前面的确已经没有路可走了。"

"知道了。"邓艾决定亲自上前察看。他一路缓缓向前,眼中所看到的都是绝望和愤怒。难道是我判断失误?他不甘心。

凄风苦雨中，邓艾伫立在悬崖边，粗糙的手掌摩挲着一块残缺的石碑，口中反复念叨着那八个字：杜鹃欲归，摩天奈何。雨水从他的鬓角滑落下来，打湿了下颚胡须，结成水珠，再滴落到石碑上，溅起细小的水花。

　　出现在他眼前的，是一个看不见底的深渊，半山腰处云雾飘渺，下面却是一团漆黑。目光所及，崖壁上尽是尖锐的碎石和枯枝，却不见任何着力之处，除非有猿猴一样的本事，否则攀援而下，那根本就是自寻死路。

　　士兵们大都聚集在崖边，绝望地看着崖底。其实他们什么都看不到，想到过去数十天艰苦行军的努力，全都因为眼前这深不可测的悬崖而付诸东流，不禁心如刀割，有的将士眼中甚至翻滚着屈辱的泪水。

　　不知何时，邓忠已站在邓艾身旁，低声道："爹，还是算了吧，怪不得蜀军不在此处设防，原来他们早就知道这条路是行不通的。我看……我看咱们还是顺原路返回，再另想他法吧。"说着，拍了拍父亲的肩膀，长叹了口气。

　　邓艾目光呆滞，像是没有听到他的话似的。

　　"爹，咱们得回头了。"邓艾这才回过神来，猛地转过头，凶狠的目光瞪视着儿子，喝道："是谁教你说这种话的？难道把我之前说过的话当做放屁不成？"邓忠陡然一惊，想起田续的下场，便不敢再说什么了。

　　这时，邓艾忽然走向崖边，大声吩咐："取我的毛毡过来！"便有士兵取过一条毛毡交给他。邓忠一愣，随即反应过来，赶紧奔上前去，惊叫道："爹，您不是在开玩笑吧？这崖、这崖……"看着那深不见底的崖底，后半句便再也说不出口了。

　　邓艾却不理会，把毛毡绕着身体裹了两圈，回身环顾众人，高声下令："众军士听令！如果我这次下去无回音传来，你们便听从邓忠和师纂的指挥，沿着来路回去和钟会镇西大军会师。如果我下去有回音传来，你们便给老子照葫芦画瓢地滚下来，不敢下崖者，"说到这，他鹰一般的目光扫视众人，少顷，从牙缝里迸出一个字："斩！"便要纵身跃下。

　　一旁的师纂赶紧上前拼死抱住邓艾，大叫道："都督！可千万别干傻事！您乃是万金之体，不能轻易犯险，这种小事便由我来便行了，您与弟兄们在这儿等我的消息吧。"邓艾一把推开他，仰天大笑："哈哈哈！我邓艾一向好兵行险招，为求胜，早已将生死置之度外！我既为主帅，这种冒险犯难之事便应该身先士卒，否则身为主帅却贪生怕死，又怎能令手下将士卖命？妈的，不要再说了，你们就在这儿等我的消息便是，量老天爷不会绝我邓艾之路！哈哈哈！"

　　豪迈的笑声在灰蒙蒙的山谷间回荡。

邓忠上前一把抓住父亲的手臂，叫道："爹！这险咱可不能犯啊！看看这崖深成什么样子，滚下去还不摔得粉身碎骨？您别光想着自己，也要为手下的弟兄们想想，他们可不能没有主帅啊！您也得为娘想想，娘还在等您回去呢！"邓艾双眉倒竖，厉声道："你个小王八羔子，怎么跟个娘们儿似的纠缠不休？倒底放不放手？"

"不放！"

邓艾大怒："你胆敢违抗将令？"

邓忠死都不放，虎目中早已涌出热泪，哽咽道："身为一名军人，自然是不敢违抗将令，但作为儿子也绝不能眼睁睁看着自个儿的爹去送死！只要您不跳下去，斩了我也成……实在非跳不可，就让孩儿来吧！"

邓艾的心软了一下，随即变得更加强硬。他伸手一把扼住邓忠的咽喉，怒吼道："臭小子，你给我听好了！我曾不止一次教过你，人生在世，终有一死，死得其所，又有何可惧？我邓艾一生以险用兵著称，所倚仗的，就是不怕死而已，你们不就是因为我这样教出来的，所以才战无不胜吗？如今我如果退缩，今后又有何面目带兵作战？又如何命属下行险？你爹我活着又有什么意义？你给我在这儿看着，万一我真的死了，弟兄们和你的母亲，你要都给我担下来！"

"爹，那就让孩儿替您下去吧！"

"啪！"邓忠的脸上挨了一记响亮的耳光，他一下子愣住了。邓艾喝道："我叫你哭！你还是不是个男人？你对得起'军人'的称呼吗？对得起咱邓家的列祖列宗吗？如今你小子毛长全了，翅膀硬了，就不听老子的话了是吧？你给我记住，战场上没有父子，只有将军与士兵，服从和杀敌才是军人的本分！快放手，你信不信我立刻杀了你？"

邓忠完全被父亲的愤怒所震慑，手不自觉地松了松。邓艾趁机将儿子用力一推，紧裹毛毡顺着山壁便滚了下去。

"爹！"邓忠扑倒在崖边。

士兵们呼啦一下围了上来，屏住呼吸看着邓艾下滚之势。只见那崖壁上布满了尖锐的乱石和枯枝，邓艾几次眼看着就要撞上去，多亏他手脚并用，硬是改变了下滚的方向，这才逃过破头断臂之劫，看得众人冷汗直冒。只见邓艾越滚越快，最后变成一个小黑点，消失在了茫茫黑暗之中。众人大气都不敢喘一声，竖起耳朵，凝神等待着回音。

一刻……二刻……

有人开始交头接耳。

"都督此举无异于自杀啊！"

"闭上你的臭嘴！都督向来如此，哪一次不是化险为夷？"

"不过，此次当真凶险得紧，只怕……"

"只怕个屁！都督必定没事。愿上苍保佑，希望都督安然无恙。"

"都督当然会没事，你这么说好像真的有事一般。"

"唉！如果都督真的死了，只可惜了他一身的武艺和满腹的韬略。"

"你们都给我闭嘴！仔细听动静！"邓忠一声断喝，崖上立刻又恢复了宁静。

四刻……五刻……

时间无情地流逝着，一分一秒都如同刀子割着人的心。

天色越来越暗了，崖底却始终寂静无声，偶尔有某种诡异的响动传来，令所有人的神经都为之一紧，然而，却始终没有邓艾的消息。众人的目光随着头顶的天色逐渐黯淡了下去，有的士兵已经无法忍受这种煎熬，开始收拾军械准备撤离了。有几个和邓艾感情比较深厚的，甚至哭出声来。

"啪"地一声，邓忠手起掌落，一名士兵扑倒在地，嘴里吐出两颗带血的牙齿。"不许走！你们走一个试试！你们这一走，对得起我爹吗？再说，你们怎么知道爹……我爹他已经死了？"说完，他转身回到崖边，继续向下凝望。

众人无奈，只得将兵器放了下来。

又不知过了多久。

师纂抬头看了看天色，叹息着走到邓忠身旁，小声道："时间不早了，咱们走吧。"邓忠却不为所动，通红的双眼始终凝视着崖底，没有半点反应。师纂用力摇了摇他的肩膀，声音提高了一些："奉都督遗命，立刻退兵。从现在起，你便是主帅。"邓忠猛地回过头："遗命？放屁！你怎么知道我爹已经死了？"说着，从行囊中取出毛毡裹在身上："非要走的话你们便先走，我总得下去看看。"师纂一把抱住他："你疯了不成？下崖必死无疑，都督便是前车之鉴！你给我住手，你……"

此时邓忠心潮澎湃，力量大得惊人。他一把便挣脱师纂的掌握，吼道："我爹为国殉职，我是他的儿子，再怎么样也要将他的尸骨带回故乡，否则如何对得起我娘？我非下去不可……妈的！别阻拦我，否则我对你不客气！"很显然，他已经接受了父亲"已死"的现实。眼看着邓忠便要往下滚，师纂赶紧又扑上去，将他扑倒，其余人也纷纷跑过来帮忙。一时间，崖上一片混乱。

"喝——"

忽然，一声长啸穿透了云雾，自崖底传上来。那啸声中气充沛，有如龙吟一般，正是出自邓艾之口。士兵们顿时精神大振，同时欢呼了起来。

邓忠喜极而泣，状若疯狂，叫道："你们听到没有？听到没有？我爹他没死，他尚在人间啊！真是老天开眼啊，灭蜀有望了！呜……"他一把抱住师纂，两人相视大笑，笑得眼泪都流了出来。

这时，崖底的啸声突然中止了。

众人正感到惊异，啸声又在崖的另一侧响起，如此响响停停，邓艾一共啸了七次，分别是从崖底不同的地方传来的。众人都不知道发生了什么事。

邓忠侧头想了想，高声道："这必定是我爹告知咱们下崖的路线，啸声所传之处便是可以下崖的地方。众人听令！速分成七队，在各指定地点分批下崖，违令者斩！"

"是！"士兵们轰然应命。

他们都是训练有素、久经阵仗的士兵，一得到命令便立刻分批整队，各自取出随身毛毡包裹住身体，走向崖边。站在最前面的是队长，他们毫不犹豫地顺着山崖滚了下去，后面的士兵如法炮制。场面甚为壮观。

那山崖陡峭不说，而且特别长，其间又没有落脚的地方，士兵们依照邓艾指示的路线滚下去，虽然已是较为平顺，但仍不免被利石枯枝划伤，更有数名士兵不慎撞破了脑袋，或是折断了手脚，悬在半山腰哭号不止，滚到崖底的士兵赶忙又爬上去救护。如此费了半天的功夫，一万名魏军总算是都到了崖底。

邓忠一到达崖底，顾不得满身的疼痛，一把丢开破烂不堪的毛毡，跌跌撞撞地向前奔去。当他看到浓雾之中，邓艾正虎踞于一块大青石上，浑身上下虽血迹斑斑，但脸上却仍是一副满不在乎的神情时，终于长长呼出了一口气，脚步也不自觉地放缓了。那一瞬间，他竟有种恍如隔世的感觉。

"爹！"他跪倒在地，眼泪再也忍耐不住。

邓艾却是一脸豪迈，在儿子胸口捶了一拳，大声训斥："你这臭小子，刚扇过耳光还不长记性，到底还是不是个男人？怎么老跟个娘们儿似的哭哭啼啼的，以后怎么带兵打仗？"嘴上虽这么说，眼神内却是蓄满了笑意。

邓忠用力抹去眼泪，笑道："爹，孩儿再也不会给爹丢脸了。"

邓艾听罢不由得哈哈大笑："好好，这才是我邓家的好儿郎！"然后一把将儿子给拉了起来，拥入怀中。

这时师纂走上前来，躬身道："都督身上的伤要不要找军医官包扎一下？"

邓艾推开儿子，大手一挥，豪迈地说道："不必了，死不了就是。"

师纂正要转身离去，却被邓艾叫住："兄弟们可都平安下崖？"

"托都督的福，兄弟们大都平安无事，只有少数几人受了些轻伤，并无大碍。"

邓艾点点头："很好。"抬头看了看天色，吩咐道："告诉兄弟们，今晚便在此处歇息，明日一早便出发。"

"是！"

摩天岭下是一大片低矮茂密的灌木林，邓艾命士兵们伏低身子，不许升火扎营、大声喧哗，以免泄露了行迹。秋雨刚歇、满地泥泞，士兵们身上又冷又潮，再加上伤口隐隐作痛，不少已有了溃烂的迹象，便有人低声抱怨行军之苦。邓艾斜倚在一株歪脖树下休息，见士兵们面上多有不悦之色，知道军心疲惫，需要安抚。想了想，便矮着身子来到一处树丛前，回头招了招手，叫附近的士兵们上前来。

士兵们不明何意，纷纷聚拢过来。

邓艾伸手拨开树丛，指着树丛的后面，低声道："兄弟们快看，这，便是天府之国了！"虽然天色已黑，但因为刚下过雨，一轮满月竟是格外的好，照得大地一片通亮。

士兵们从树丛的空隙望出去，只见一片广阔无边的平原上，一条大川自北向南横贯其中，无数水田井然有序地散布在大川两旁。此时正值秋季，作物大都已经成熟，沉甸甸的谷穗随风摆动着，掀起道道金浪。远处有一座小小的村落，炊烟在屋顶上袅袅升起，每一户农舍旁都有一座粮仓，或大或小，也不知藏了多少谷米。忽然，一声犬吠打破了这夜的宁静，恍惚间，似乎可以听见孩童的嬉闹之声，好一派富足的景象啊！

邓艾所率领的士兵大都是西凉战士，在西凉镇守每日里所见到的，不是鲜血便是白骨，更多的是黄沙，什么时候见过似这般恬静丰饶的农家风光？士兵们各个都看得呆了，用力吞咽着口水，仿佛这就是人间仙境。

邓艾看到众人的神情，知道安抚已奏效，便笑道："各位，你们回去告诉其余的兄弟，今夜便好好地睡，过了明日，这天府之国便是咱们的了！"

听了主帅的话，士兵们立刻群情振奋，连日来的行军之苦一扫而空。有个胆大的士兵甚至开起了主帅的玩笑："都督，常听人说四川出美女，都督不妨直接杀进蜀宫，宰了那阿斗，然后挑几个标致的小妞儿带回府上，多生几个小将军出来，岂不是咱们大魏的福气？"立刻引来众人一阵哄笑。

邓艾却没笑，此时此刻，他的脑海正被一个大胆的想法所占据着。

中计

剑阁雄关,城高十几丈,墙砖呈青灰色,厚实且坚固。在城楼之上,一名须发花白的老将军正迎风面北而立,他全身胄甲,背后的大红色披风随着强劲的山风猎猎作响,高大的身躯挺拔一如这剑阁诸山,支撑着蜀国的最后一线希望。

这人便是姜维。他已在城楼上站了快两个时辰了,却仍没有离去的意思。此次曹魏大举出兵伐蜀,他深知情况严峻,屡次上奏朝廷请求发兵未果,情急之下,索性自行率军赶赴汉中迎敌,却没料到钟会进军如此神速,数日之内已经攻破了阳安关,汉中大地全部沦陷。无奈,只得与左车骑将军张翼、辅国大将军董厥等军会合,南下进驻剑阁,扼守住蜀国最后,也是最重要的一道防线。

此刻,姜维放眼凝视着前方那无边无尽、绵延了不知多少里的魏军营盘,若有所思。良久,忽然回头问道:"伯恭,你怎么看?"身后一名中年将领躬身道:"回大将军,魏贼大营内杀气震天,军队马匹整肃,器械搬动之声不绝于耳,依我之见,敌军该是要发动总攻击了。"

姜维不置可否,沿着城垛子缓缓地踱着步。

那将领接着又道:"敌军镇兵于此地已有三个月了,十万大军所需的粮草极为庞大,在陇右关中一带的存粮一定早已耗尽,汉中所屯粮草也不会很多,因此敌军必定会拼力一击,以求突破我军防线。我军宜谨慎坚守,凭剑阁之险,必不使魏狗得逞,待他们粮草耗尽而退,我军再衔尾追击,如此不但汉中可复,陇右关中也可以伺机夺取,足以重创魏狗。"说话之人乃是左车骑将军张翼,字伯恭,是蜀国少壮派将领中的佼佼者。

姜维轻轻"嗯"了声,转头又问另一位将领:"董将军以为如何?"

那董姓将军连忙躬身道："启禀大将军，我与张将军也是一般看法。魏狗全军动员，直指剑阁主关而来，我看，咱们应该立刻调动人马，将兵力聚集于此，杀他个片甲不留，岂不爽快？"此人是辅国大将军董厥，字龚袭，平日率军留守成都，此次因敌军势大，便率成都诸军北上支援姜维。

姜维对二人的话既不表示赞同，也不表示反对，只是凝神远眺着魏军西方的一座营寨，口中喃喃自语："奇怪，真是太奇怪了！"张翼忙凑上前观看，却并不觉得有何不妥，"大将军，那座营寨可有什么古怪之处？"姜维皱眉寻思了一会儿，道："那营寨内有士兵往来走动，表面上看倒没什么问题，只是造饭时的炊烟却比往常少了一半，你说，这岂不是很古怪？"

"大将军是指……"

"那座营归谁统领？"

"如果情报不差，当属护军胡烈。"

姜维凝思了片刻，不禁冷笑起来："无军之营，却伪装成有军士行走的假象，这其中必然有诈。"

"果然不愧为大将军，眼光就是独到，此乃'声东击西'之计也！哈哈哈……"随着一阵爽朗的笑声，一名须发皆白，看样子少说也有八十来岁，但却红光满面，身材健硕如青壮年的老将军，从后面快步走了过来，打断了三人的军议。

姜维急忙躬身行礼："原来是廖老将军。"

那老将军走到姜维身旁，朝着魏营方向瞧了瞧，朗声道："敌军佯装要发动总攻击的样子，以绊住我大军主力，却令胡烈暗地里出兵袭击剑阁某处关寨，这等鬼崇伎俩，刚学兵法的小儿都会。老姜，老夫之言，你以为如何？"姜维抚掌大笑："既然是廖老之言，又怎么会有错呢？"

那老将军便是右车骑将军廖化。他年少起便跟着关羽征战四方，一晃已经许多年过去了。此刻廖化已年近八旬，是蜀军之中辈分最高、资格最老的将领，虽然本事平平，但贵在经验丰富、见多识广，且为人刚直不阿，颇受朝中文武百官的敬重。不过，由于他向来支持邓艾，所以颇不受刘禅的宠信。

听了二人对话，一旁的董厥搓着双手，咬着牙道："那钟会狡诘多诈，一肚子坏水儿，流到哪儿都是个祸害！'声东击西'之计细细想来，的确有这个可能，只是，如果能知道胡烈是往哪座关寨去就好了，咱们只要在半路上设下一支伏兵，还怕那胡烈长翅膀飞了不成？"

"这倒是不难猜。"姜维笑道，"那胡烈善于使用骑兵突击，手下玄马营士兵为清一色骑士,因此钟会必然不会令他攻取山关,而是袭击平地的关寨。剑阁一线共有六十五座关寨,只有最东面的白水寨坐落于白水河畔的平地上,因此胡烈必定是受命攻取该寨。此刻天色初明,胡烈之军应该已经走了一半的路,今夜之前将到达白水寨。"

董厥点点头,随即大声请命:"大将军,既然如此,我董厥愿领一军奔赴白水寨,给胡烈来个迎头痛击!"

"末将愿同往!"张翼也不甘示弱。

姜维手捻须髯,微微一笑:"那胡烈乃是魏军的正印先锋官,勇猛难当,尤其是手下的五千铁骑,横行沙场,罕有匹敌,向来为我军的心腹大患,如果能借此机会诛杀之,必将重创魏狗的锐气。嗯,既然如此,那我便略施小计,要那胡烈自投罗网便是,以显示我军的雄风!"说罢,便示意张、董二人附耳过来,低声交代了几句。

"两位可听明白?"

"谨遵将令!"

"那好,有劳二位了。"

二将拱手领命而去。

姜维目送着二人离去,却若有所思。廖化斜倚在城垛上,疑惑地看着他,问道:"老姜,此战可是没有信心?"与廖化的目光相对,姜维神色陡然变得沉重起来:"不管此役如何,我自当效仿武侯,鞠躬尽瘁,死而后已,请廖老放心便是。"

胡烈身为西凉人,自幼在马上讨生活,马上功夫在魏军中可谓首屈一指。所统领的玄马营士兵也大都来自西凉,都是百里挑一的顶尖骑士,各个骠悍勇猛,追随胡烈转战各方,所到之处无不夷为平地,可以说是魏军精锐中的精锐,一旦发动集团式冲锋,便具有摧枯拉朽般的威力。再加上跨下都是清一色的墨色坐骑,所以也被人称为"黑旋风",该营的冲击力可见一斑。

胡烈领其本部玄马营五千铁骑沿着白水河谷向东南方向急驰,目标当然是剑阁东端的白水寨。白水河谷地势平阔,这五千铁骑汇聚成一股庞大的铁流向前驰骋着,隆隆之声响彻云霄,声势十分惊人。胡烈一马当先,一双鹰目锐利地扫视着四周。他所历经过的血战何止千百,不知道有多少次他是从死尸堆里爬出来的,长年的战场厮杀已经使他可以凭着感知能力察觉出有无敌军来袭。

此时此刻,四周一片静谧,除了马蹄以及水流之声外,再无其他的杂音。蜀军主力显然都还在剑阁主关,准备与钟会大军一决胜负。

可是,为什么会这么静呢?

胡烈忽然感到一阵没有来由的心绪不宁，他猛地勒住马头，右手高举，身后那疾驰中的五千铁骑瞬间便停了下来。

　　不动如山，动如雷霆。这便是铁一般的玄马营。

　　胡烈左右看了看，左面是白水河，水流湍急，右面是光秃秃的悬崖绝壁，放眼望去，并无可供敌军埋伏之处，甚至连走兽都不见一只。胡烈苦笑着摇摇头，觉得是自己太过多疑了。他身为骑兵统率，向来都是冲锋在前，即便敌军设下阴谋诡计，他也毫无顾及，仗着脚程快，瞬间便杀至眼前，一阵暴风骤雨般地冲杀，敌军无不土崩瓦解。胡烈所倚仗的，便是胆大、速度。当然，强大的实力也是胜利的保证。然而这次奇袭白水寨，他却忽然有了一种异样的感觉。他不禁暗自嘲笑自己：年纪越大，胆子越小！

　　放下了右手，五千铁骑再次如雷霆般向前奔去。

　　又向前疾驰了大约两个多时辰，白水河谷越行越窄，河水也是越见湍急，不远处前方已可见山势起伏，遥遥地，可以看见一座高大的城寨，上头插满了"汉"字军旗，镇守在山谷的入口之处。

　　胡烈高声下令："前方便是白水寨了，大家伙儿再加把劲儿，趁贼兵没防备时一举冲进去，攻他个措手不及！妈了个巴子的，都给我冲！"

　　"杀啊！"一时间，杀声震天。

　　玄马营士兵所乘马匹均是纯种的西域骏马，高大挺拔，四蹄修长，马掌为精铁打造，不避尖石，本来就比中原的马匹快上许多，此刻一经催促更是万蹄翻飞、狂飙突进。众骑士在马背上纷纷抽出兵刃，高声呼喝着，直往白水寨冲杀了过来，宛如神兵天降。

　　白水寨外负责守寨的蜀军完全没有料到有敌军来袭，而且速度如此之快，势头如此之猛，连上马都来不及，一时之间被冲了个手忙脚乱，四散逃窜，完全组织不成阵型。寨内将领忙下令封闭寨门，却见胡烈一马当先冲入寨内，右手枪挑，左手刀砍，顿时便有几名负责关门的蜀军横尸在地。胡烈将守门士兵尽数驱散，打开寨门，玄马营铁骑趁势一涌而入，真个如旋风一般。

　　守寨蜀将一见情势不妙，赶紧率领残部往后山逃去。胡烈领军追杀了一阵，见蜀军的确已经败退了，这才鸣鼓收兵。一场仗下来，半盏茶的工夫不到便结束了。

　　真的结束了吗？

　　回营寨的路上。"大胡将军，自从之前阳安关一战后，好久都没有杀得如此痛快了，真是爽快啊！"一名年轻将官策马来到胡烈身旁，兴奋地说道。此人名叫朱涛，不过二十七八岁的年纪，便已是玄马营中的一个队长了。

两人并骑而行。"小朱,你说得倒也是句实话,的确好久没这么舒活筋骨了,痛快!痛快啊!哈哈哈!"胡烈大笑,继而问道:"寨子内情况怎么样?"郭真咧嘴耻笑道:"这些蜀军也忒没用了点儿,一溃就散,一追就跑,现在偌大的寨子里连一个蜀军都没有,都他妈的跑没影了,白白留下一些辎重、军械来犒劳咱们,其他的倒也没啥特别的东西。"

"兄弟们可还好?"

"托将军的洪福,没损伤一人一马。"

"好样的!"胡烈用力拍了拍杨岑的肩膀。

两人说着话,前面已是白水寨了,这时另一名队长黄梁驰到跟前对胡烈道:"大胡将军,弟兄们都已经安置妥当了,寨子内一些草粮我已分派下去发给各个坐骑,第六队的弟兄已回主营报信去了,想来大都督听到这一消息,必定高兴!"

胡烈满意地点了点头。

黄梁年纪较之朱涛稍长一些,为人做事谨慎,深得胡烈的信任,与朱涛被胡烈视为左膀右臂。

朱涛挥手将马鞭在空中打了个响,兴奋地叫道:"大胡将军,咱们在剑阁关前一驻就是三个月,之前还听人说粮草将尽,不得不撤回陇右,嘿嘿,现在咱们既然拿下了这白水寨,可是要叫蜀贼们头大了,看他们还怎么守!"

胡烈微微颔首:"大都督的意思,想来应该是要以此寨为根据地,向西攻打剑阁主关,向南又可以威胁蜀中。照此情形来看,如今蜀贼气数的确是尽了,这等军争要地防备竟是如此松散,姜维之辈也不过如此。唉!早知如此,一早便打过来了,何苦在主关前苦捱,吃了蜀贼三个月的口水!"

朱涛接口:"你们看看,我早就说过姜维这老匹夫也没什么了不起的,只是没人信嘛!你说是吧,黄大哥?"

黄梁笑而不答。

三人并骑而行,进了大寨,只见众玄马营军士都正各自整顿寨内的杂物,一片井然有序。从现场的情况来看,驻守白水寨的蜀军显然是毫无斗志,刚一接战便四散奔逃,寨中广场上仅仅摆着四、五具蜀军尸体,而且都是些老弱之人。倒是各个仓库里堆满了辎重,还有大批谷米陈列其中。对于奔袭了一日一夜的玄马营军士来说,能吃上一大碗热腾腾的白米饭,便是天大的享受了,有不少军士已经开始埋锅做饭,垒灶架锅,忙得不亦乐乎。

察看了一阵,朱涛笑道:"大胡将军,等这遭蜀国一灭,论军功,我看这益州牧可非您莫属了。"胡烈忙叱道:"年轻人休要胡言乱语,如果被上边的人听了去,可是要惹祸上身的。"他虽身为武将,但却深知官场上的勾心斗角,手段之狠辣,无所不用其极,情形的惨烈,相较于战场有过之而无不及,每每想来,都不免毛骨悚然。

黄梁为人便精明得多,深知胡烈的想法,不禁叹了口气:"我说啊,这官场可真是难混得很,比沙场要可怕得多了。我看我还是乖乖地当个军人为妙。待蜀国一灭,我便弄些蜀锦回去给我那黄脸婆娘做身新衣。常听人说成都锦缎天下一绝,也没见过是怎么个好法,我那婆娘也许久没做过新衣裳了,带些回去让她高兴高兴。朱老弟,你呢,要怎么来个衣锦还乡?"

朱涛憨厚地一笑,从腰间抽出长剑,迎风虚劈了两下,昂然道:"我老婆刚生下我儿子就出血而死,蜀锦什么的也就免了吧。我要将这把剑送给我儿子,然后告诉他,蜀国便是亡于此剑之下!"那是一柄再寻常不过的铁剑,剑身上已布满了磨损的痕迹,但剑锋却隐隐透出淡淡的血色,一望便知绝非赏玩装饰之用,而是将士的百战杀敌之剑。朱涛握着它,脸上露出无比自豪的神情来。

胡烈转头问:"小朱,你那儿子今年几岁了?"

朱涛一抱拳:"启禀将军,犬子已经六岁了。"

胡烈一愣,随即哈哈大笑起来:"小朱,记得你那孩子周岁时我还曾抱过咧,当时还不会走,窝在妇人怀里嗷嗷待哺。却不知时光过得如此之快,转眼间已过去这许多年了,真是岁月不饶人啊!"

"可不是吗,我现在都有白发了,将军您瞧……"

正言谈间,冷不防一根歪斜的木桩倾倒下来,"轰"地一声砸在面前。

三人心头同时一凛,伸手握紧了兵器,唯恐有刺客偷袭。待他们看清那只不过是一根普通的营桩时,紧绷的神经这才松弛下来。

望着那木桩,朱涛不禁摇头苦笑:"连寨桩都立不稳,蜀军确实该败了,此乃天意也。"胡烈也不免感慨,正要叫士兵将木桩重新立起来时,却见黄梁一双牛眼死死地盯着桩底,眉头紧皱,似乎是看到了什么不可思议的事情。胡烈觉得有些奇怪,便问:"小黄,这木桩可有啥蹊跷?"

黄萌抬起头,脸上写满了疑惑,"大胡将军,您看这木桩的底部,实在是太新了。"

"太新了?"

胡烈与朱涛忙下马走过去查看,只见木桩那锥形的底部呈白色,切口十分光滑平整,并不像久插在泥土中的样子。

朱涛无所谓地耸了耸肩,笑道:"搞不好是之前的那根木桩被虫子给蛀了,所以才换了一根新桩，有啥……”话未说完，却已被胡烈挥手给打断。只见他脸色瞬间变得煞白，忙命人将旁边的几根木桩统统拔出来，每根木桩的底部竟然都是崭新的！

朱涛大惑不解：“这到底是……”

下一秒，胡烈整个人跳了起来，迅速跑进军械库，将成捆的矛、弓、刀、剑等军器扫落在一旁，目光猛然定住：埋在那堆乱糟糟的兵器底下的，竟然是成袋的硝石与煤油！

朱涛和黄梁不约而同“啊”了一声。

胡烈忍不住倒吸了口凉气，慌忙跑到帐外，大声疾呼：“兄弟们，咱们中计了！快点上马，速速离开此寨！快！快！晚了就来不及了！”然后飞身上马，朝寨门方向驰去。玄马营的战士们尚未明白发生了何事，但主将命令却是不能不听，当即放下手中的活计，纷纷奔向各自的马匹。

朱涛策马赶上胡烈，急问：“将军，这到底是怎么一回事？”

胡烈不由得一阵恼怒，喝道：“你小子跟着我打了这么多年的仗，用点脑子行不行？你还没看出来这寨是假的？蜀贼立了个假寨诱咱们进来，里头多是易燃之物，是要将咱们尽数烧死在这里！多说无益，招呼兄弟们快撤！”

杨岑大惊失色，迅速招呼手下人马，口中大叫：“风紧，扯呼！”亏他身为领兵将官，却大叫江湖切口，不过此刻情势危急，众军士倒也无人异议，纷纷跟在他身后朝寨门冲去。

但，终究还是晚了。

慌乱之际，忽然听到营寨外鼓声大作，刹那间就看到无数的火矢飞箭从四面八方射进寨来，遇着寨内的硝石煤油等物立刻燃烧起火，爆炸之声不断传来。一时之间，整个“白水寨”已成了一座巨大的火炉，烈焰红透了半边天。

情势急转直下！

胡烈和朱涛不禁面面相觑，不知如何是好。下一刻，两人同时破口大骂：“他妈的！想不到蜀贼居然如此狡猾！”“今日如能得脱，他日定杀尽蜀贼，以报此仇……”话音刚落，一支火箭射进二人身旁不远处的库房内，“轰”的一声震天巨响，大地都为之颤抖了一下，附近的几名士兵连人带马被撕成了碎片，鲜血、残肢溅了二人一身。

那些西域战马虽然训练有素，平日里也见惯了大场面，但毕竟是畜牲，一见着火光，听到那有如霹雳一般的爆炸声，立刻便惊得失去控制，狂蹬猛奔，五千玄马营骑兵相互拥挤践踏，或被烧死，或被炸死，或自相践踏而死，不计其数，情形极为惨烈。

场面瞬间混乱到了极点。

这时黄梁从后面拍马赶到,冲朱涛叫道:"你队中几十名兄弟被大火困住,你速去救援,由我在此护着将军,放心就是!"

杨岑一拱手,二话不说返身回奔。

黄梁奋力分开众人,护着胡烈冲到寨门边,却发现高大的寨门已被敌人从外面给牢牢封住了,上头也尽是雄雄燃烧的火焰,不要说出去,连近身都十分的困难。见此情形,二人心底一片冰凉。

胡烈不禁仰天长叹:"唉!有勇无谋,天亡我也!看来我胡烈今天真的要丧命于此了!我死倒也没什么,只可惜了手下的兄弟们!"

黄梁大吼道:"大胡将军,你也忒小看我们了,跟着将军赴死,我们毫无怨言!再者说,此刻还没到那个地步!"说着,跳下马来,抱起地上一根未着火的粗大木桩,拼着命往寨门上撞去。

"砰!"

寨门微微一撼,似乎有了松动的迹象。黄梁见状大喜,用尽了吃奶的力气再一撞,只听得"轰隆"一声巨响,那寨门竟带着火焰整个倒塌了下来。

"干得好!"胡烈大叫,内心又燃起希望之火。

"哈哈哈!大胡将军,我说什么来着?所谓'天无绝人之路',想要咱们死于此地,可没那么……"话还没说完,就看见寨外杀声四起,数百名蜀军弓箭手从两边迅速围拢过来,弯弓搭箭,瞄准了寨门。黄梁见状并不惊慌,只是惨然一笑,大叫一声:"望将军保重,黄某先走一步了!"只听"嗖嗖"之声不断,数百支羽箭已同时射至,将他射得如同刺猬一般,轰然倒地。

"小黄!"胡烈一声虎吼,刚要上前,却被身旁的士兵给牢牢抓住。

外面蜀军弓箭手待要再上箭,只见胡烈率领着一小队骑兵自寨内纵马急冲而出,状若疯虎,朝他们直扑了过来。弓箭手们来不及抽刀防范,当先数人立刻死于胡烈的枪刃之下。胡烈左冲右突,硬是杀开了一条血路突围而去,而身后那一小队骑兵却被截住,连人带马尽数死于非命。

胡烈单枪匹马奔到白水河畔,待要稍做喘息,却见后方大队蜀军骑兵已掩杀了过来。胡烈强打起精神,上马迎击,立刻便有数名蜀军骑士横尸于马下。然而蜀军人数实在太多,胡烈虽然勇猛过人,但毕竟寡不敌众,只得且战且退,没几个回合,已被逼到了河边浅滩,情况已是十分危急。

就在这千钧一发的关头,蜀军后方一片大乱,就见一队魏军冲了过来,硬是将蜀军逼退了一阵。原来却是朱涛率领着剩余的玄马营骑士自寨内冲杀出来,看到胡烈被围,赶紧奔上前来支援。

朱涛大叫:"大胡将军,你先走,这边由我和兄弟们顶着!"

胡烈已在鬼门关前走了一遭,早就将生死置之度外,见此情形不由得豪气顿生、血脉沸腾。他挥枪掠倒了数名蜀军,反而拍马向前,大喝道:"他奶奶的!都是弟兄,要死就一起死吧!"

朱涛大急,开口大骂:"放屁!我等贱命,死不足惜,而你身为国家栋梁,如今蜀贼未灭,大魏还需要你的力量,却在此逞什么英雄好汉?赶快撤退!接着!"说罢,将随身配剑解了下来,掷给胡烈,拱手道:"刚才小的心急,口不择言,望将军原谅。请将军将这柄剑交给我儿子,告诉他,他爹是怎样奋战而死的,要他长大后像我一样当个顶天立地的男儿!妈的!西蜀的狗贼们,你家爷爷在此,还不过来请安?哇哈哈哈!"

此时蜀军已经重组被冲乱的阵形,从四面八方涌了上来。

胡烈进退两难,立在那里不知所措。

朱涛手下军士也纷纷叫道:"将军快走,这边咱们顶不了多久!"

胡烈将朱涛的配剑负在身后,然后望向那些追随自己征战多年、亲如兄弟的部下们。刹那间,只觉得胸口一热,一些沉甸甸的往事便浮了上来。但他知道此刻不是优柔寡断的时候,压了压情绪,高声道:"兄弟们,我胡烈所欠你们的来生再报。今世,你们的家人就是我的家人!"说罢,一声怒吼,冲入蜀军阵营。

"兄弟们,给我杀!杀!杀……"身后传来朱涛声嘶力竭的怒吼,但很快便淹没在了金戈铁马之中。

胡烈听到背后一片杀声震天,惨叫连连,不禁泪流满面。他来不及多想,手中长枪急舞,从蜀军重围中杀出了一条血路,快马加鞭往北方急驰而去。西域玄马脚程飞快,转瞬之间已奔出数百丈,将追兵远远地抛在了后面。

胡烈正要松一口气,却没料到一个转弯,千余名层层叠叠的长枪手已将大路给封住了,为首一员大将虎视眈眈地望着他这只漏网之鱼。

蜀军在此地设下了三层包围圈,对胡烈显然是志在必得。只听为首那员大将高声喝道:"咄!听着,我乃大汉左车骑将军张翼是也,久闻胡护军的大名,还请将军速速下马受降,免得徒增死伤!"

胡烈自知此番难逃一死,心中反而坦然,冷笑一声,叫道:"张翼?无名鼠辈而已,你当我胡烈是贪生怕死之辈吗?今日即便要死,也要拖你这狗贼同行,受死吧!"说罢,挺枪奋力朝张翼冲杀了过去,大有一骑当千的气概。张翼见他这等气势,也不免心惊肉跳,当下撤回阵中,令长枪手向前阻击。

战场之上最害怕的是什么？就是麾下战士胆怯后撤，哪怕仅仅一人，也会如同雪崩一样，导致整支军队的崩溃，更何况是主帅。张翼退回到阵中，那些蜀军顿时失去了斗志，纷纷回撤，阵脚立刻大乱。

见此情形，胡烈心下大快，马鞭猛抽了几下，西域玄马向箭一般冲向蜀军："兄弟们等着，我胡烈马上就来找你们了，结伴一同杀进阎罗殿，抢了阎罗王的宝座，在阴间咱们也尝尝做皇帝的滋味！哇哈哈哈！"

胡烈红着眼睛，狂笑着冲入敌阵。此时的他几近颠狂，单枪匹马在阵中往来驰骋，硬砍硬杀，完全是不要命的打法，转眼间便有十几名蜀军伏尸于地。然而他毕竟只是孤身一人，而蜀军人数众多，杀退了一批，又上来一批，层层叠叠如潮水一般杀之不尽，待他杀死了几十名蜀军后，已渐渐感到体力不支。

张翼见状，大声呼喝："贼将力尽，给我砍了他！剁他一刀，赏银十两，剁掉一条手臂，升为百夫长，一条大腿，千夫长，脑袋，游击将军！给我杀！"众蜀军立刻士气高涨。一名队长笑道："兄弟听到没有？那胡烈可是相当于两个队长，两个千夫长，一个游击将军啊！兄弟们给我上啊！砍啊！"

众人纷纷举刀朝胡烈冲来。胡烈顿时一阵手忙脚乱，难以应付。忽然，就觉得跨下座骑软倒，原来那马身中数枪，已经支持不住了。他急忙跳下马来，丢掉手中长枪，拔出配剑护身，且战且走，已是处于濒死边缘。

正在危急间，只见蜀军后方一片大乱，一支魏军从北方突然掩杀了过来，冲乱了蜀军阵形。只见一名身材矮小的将领闯入阵来，大叫："胡将军勿惊，有我丘建在此，没人敢伤你一根汗毛！"说话间，手中双刀有如风车一般急转，十几名蜀军战士被砍掉了脑袋，到阎罗殿报到去了。

张翼倒是没提防胡烈还有救兵，只见魏军自河谷内源源不绝地涌出来，也不知道有多少人马，当下命令变换阵形，长枪手向南徐退，刀手护卫，骑兵则在两翼待命，以防敌军偷袭，再命弓箭手稳住阵脚，硬是将丘建的几次冲击给挡了回去。看到胡烈已被魏军救起，张翼心中不禁暗叫了声可惜。

丘建志在救胡烈，并不欲与蜀军交锋，见张翼列阵俨然，当下命令军队往北方退去。双方均是严阵以待，直退出三十里外，确定对方再无派兵来追，这才松了一口气。

一切都安顿好后，丘建下马快步来到胡烈面前，跪下道："丘建救援来迟，还请将军恕罪。"胡烈一把拉住他的手，问道："是……都督派你来的？"

丘建无言，默默点了点头。

其实钟会早就算准了姜维会使"伪寨之计"以陷胡烈，却不即时说破，反而令丘建尾随在胡烈军之后,以备救援。丘建原本依照钟会的指示,以三十里的距离遥遥跟随着胡烈军,却没想到玄马营坐骑脚程极快,没几下便不见了踪影。直到丘建看到白水河谷冒出浓烟火光,这才知道事态不妙,下令急行军,虽然救出了胡烈,但玄马营五千铁骑却灰飞烟灭。

"可是,都督既然已经料到蜀军会使'伪寨之计',为什么不先说给我知道?如此的话,我那些弟兄也不会……"胡烈语气虽然平淡,但一想到那些追随了自己多年的子弟兵,一夕之间尽丧火窟,仍不禁虎目落泪。

丘建也是神色黯然,低声道:"都督在派小的赴援将军之后,又派了小胡将军绕山去攻打真的白水寨。都督不给将军说破,小的猜测,应该是为了保密,使蜀军误以为咱们已中'伪寨之计',真的白水寨便不加提防了,小胡将军方面便可一举攻取该寨。至于玄马营众位兄弟的事,还请将军节哀。"

"唉——"胡烈不禁仰天长叹。

正所谓:兵者,诡道也。这便是兵法了,一个巧计的实施,总得有主攻,也总得有弃子。主帅之谋既然如此,当下属的又能说些什么呢?什么都不能说,也无须说,这就是战争的残酷。

二人正并马徐徐往主营方向行进,忽然看见山后转出一队魏兵来,其领兵将领正是胡烈之子胡渊。只见胡渊及手下军士各个丢盔弃甲,浑身上下染满了血迹,显然是经过了一场激战。

"爹!"胡渊看到父亲安然无恙,不禁大喜过望,当下便策马上前。待到近处时,只见他那俊朗的脸上被狠狠地划了一刀,一道血痕自眉心延伸到嘴角处,为原本略显稚嫩、清秀的面容平添了一丝彪悍之气。

"世元!"胡烈大吃了一惊,忙问,"你不是奉都督之命偷袭白水寨,怎么又在这里?"胡渊黯然道:"我领军绕山而行,来到白水寨前,见蜀贼三三两两全无防备,当下便下令进攻……没想到锣声一响,从山林中涌出大队伏兵,一看,原来是贼将董厥之军。本以为能一举拿下白水寨,没想到却中了姜维狗贼的诡计。蜀军势大,我军仓促应战,只得且战且走,足足跑出四十里才不见追兵,但手下军士也已经折损了大半……咦?怎么不见玄马营的弟兄们?"他疑惑地看着胡烈。

胡烈叹了口气,却并不答话。

丘建急忙上前将适才的大战说了一回。

胡渊只听得眦目欲裂,咬着钢牙道:"好个蜀贼!等到他日攻入成都,我胡渊非亲手宰了那阿斗以及姜维老匹夫不可,为惨死的兄弟们报仇雪恨!"

"没错,必当雪耻!"丘建也是忿忿不平,同声应和。

"哼哼!攻入成都?简直是痴人说梦!"胡烈沉声道,"剑阁一线都突破不了,还说什么成都?小儿妄言罢了!"

胡渊和丘建给胡烈兜头一盆凉水泼下来,激荡的情绪顿时一扫而空,不约而同抬头望向剑阁那高耸入云的山势。眼看着距离肥沃的天府之国只有一山之隔,然而这山,却是他们所无法逾越的。

此时薄暮冥冥,天色已经很朦胧了。

破阵

绵竹关以北的广阔平原上是一望无际的蜀军营盘，数百座军营依照一种诡异的形态排列着，远远望去杂乱无章，但细细品味下来，却又是奥妙无穷。正当中是一座巨大的帐篷，自然便是中军大帐了。

此时此刻，大帐内一位面如冠玉、三缕须髯垂于胸前，身披鹤氅，头戴纶巾，手摇羽扇的中年男子正悠闲地踱着步，看起来好不轻松。此人身材欣长，相貌儒雅，竟与当年的诸葛亮颇为相似。没错，他正是诸葛亮的儿子，诸葛瞻，任行都护卫将军，袭武乡侯。他自小便聪明颖慧，饱读诗书，尤其精通书画一道，蜀国百姓念及诸葛亮旧德，以至诸葛瞻声誉日隆，然其才干却是平平。

看到主帅面对滚滚而来的敌军，仍旧一副有恃无恐的样子，可急坏了一旁候命的尚书郎黄崇，但他毕竟只是个护军，又不好说什么，唯有等待。

这时，诸葛瞻走到一幅地图前，端详了起来，用手东指一下，西指一下，忽然面露微笑，似乎已是成竹于胸。

之后，又是一阵长久的沉默。

黄崇再也忍耐不住，终于上前一步，躬身行礼："诸葛将军，现如今魏贼兵将已近在咫尺，不赶快整军迎敌的话，恐怕就来不及了！"

诸葛瞻回过头来，轻蔑地看了黄崇一眼，冷笑道："怎么会来不及呢？黄护军少安毋躁，本将军已经派探子打探过了，贼兵只有区区万人而已，有何惧哉？放心吧，本将军早已将张遵、李球等人调配妥当，就等着贼兵前来送死了。"

黄崇这下可真的急了，大声道："诸葛将军，难道……难道您是想用那阵形退兵？"说着，伸手指向帐外。

诸葛瞻点了点头,却又立刻摇了摇头:"非也!不是退,而是陷杀之。本将军就是要用先父传下来的奇妙阵法陷杀贼兵,让他们知道咱们蜀国虽然没有了诸葛孔明,但他儿子却还在。"

"可是……"黄崇待要说什么,却被诸葛瞻挥手给打断,"难道黄护军不相信本将军的话?也罢!既然如此,不妨随我到附近高地观看此阵形,待你看过之后,就知道我所言非虚了。"说完,不禁大笑起来。

黄崇的脸色越来越难看,面部肌肉不住地抽动着。他没想到诸葛亮何等大才,儿子偏偏是个庸人。只见他扑通一声跪倒在地,向前爬了两步,大叫道:"将军万万不可啊!丞相传下的阵法固然玄妙,但太过庞大复杂,调动起来十分缓慢。况且此地虽大部分是平原,可右面有矮丘,左面有密林,贼将邓艾向来以诡诈闻名,万一派兵在密林里用火攻,再在矮丘上偷袭大营,左右而不相济,再派出一支主力正面冲击大营,此阵必破!到时将追悔莫及,蜀国便危险了!"

"哼!"面对黄崇的提醒,诸葛瞻简直是嗤之以鼻,不屑道,"这样说来,黄护军是瞧不起先父留下的阵法咯?"

黄崇身子不由得哆嗦了一下。在蜀国,诸葛亮是近乎于神的人物,虽然去世已久,但威望却不减当年,别说是诋毁,便是对其稍有不敬,便会立刻成为众矢之的,落得个永世不得翻身的下场。他忙躬身道:"万万不敢,只是此一时非彼一时啊!"

"那么,黄护军又有何高见?"

听诸葛瞻这么一问,黄崇心中一喜,以为此事仍有商量的余地,便站起身来侃侃而道:"以如今的形势来看,应该趁贼兵尚远,而且疲累,迅速发兵至险要处,设下伏兵击之,万万不能让贼兵进入平原旷野,请武侯……"

谁知话刚说到一半,就见诸葛瞻用力一拂衣袖,讥讽道:"此乃小人之行径,可不是我诸葛门风!"

黄崇这一惊非同小可,再次跪倒,大叫:"将军,国家将亡,还谈什么'小人行径''诸葛门风'?想那邓艾行事,哪一样不是小人行径?却战必胜,攻必克,这又是为何?战争一道,向来只重结果,不看过程。将军,现在可不是意气用事的时候,还望三思啊!"

诸葛瞻却并不答话,只是用一种奇怪的眼神看着他。

黄崇无奈,只得道:"将军!国家存亡在此一举,我给您磕头了!"说罢,趴在地上重重地磕起头来。一时间"砰砰"之声不绝于耳。然而,直到他额头流血,诸葛瞻却仍不为所动,反而坐回帅案前,悠哉悠哉地阅读起兵书来。

黄崇感到一阵心灰意冷，起身用衣袖擦干额头上的鲜血，冲诸葛瞻抱了抱拳，转身出了中军大帐。

来到帐外，黄崇放眼望着眼前连绵起伏的营帐，以及那些尚不知大祸将至的士兵，一想到大好河山不久之后将被魏军的铁蹄无情地践踏，无数平民将惨死，剩下的也将沦为奴隶，不由得万念俱灰，仰天长叹："唉，不该是这样啊！"然而他并不知道，即便如他所说，在险要处设一支伏兵，也已是来不及了，邓艾已近在咫尺。

同一时刻，一座无名高地上。"爹，孩儿、孩儿还从未见过这般阵势呢！"邓忠待看过蜀军经过精心布置过的影盘后，不由得惊呼了一声。

"你可有什么意见？"邓艾转头问师纂。

师纂缓缓答道："这个……启禀都督，蜀军依八方之势结成八营，营与营之间又盘根交错，相互呼应，大有奇门遁甲、河图洛书之学问在里面。末将以为，这应该便是诸葛孔明毕生之绝学八卦阵。"

邓艾不住地点头："嗯，有理。"

"爹！"邓忠插言，"孩儿刚才也曾想到这阵势可能便是传说中的八卦阵。孩儿曾见兵书里记载，那八卦阵是依休、生、伤、杜、景、死、惊、开八门而设，依天干地支、风晴雨露、阴阳交替而循环变化，无穷无尽，乃是诸葛孔明毕生之绝学，天下阵图的顶巅。但刚才仔细看过后，却又觉得不对，那八阵图既然是遁甲之学，八门便该依八卦的方位而设，无论如何变化，总不该脱离坎、震、巽、离、艮、坤、兑、乾这八个方向。但我见今日这个阵形，八营的位置却是十分混乱，南营坐南朝北，东北营却是朝西而设，这等杂乱无章的阵法，又怎么会是八卦阵呢？莫非是那诸葛瞻没学全他父亲的本事，随便摆个阵来吓唬咱们的？呵呵！"说着，竟笑出声来。

但是他这一笑，却笑得颇为勉强。

此时绵竹关前，二万蜀军结成八寨，左依林，右傍山，前面却是一马平川，依地势起伏层叠而设，玄妙中却透着万丈杀气，一望便知是高人所布下的阵形。中央主寨前立着一面巨旗，上书"大汉武侯诸葛"六个大字，每个字都有半人大小，气势非同凡响。此时诸葛亮已去逝多年，由其子诸葛瞻承继其爵位，虽然此"诸葛"已非彼"诸葛"，但魏军对那"武侯"二字，仍颇有敬畏之心。

那一日，邓艾军自阴平小道翻山进入蜀中平原，按理说应该从剑阁后方偷袭姜维，与钟会来个里应外合才对，但他却执意将兵锋直指江油，江油太守马邈丝毫没有防备，不战而降。邓艾取了江油，又顺势向南直驱涪城，也没有遭到丝毫抵抗，可谓势如破竹。就连他自己都没想到,那晚的突发奇想,竟然收到了如此奇效,大喜过望之余,那个尘封已久、看似虚无缥缈的想法,也变得真实了起来。攻下涪城当晚,一条黑影在夜色的掩护之下出了邓艾军营,朝着来路疾驰而去。

当时,蜀国大军大部分由姜维率领屯驻剑阁,蜀中的城守自恃剑阁天险,根本没有想过会有魏军进犯,因此一见到邓艾军便立刻慌了手脚,以为是神兵天降,纷纷举城投降。成都朝内也是在涪城沦陷后这才猛然回过神来,急忙令诸葛瞻领成都一带所能徵调的所有军队北上迎击。邓艾兵贵神速,取涪城后三天便下令发兵攻成都,两军便相遇于成都北方最后一个军事要塞——绵竹。

听了邓忠的话,邓艾略一思索,说道:"忠儿,所谓为将之道,首先便要虚心好学,见到不明白的阵势,应该先责备自己的孤陋寡闻,而不是妄称他人胡乱摆阵。就拿眼前这个阵法来说,如果你以为这只是诸葛瞻胡乱所设,随便领军杀进去,只怕如今你已经成为蜀军的阶下之囚了。"

邓忠听了父亲的责备,慌忙道:"爹误会了,孩儿刚才只是随便说说而已,这阵法我的确是不太明白,不如等孩儿回去读过兵书后,再向爹请教。"一旁的师纂倒是看出了端倪,笑道,"末将以为,都督成竹在胸,必是已知晓此阵的破法了。"

魏军众将官见蜀军势大阵奇,本是惴惴不安,听师纂这么一说,心中为之一定,所有目光一齐投向了邓艾。

邓艾不禁哈哈大笑:"破阵?此阵便是所谓的'阴阳颠倒八卦阵',该阵之内,阴阳错、五行逆、八卦异位,相较于八卦阵更加变化无穷,乃是天下阵法的极致!诸葛亮想出这样的阵势来,恐怕他自己都未必能破得了,我又如何破得?"

众人听了他这样一说,顿时心凉了半截。

这些将官大多已追随邓艾多年,知道他用兵素来果断,好兵行险招,虽然每次都是贴着刀口边作战,却从未事先言败过。此刻却听他说诸葛瞻的阵势不能破,心中都不免大为沮丧,从气势上来讲,已是不战而败了。

师纂感觉势头不对,赶紧上前一步道:"都督,诸葛瞻的阵势既然不能破,那咱们不如先退回江油,并派兵骚扰剑阁后方,等姜维回军,再与钟镇西的大军来个前后夹攻。等到咱们大魏的铁骑进入蜀中之后,区区一个诸葛瞻又算得了什么?又不是他爹诸葛亮!"

邓艾却摇了摇头,冷笑道:"你还指望钟会?真是笑话!他不过是个喜欢耍小聪明的纨绔子弟而已,如何能战得过姜维?再者说,如果让钟会大军入蜀,那咱们的功劳和风头岂不都让他给抢尽了?待到那时,先前翻山越岭的辛苦,不就白费了,这岂不是对不起各位弟兄？"

"可是，眼前这阵……"

邓艾挥手止住师纂的话头，回头看了看远处的蜀军营盘，笑道："我刚才是说，这'阴阳颠倒八卦阵'不可破，但并没有说诸葛瞻不可破。"

众人听后不由得面面相觑，不知道这位一向以诡诈、敢玩命著称的将领，这回又有了什么鬼点子。

邓忠上前一步道："孩儿不明白，还请爹明示。"

邓艾却并不回答，而是从怀中取出两枚军令，下令道："牵弘听令！你速领军五百去敌阵左方密林中放火，如果见敌军前来劫杀，便立刻撤退，不要与敌军接触。"

"得令！"牵弘便是名将牵招之子，身材高大壮硕，久镇陇右，是邓艾中军得力将领之一，向来受邓艾信任。他立刻上前领令，率兵向西而去。

邓艾又命天水太守王颀："你速领军五百到敌阵右方丘陵中，等到对面林中有火光起，便命士兵擂鼓呐喊。如果见敌军前来，便立即撤退，不要与敌军交锋。"

王颀原本镇守辽东，后来讨伐高句丽，过沃沮千余里，至肃慎氏南界，豪气顿生，便在界石上刻下了自己的功迹，一时被传为佳话。后来改调到天水任太守，听命于邓艾麾下，也颇受邓艾器重。他领了军令，立即率兵而去。

一切，正朝着黄崇所预计的那样发展。

众人都不明所以，邓忠刚要发问，邓艾却做个手势，笑道："诸位兄弟先不要着急，等看过一出好戏后再说不迟。"

没过多久，只见蜀军左侧密林中忽然冒出滚滚浓烟，几处火头分别从林中不同的地方窜起来。蜀军以为敌军从林中进攻，西、西北、北三阵士兵纷纷顶盔上甲，数支小队立刻进入林中察看。谁知刚一入林，忽然又听到右方山头传出隆隆鼓声，蜀军阵内一阵骚动，以为这是敌军的"声东击西"之计，西方各营之军急忙往东边调动，却不料林中火势越来越大，眼看就要烧到蜀营了，蜀军这才又从东边阵中调来部分军队灭火。如此一阵忙乱，却始终不见敌军攻击，蜀军这才又恢复到原来的部署。

邓艾在山头上目睹了这一切，瞧着那些如同热锅上的蚂蚁一般，忙得团团乱转的蜀军，不禁仰天大笑，"哈哈哈！诸位请看，这就是破诸葛瞻之法了！战场上的军阵，是拿来作战用的，而不是摆着赏玩的。一座阵摆得再怎么好看，再怎么玄妙，作战时却不懂得调度，倒不如不摆阵了。诸葛瞻自恃家学，摆出个'阴阳颠倒八卦阵'来，巧是巧到了巅峰，但我只是略略试了试，便可见其调度的本事，只不过是兵法刚入门罢了，若是如此，倒不如直接摆个'长蛇阵'更好。我说这'阴阳颠倒八卦阵'是不能破的，但诸葛瞻是可以破的,便是这个道理了。"

众人听了,再结合刚才的亲眼所见,无不为之叹服。

看到诸将的反应,邓艾满意地点点头,接着又道:"诸葛亮乃是旷世奇才,千古无人出其右,但可笑的是,他那儿子却只不过是个沽名钓誉之辈而已。咱们此刻所站的这座山头,实在是兵家必争之地,诸葛瞻不率军前来,在此处设防,却在关前平原依林傍山摆出奇阵一座,也便宜了咱们能站在高处尽览其各军的行动。诸葛瞻明显是只读兵书不明用兵之道,不过赵括之流而已,我邓艾又怎么会惧怕这么一个不入流的小儿呢?"

众人听了邓艾之言,这才知道邓艾光看敌阵便早已计算好敌我双方的优劣,不由得士气大振。又得知蜀军将领不过是个庸才废将而已,此战胜算大增,便都跃跃欲试了,一时间请战声此起彼伏。

邓艾见诸将面上的表情,知道士气旺盛,正是破阵的最佳时刻,立刻大手一挥,止住众人的喧哗。他找了一处高地站了上去,面向众人高声道:"此一战,关乎到这次入蜀的成败,请各位兄弟都拿出各自的水囊!"

一片响动过后,水囊均已在手。

邓艾狼一般冰冷的目光从众人面上一扫而过,所有人心中无不激灵灵一抖。他们知道,每次大战前夕,邓艾都会用这样的目光看着他们,这目光是一种无形的压力,却更能激发他们的信心。只见邓艾从邓忠的手中接过水囊,举过头顶,高声嘶吼:"各位兄弟!我邓艾行军禁止饮酒,此刻,便以水代酒,祝各位兄弟奋力杀敌,建立不朽功业,流名青史!成败便在此一战,干!"

一仰头,水囊中的水倾泻而下。

"干——"

邓艾一番豪迈之言,激发了战士们的无穷战意,他们同时发出了一声怒吼,然后纷纷举起水囊,任由水流倾泻在自己的嘴里、脸上、身上,好不痛快。

等水囊空了,邓艾将水囊"啪"地一声摔在地上,抹了把脸,高声道:"等攻下绵竹关,咱们便有饮不完的美酒,还要这水囊何用?"

"啪——"

万余只水囊被摔在地上,激得尘土飞扬。

万余只头颅转向蜀中平原,目光投向那座孤零零的城关——绵竹,眼神中冒出腾腾的杀气。

邓艾非常满意,从怀中取出两枚军令:"邓忠听令!"

"末将在！"

"你速引三千兵马出发，距蜀军一里处，派人将这封劝降信射入蜀军大营，然后原地待命。"说着，从怀中取出一封信连同令件交给邓忠。

邓忠一愣，忙问："劝降信？爹是何时写的？"

邓艾面色一沉："有些事情你不必知道。"

邓忠便不敢再问，退了下去。

"师纂听令！"

"末将在！"

"如今蜀军刚刚遭袭，正是惊魂未定之际，破军便在此一举。你速引三千兵马，跟在邓忠军后面，诸葛瞻见到劝降信后必然大怒，定会派大股蜀军出动，我亲自率领剩余人马迎击，你便与邓忠分头绕过密林和山丘，攻击蜀军后侧两翼，同时知会牵弘和王欣，继续在各自位置放火擂鼓，牵制敌军。你们二人便趁机突进，直插蜀军帅营，把诸葛瞻那个纸上谈兵的小子给我活捉来，我倒要好好教教他，行军作战是怎么个道理！"

"末将领命！"师纂领命而去。

三日后，剑阁关。

蜀军议事大厅内，诸将齐聚，一名探子跪在正当中，一身皂衣，粘满尘土的脸上，焦虑中又带着极大的不安。

"你、你再说一遍？"董厥语气急促，脸上写满了不可置信的表情。

探子忙道："启禀董将军，绵竹关已经失守。邓艾率军大破诸葛武侯之军，武侯与其子诸葛瞻、护军黄崇、部将张遵、李球等一直抵抗到最后，均以身殉国。邓艾攻下绵竹后，休整一日便领军向成都进发了。"

董厥这回总算是听明白了，惊讶得连声音都走了调："是邓……邓艾？邓艾那厮此刻不是应该在陇右吗？怎么会出现在绵竹？"

探子又道："邓艾之前率军下江油、涪城，这才进军绵竹的。"

"好好好，就算是这样，那邓艾又是怎么跑到江油来的呢？剑阁一线明明就未曾有失，邓艾难道真的是从天下掉下来的不成？我不相信！我不相信！他妈的……"董厥越说越激动，一不小心打翻了案几上的耳杯，酒水溅得满地都是。探子忙低下头去，"这个小的就不知道了。"

一旁的张翼开口问道："邓艾手下有多少人马？"

"有人说是五千,也有人说不过万余,还有人说是五万……具体数字,小的实在是不知道。"

董厥立刻拍案而起,怒喝道:"不知不知,那你又知道什么?似你这等废物留着何用?来人,给我推出去斩了!"探子立刻瘫在地上,哭叫道,"小的冤枉、小的冤枉啊!请饶小的一命,呜……"

张翼转头冲董厥摆了摆手:"老董,还是算了吧,此刻杀了他也于事无补。再说,这也不是他的错。"然后将脸转向那探子,"且饶你一命,再去探过!"

探子千恩万谢地退了下去。

大厅内顿时陷入了尴尬的沉默,气氛几乎能让人窒息。

良久,姜维突然开口:"是阴平小道。"

"哦?"所有人的目光统统集中到姜维脸上。

只见姜维清了清喉咙,继续说道,"首先可以肯定的是,贼兵不可能是从天而降。剑阁一线有我大军牢牢地守着,邓艾再怎么有本事也不可能飞过去。那唯一可能入蜀的途径,就只有阴平小道了。"

"但是,大将军……"张翼起身道:"可那阴平小道,咱们先前也曾去看过,那里并非行军之路,尤其是最后的摩天岭,若非猿猴,根本无法攀爬,邓艾那狗贼又怎么可能从那里过得去?"

姜维摇头苦笑:"他是用什么方法过去的,这个我也猜不透,但摩天岭山脚下便是江油城,可见邓艾军确实走的是走阴平小道。"

其余将官议论纷纷。

"可是,那阴平小道如何能容大军通过?奇哉!"

"怎么不能?邓艾便是活生生的例子!"

"我还是不信。"

阴平小道位于剑阁西端,山势起伏陡峭,很少有人行走,尤其是摩天岭,陡峭不说,斜坡上布满了尖锐乱石,正如张翼所说,若非猿猴,根本无法攀爬,哪里是人能够走的?也正因为如此,姜维等人并不将阴平小道列为主防地点。然而,邓艾却诡异地出现在了蜀中腹地,这也是不争的事实。

"好啦!好啦!"见众人七嘴八舌地争论个不休,董厥不由得急躁起来,叫道,"邓艾走哪条路入蜀并不重要,现在重要的是邓艾已经兵迫成都了。蜀中之军大多被调往剑阁,估计诸葛瞻所率领的人马应该是成都最后的军力,换而言之,现在成都已空虚,咱们又不知邓艾有多少兵马,只怕成都危在旦夕啊!这个如何是好?"

张翼也道:"没错,大将军,成都现在已然空虚,咱们又不知敌情,我看还是得撤往成都,先护住陛下再说。"

姜维眉头紧皱,若有所思。

"大将军,现在可不是用脑用计的时候,如果陛下真的有个什么三长两短,我辅国大将军的名号岂不是全被毁了?可恶的魏狗!该死的邓艾,我恨不得……"董厥急得嗷嗷直叫,如同火烧屁股一般在大厅上来回走动着。

"我说老董,你性子也忒急了点。"始终未发一语的廖化终于开口了,"不过,这件事的确是进退两难。要是咱们退了,钟会大军便可长驱直入,蜀中平原上无险可守,势必形势大劣。咱们与魏军在此对峙这么长时间,眼看敌人粮草已尽,即将退兵;如果此刻放弃剑阁,则之前死守之功尽付流水。但是如果不退兵,邓艾又已然入蜀。嘶!奇怪,如果他真是偷渡阴平,理应先来剑阁偷袭我军后方才是,但他却领军直攻成都,他为何如此急进?不管怎么说,他已朝成都而去,这似乎表示其兵力不少,有把握一举拿下成都。依老夫之见,我军应兵分两路,一路继续守剑阁,一路赴援成都。老姜现在正在盘算,咱们这些人就不用瞎操心了。"

姜维忙向廖化拱手,说道:"廖老,您刚才所言正中我心,姜某十分佩服。只是有一点,我不同意。"

"哪一点?"

"那阴平小道,乃是极崎岖难行之地,邓艾是如何通过的我是不知道,但我敢说,他要想翻越摩天岭,又要瞒过咱们的耳目,所带士兵不可能太多。但长驱直入蜀地,士兵又不能太少。我料想,应该在一万人上下,如果再多便成负累,再少便不成气候。至于邓艾不来剑阁却直取成都,这倒不足为奇,这便是邓艾的行军方式,他好行险兵,以万人取成都,我倒不觉得惊讶。"

董厥一拍案儿:"大将军,既然如此,便给我董厥一万五千轻骑,我这便连夜赶回成都,把那姓邓的脑袋给摘下来。他奶奶的,真是气煞我也!"

张翼也道:"是啊,大将军,我张翼也随董将军一同前去,料那邓艾再勇猛,可孤军深入,也由不得他猖狂!"

姜维沉吟了片刻,却摇头道:"不,你们都留下,我亲自去赴援成都。我只带一万轻骑即可,你们在此好好防着钟会大军便是。"

董厥有些想不通,问道:"大将军,杀鸡焉用宰牛刀,这样的差事该由我等来办,您在此坐镇才是,我……"不等他说完,已被姜维挥手打断,"董将军,如此时刻,咱们就别为这种事起争执了。我与邓艾争战十余年,深知他用兵神妙,不在诸葛丞相之下,并不是我看不起各位,但要敌得过此人,当世恐怕也就只有我姜维一人而已,此人乃是我命中的宿敌。主意已定,诸位且留守剑阁,我领兵回成都,三日之内,必有捷报。"

"可是……"

"就这么定了,不必多说。"

众人见姜维心意已决,便也不再多说什么了。张翼拱手道:"既然如此,还望大将军早日克敌凯旋,我们必严守剑阁,不敢有失。"姜维点了点头,随即说道,"张将军,我尚有一事吩咐。"

"请大将军吩咐就是。"

"我领军离去之后,你便率军于大剑山西侧山林中埋伏一支人马,我料定钟会必会趁我军兵力薄弱,而派人袭击此处,你在该处设下伏兵,必有所收获。"

"谨遵大将军之命。"

姜维又看了看其他人,见无人再有异议,便说道:"很好,那我这就回营准备,剑阁便有劳诸位了。"说罢,向众人拱了拱手,转身便要离去。

廖化忙叫住他:"且慢,老夫尚有一问。"

姜维停住脚步,回过头望向廖化:"但说无妨。"

廖化上前一步,清了清喉咙,问道:"我说老姜,你刚才说三日之内便传捷报,可是表示你将急行军,一日之内便到成都?"

"正是。"

廖化不禁皱眉,正色道:"兵法有云,'百里而争利,则擒三将军。五十里而争利,则蹶上将军'。成都坚固,料那邓艾一时也攻不下来,将军这般急行军,恐怕对战况不见得有利啊!"

姜维叹了口气,犹疑了许久,终于说道:"廖老将军,朝中的情形想来您应该比我知道得更加清楚,我自是尽力为国退敌,但只怕有人却不以为然,我担心走慢一步,一切的努力,尽成为泡影。"

廖化压低了声音:"你是担心那不男不女的黄皓向陛下……"

姜维连忙摆手,两人心照不宣。

逼宫

　　成都乃是蜀国首府，自汉末以来，先是有刘焉、刘璋父子在此经营，后有刘备、刘禅二世立以为都。成都经过历代经营，规模已是相当宏伟壮观，自北而南共分为三城，最北一带称阳城，是秦汉旧都，人口也最为稠密。居中为锦官城，有锦江流贯其中，为汉末所建，桓帝时曾在此设官治蜀锦，因此而得名。南端便是皇城，西倚山势，是刘备称帝后新建而成。成都城西倚岷山诸岭，南衔岷江汇流，外控沃野千里，正是天府之中的天府，霸业之上的霸业。

　　只是，如今这霸业，已是岌岌可危。

　　邓艾率军自绵竹滚滚而来，在离成都五里外的黄丘安营下寨。一切调配妥当后，师纂走进大帐，向邓艾汇报："启禀都督，有流星探子急报，姜维亲自领一万轻骑从剑阁出发，来成都赴援。据报，姜维军行进极快，日行百里，估计明日清晨便可到达此地。"

　　邓艾漠然不语，右手轻捋胡须，眼睛注视着某处，耳中倾听帐外传来的人马嘶鸣之声。良久，才问道："姜维只带了一万人马？"

　　"据报是一万人没错。"

　　邓艾略一思索，顿时醒悟，不由得大为感慨："不愧是姜伯约啊！人虽然是老了，性子倒还是好强争胜，他料定我军也只不过万人，因此便带了相同的兵力来与我一决胜负，不愧是我毕生的好对手啊！"

　　师纂进言："都督，我看那姜维也不过如此而已，如此急进便是犯了兵家之大忌。依在下之见，咱们不妨在此地设下防御，等姜维军一到，趁其军心疲惫、立足未稳之际，立即攻他个措手不及，如此一来不愁他不破。"

他正为自己的提议沾沾自喜，谁知邓艾却连连摆手："万万不可，这一定是姜维之计。他故意急行军，就是要诱咱们使用这以逸待劳的战法，然后设法知会成都内守军，等我军对外设防，城内军队再袭击我军后方，我军便成腹背受敌之劣势，你我都将死无葬身之地。"

师纂听后若有所思地点点头，随即又道："但是都督，即便我军不设防，等姜维大军一到，咱们不也是腹背受敌吗？成都城高墙厚，一日之内不可能攻得下来，我军被夹在蜀军之间，着实不利啊！"

邓艾尚未开口，就见邓忠快步走进大帐，拱手报道："爹，孩儿适才带兵绕城走了一圈，看到成都各城楼上仍有不少士兵，粗略地估算了一下，整座城池至少还有三千人的军力。爹，三千人说多不多，但我军要越过那城墙，却是不易。"

邓艾将双手负在身后，起身在帐内来回踱了几步，喃喃自语："前有巨城如山岳，后有追兵似虎狼，这情形倒是颇为棘手啊！"

邓忠、师纂二人互视了一眼，同时瞧向邓艾，只见他缓缓仰起头，双目紧闭，眉头拧成一个大疙瘩，似乎正被某件事所深深困扰着。二人知道他此刻正在沉思，每当他如这般沉思完，便会有奇计出现，二人早已是司空见惯了。

然而，这次沉思的时间却是相当漫长。

也不知过了多久，一名士兵忽然奔进大帐，高声报道："启禀都督，蜀国派使者前来，现正在前营候着。"

邓艾从沉思中挣脱出来，睁开双眼，迅速与邓忠、师纂交换了下眼神，然后问那士兵："西蜀派遣使者过来？有多少人？"

士兵躬身道："启禀都督，领头的只有一人，手下还有二百名白衣卫士护送其前来，还扛了数十只桧木大箱，另外还有三、五只精致的漆匣。属下已经检查过了，里头尽是些金银珠宝、蜀锦细软之类，还有印信、官袍等物，并无刺客藏于其中。"

"嘶！金银细软倒也罢了，那印信官袍却是何意？奇哉！奇哉！"邓艾有些摸不着头脑，在帐内来回踱着步子，忽地灵光一现，抬起头对那士兵说道，"速领那使者前来见我。"士兵得令退下。

邓艾又叫来邓忠，在他耳边轻声吩咐了一阵。邓忠领计而去。

不一会儿工夫，那士兵便领着一名锦衣华服的男子走进大帐。那人看起来约摸有四十来岁的样子，生得纤细瘦长，眉目如画，一张白净的脸上却没有半根胡须，一望便知是一宦官。

此人不是别人，正是当今蜀国后主身边的第一大红人中常侍黄皓。蜀国军国大政自费祎死后便落入到了此人的手中，他为人能言善道，长袖善舞，不但上得皇帝之宠幸，而且下结右将军阎宇勾奸结党，可谓势力庞大，权倾朝野，满朝文武无不畏惧其权威，就连武侯诸葛瞻、大将军姜维都要让他三分，旁人就更不用提了。

黄皓一走进中军大帐，立刻便尖着嗓子高声道："大汉中常侍黄皓，拜见魏国征西大将军，恭祝大将军身体安康永福！"说着，深深一揖。他面容清秀，语音高亮尖细，举止优雅雍容，一开口说话，便令这充满了阳刚彪悍之气的军营中，立刻凭空多了几分阴柔诡异的气息。

邓艾斜了他一眼，转身坐回到帐内主位，伸了伸手："黄中常不用多礼，这儿是军营，这里的人都是些粗鲁武人，黄中常这么客气，倒是让我们这些粗人自惭形秽了。"

黄皓却微微一笑，又是一揖到地，朗声道："邓大将军过奖了，我黄皓在蜀中，久闻邓将军之大名，知道大将军上知天文、下知地理，中知兵法韬略，出为六军上将，入为三公崇臣，像大将军这样博学多闻、文武全能的人物，在下以为，除了我国诸葛故丞相之外，天下恐怕再也找不出第二个人了。"

"黄中常说笑了，呵呵。"即便是邓艾这样的硬派人物，在听了黄皓的阿谀之辞后，也不禁心情大畅，可见马屁的功效是何等高妙。

"这是在下的真心话，绝非说笑。"

"哈哈哈！"好一会儿，邓艾才止住笑声，悠然道，"黄中常，我现在才知道阁下为何能只手操弄蜀国大政了，像阁下这样的口才，连本帅都要被捧得飘飘然了，那刘阿斗又怎能逃得过你的手掌心？真是难得啊，难得！"

让人意想不到的是，黄皓那雪白的脸蛋儿居然红了一下，再次深施一礼，朗声道："邓大将军未免言重了，我黄皓只不过是一介宦者罢了，服侍皇上为宦者的本职，怎能称得上是操弄大权呢？"

邓艾无心与他争口舌之利，摆了摆手："也罢，便当我误会阁下了。"说着，目光忽然一凛，沉声喝道，"以咱们现在各自的身份，客套话便免了吧。如今我大军离成都城不到五里，不知阁下此刻前来，有何用意？"

听邓艾如此一问，黄皓立刻肃容，拍了拍手，马上有一名白衣卫士走上前来，将两只精致的漆匣放在黄皓面前。黄皓将匣子一一打开，其中一只内盛了数十颗珍珠，每颗都是拇指般大小，晶莹剔透，十分的稀罕。另一只匣子内却承了一只玉制的印玺。

黄皓指着那些珠子道："大将军，这三十六颗'龙涎'，乃是当年诸葛故丞相降服蛮王孟获之时，蛮族献予我国的贡品。三十六颗珍珠都是相同大小，色泽质感都属一流，皇上十分珍爱，将之视为国宝，如今献与大将军，以示我国敬意。"

邓艾不禁冷笑："敬意？何敬之有？"

黄皓不慌不忙道："大将军渗过我剑阁一线，连下江油、涪城二城，又在绵竹大破我军，兵临成都，宛如天降神兵，我国朝野震动，闻大将军之名无不又畏又敬，所以我主特命我赠将军国宝，以表敬意。"

邓艾笑了笑，目光却不去看那些珍宝，而是直逼黄皓双目："我大军现如今兵临城下，贵国之师却是龟缩于城内，不能战，也不敢战，黄中常，我瞧这些珍珠，该有比'敬意'更好的目的吧？"

黄皓忽然妩媚一笑，邓艾等人见了不由得一阵反胃。只听黄皓说道："大将军确实是聪明过人，在下佩服之至，等看过这只印玺，便知道在下此次的来意了。"邓艾向在一旁侍立的师纂使了个眼色，师纂会意，上前去将那只装了印玺的木匣捧到邓艾面前。

邓艾取出印玺瞧了瞧，惊讶得睁大了眼睛，良久才道："汉军师将军印？这是何意？"黄皓立刻拜伏在地，长声道，"黄皓参见汉军师将军大人，大将军用兵如神，智计盖天，我主拜大将军为我大汉军师将军，这三十六颗'龙涎'，便是我主的拜将之礼！"

话一出口，众人大为惊讶，你瞧瞧我，我看看你，不禁面面相觑，却又不敢出声。一时之间，大帐内寂静无声，空气中弥漫起了一股诡异的气氛。师纂的心中也充满了怪异之感，瞧了瞧那堆珍宝，瞧了瞧那印玺，又瞧了瞧邓艾，见他面上没有丝毫表情，也不知他此刻心里正在盘算什么。

过了一会儿，邓艾终于打破僵局，冷冷道："这么说来，黄中常今日是来说降，而不是献降咯？"

黄皓用手掩口，哑然失笑："邓大将军未免说笑了，我国大军在剑阁与钟会军对峙，不曾有败，成都城防坚固，稳如泰山，何况我主还好端端地在宫内等候大将军大驾光临呢，有何理由要献降？"

邓艾重重"哼"了一声，大喝道："简直就是一派胡言！我军获神人相助，飞越剑阁直入蜀中，这就是天意！蜀国气数已尽，不久将被我军灭亡，刘禅应该知天命，顺天行事，早日出城投降才是，正所谓'识时务者为俊杰'，想不到那昏君竟然派了你这样一个不男不女的阴人来说降，逆天而行，何等的愚蠢！"说罢一甩袖，将脸转向了别处。

为宦者向来忌讳"五体不全"、"不男不女"、"刑余之人"、"阉人"、"阴人"等辱没字眼儿，但听了邓艾之言，黄皓却并不恼怒，只是微微一笑，高声道："将军以鬼神天命之说乱我军心，的确是高明的兵法。虽然我主信鬼神之说，但也知道大将军是自阴平小道偷入蜀中的，所谓'获神人相助'云云，这样的话只好骗骗那些没见过世面的愚夫愚妇,却瞒不过有识之士,大将军以为如何?"

师纂一听,心中大为惊讶,斜眼偷瞄邓艾,却见他仍旧面无表情,不发一语,话到到嘴边,只得硬生生咽了回去。

黄皓又接着道:"黄皓虽没读过圣贤之书,也认不得几个大字,但多多少少还知道一些行军的道理。那阴平小道险狭难行,摩天岭飞鸟难渡,大将军既能率军偷渡成功,料来士兵必不会太多,虽有探子报说贵军有三万、五万之数,但依在下的臆测,攻成都之兵,顶多不过万人而已。"

邓艾一阵冷笑:"好你个阉人,居然在本帅面前卖弄起来了!好,还有什么,你尽管一股脑儿地说出来听听。"

黄皓一拱手,清了清嗓子,高声道:"既然大将军不肯承认,我也没法子,不过事已至此,我也不必再隐瞒些什么了。在下此次前来,目的并不是为了劝降,而是为了救大将军的性命!"

"哦?"

黄皓侃侃而谈:"成都城内目前有守城士兵约四千人左右,此外尚有预备役三万,单凭人数便已远超贵军,虽然战力有所不及,但成都城防严密,城墙厚十丈,高百丈,足以抵御十万大军,绝非区区万人所能攻得下来的,如果非要强行攻城,也只是徒伤士兵的性命而已。此外,成都已收到情报,我国大将军姜维已自剑阁率军来成都赴援,到时将军势必将腹背受敌,即便将军有通天彻地之能,恐怕也是难逃一败。区区万人,在前后夹击之下,不过就是个笑话而已!"

此时大帐内一片静谧,只有黄皓那高亮尖锐的嗓音在空气中盘旋、回荡,显得十分诡异。邓艾面色铁青,双唇紧抿,始终不发一语。

黄皓见状信心大增,嗓音便提高了许多:"即便大将军能将姜维援军击退,甚至进而袭击剑阁一线后方,那也只是便宜了钟会而已。钟会率大军十万,大将军却区区不过万人,最后即便灭了我国,功劳必定被钟会抢尽,大将军一分功都捞不到。黄皓虽身在蜀中,但也早已耳闻那钟会乃是个嫉贤妒能的小人,气量狭窄,大将军凭区区万人直捣成都,必遭其猜忌,性命危矣!所以黄皓不才,愿为大将军献上一计,便是请大将军投降我国,如此一来便可合二军之力共克钟会,并利用大将军在陇右一代的威名,一举拿下雍、凉各州,断魏之一臂,到时黄皓再奏请我主封大将军为凉王,一人之下,万人之上,比之当个司马家门下的鹰犬,岂不更加快活?"说罢,一揖到地。

师纂听着黄皓娓娓道来,心中着实叹服:好个阉人,不但口才绝佳,还颇有见识,咱们算计的他全都算到了,咱们没算计的他也算计到了。以现在的情势来看,要换作我是都督,该如何抉择?想到此处,他又偷瞄了邓艾一眼,只见邓艾手捻长须,若有所思,良久才道:"黄中常,原本我以为你只是个巧言令色的寻常宦官罢了,想不到你这一席话,竟然是道理井然,铿锵有力,即便是苏秦再世,只怕也不过如此!"

"大将军过奖了。"

"刘禅便是因为这样,才派你来当说客的?"

"食君之禄,忠君之事而已,黄皓可不敢妄自揣度我主上意。"

邓艾听了不禁哈哈大笑:"好个奴才!倒显得我不忠军爱国似的。不过……"忽然笑容一敛,自腰间抽出长剑,快步走向黄皓,"说客光凭口才可不够,还得要不怕死!"

黄皓原本以为邓艾已经心动,正暗自欢喜,万没想到对方说翻脸便翻脸,不由得神色大变,之前的从容不迫一扫而空,向后连退了两步,上下牙齿不住大碰:"大大大将军,你、你要做做做做什么?"

"做做做做什么?"邓艾学舌,结果惹得一片轰笑,"你说我还能做什么?自然是要拔掉你口里这条如簧的巧舌,砍下你这灵活的脑袋瓜,剜出你的心肝,以祭我魏军的大旗!"说着,长剑如闪电一般伸出,已架在了黄皓的脖子上。

"大、大将军,"黄皓已是面无血色,话也说得结结巴巴,与刚才的滔滔之辩,简直是判若两人。"大将军,那个两国相争,不斩来使,在下只不过、只不过是个奴才而已,还望将军饶命啊!"

邓艾爆出一阵冷笑:"两国相争,不斩来使?此番我倒要斩个看看!你要怨就怨你的宝贝皇上吧,派人来说降我邓艾,分明就是瞧不起我嘛!我今天便一剑斩下你的狗头,以示我灭蜀的决心!"说罢,长剑便要作势挥下。

黄皓立刻魂不附体,"扑通"一声跪倒在地,磕头如倒蒜,眼泪鼻涕齐流:"大将军饶、饶命,呜……大将军饶命、饶命啊!我、我在成都还有百万两的黄金,求大将军饶我一命,将军要多少都可以给,要我做什、什么,奴、奴才都可以做,请大将军饶命……"

邓艾原本便不曾想杀他,恐吓一下而已,见目的已达到,朝他脸上吐了口唾沫,一脸不屑道:"不愧是个奴才。"说罢还剑入鞘,返身回走,"起来吧,我邓艾杀了你这个不男不女的狗贼,倒还怕污了我这口宝剑。"

黄皓哆哆嗦嗦地站起身,只见其长袍下摆一片水渍,腥骚之气可闻,竟是被吓得失禁了。看到他这副狼狈相,众人免不了又是一阵轰笑。邓艾眼珠转了转,问黄皓:"你说,你有百万两黄金?"

"是。"

"你方才又说，可以答应任何条件？"

"凭大将军吩咐便是。"

"好！"邓艾大步流星回到帅案前，坐下，手猛地一拍桌案，"很好！要我不杀你，可以，只要你答应我两件事。第一件，你那百万两黄金，我全都要了，到时你便给我派人送过来，不得有一两短少，如发现不足万两，少一两便割你一两肉，明白吗？"

黄皓听邓艾只是要钱，心中稍定，忙道："不敢，奴才一定一两不差地送来大营孝敬大将军。"

邓艾又道："这第二件事嘛，比较棘手……"他轻轻摸了摸下颚，缓缓道，"我要你安排我进成都去见刘禅，今夜之前便要办妥。"

此言一出，满室皆惊。

黄皓立刻面露难色，颤声道："大将军，这、这城防可不是我这当奴才的管得着的，要我开城门让您率大军进城，这个实在是、实在是……"

邓艾却摇摇头，指着自己道："非也！不是要率军进城，只要我一人进去便可。我要孤身入成都，找那刘禅好好谈上一谈。"

师纂急忙上前一步，高声道："督都，这种事派使者回礼便了，您为三军上将，不该轻言犯险啊，您若真要去，我代您去便是了。"

邓艾却摆了摆手："难道忘了摩天岭之事？兵行险招，主帅不去犯险，怎么教士兵卖命？你不用担心，刘禅既然派说客劝我，我便以彼之道还施彼身，凭我这张嘴，便要刘禅开城投降！"说着，转头对黄皓道："以你的地位，要偷渡一个人进城，应该不是很难办吧？"

黄皓对邓艾的这个要求也是满头雾水，主帅孤身入敌城，这和送死有什么分别？但眼下命悬于对方之手，为求脱身，只得答应："这个倒是不难，这个倒是不难，呃，将军只要换上白衣，混在我带来的那群卫士之中，便可进城入宫，今夜就能见着、见着我家皇上了。"

"很好！那一切便劳烦黄中常安排了，不过……"邓艾说着，嘴角忽然泛起一丝狰狞的笑容，恶狠狠道，"在我见到刘禅之前，阁下最好别耍什么花样，以本帅这点微薄的本领，要拉着黄中常一同陪葬，倒也不是什么难事。"

黄皓不免又是一身冷汗："不敢，不敢！"

半个时辰后，黄皓回到前营，白衣卫士们正三三两两地坐卧在地上休息，见黄皓回来也没什么表示。黄皓微感奇怪，但身在敌营，归心似箭，也顾不得那许多，忙命人将马给牵过来，回头看见一名卫士从营边走出来，斜倚在一只木箱上。此人粗眉大眼，正是乔装后的邓艾。

邓艾朝黄皓使了个眼色，然后摸了摸腰间的长剑。

黄皓心中一凛，立刻上了马，心中却想：我以为邓艾是何等了不起的人物，想不到也不过是一介莽夫而已，他妈的！刚才害老子出了丑，此仇不报更待何时？等下只要一进成都，我一声令下，便将你乱刀砍死，看你能奈我何？到时这功劳……但转念又想起邓艾那凶巴巴的眼神与白花花的长剑，不禁打了个哆嗦，心中一声叹息：罢了，我便领他去见皇上，反正他不过是一个人，皇上要杀他易如反掌，我只要说我是被他所胁迫便是。

黄皓打定主意，高声喝道："起——程——"

卫士们纷纷扛起木箱，随着黄皓出了魏营。行进间，黄皓见当先的一名卫士是个白净的青年，很是面生，微感疑惑，便问道："这位小兄弟可是新进宫的卫士？我怎么没见过你？"那人连忙躬身行礼，"回禀黄大人，小的汪言，本是姜大将军麾下，年前战场上受了点小伤，这才调回宫内，未来拜见大人，还请恕罪。"

黄皓听说曾是姜维的部下，心中不爽，大喝道："少跟我提那姓姜的匹夫，拖拖拉拉的，快些给我走着！"

剑阁关外，魏军大营。

"什么？姜维率兵赴成都，居然有这样的事？"

"启禀都督，大剑山西面营寨已空，情报应该准确无误。"

"那营原本有多少人？"

"约一万人。"

"可知是何原因？"

"小的不知。"

"废物！退下，再探！"

"是！"

主帅大帐内，气氛压抑得叫人透不过气来，只见钟会双手负在身后，在大帐内来回踱着步。他双眉深锁，口中喃喃自语："姜维在这个节骨眼儿上忽然率兵南去，这没有理由啊？他守剑阁守得好好的，为什么会……嘶！难道是……"

护军荀恺开口道："都督，姜维率军南去，属下料想必定是蜀中突然发生了什么变故。我曾听说姜维与蜀中常侍黄皓素有嫌隙，此次必定是黄皓在朝内搞鬼，姜维才不得不急返成都。蜀贼内讧，可是咱们破敌的大好时机啊！"

将军夏侯咸却摇头道："末将倒是有另外的想法，我觉得极有可能是南蛮国趁蜀中兵少造反，姜维才不得不回军镇压。但不管怎么说，这是一个千载难逢的好机会，咱们应该趁机袭取剑阁，一举歼灭蜀贼才是。"

"是啊！是啊！"

"还请都督下令……"

众人你一言我一语，均是主张尽速出兵。

"大家先收声，这会不会又是姜维的诡计？"众人闻听此言都是一愣，回头看向说话之人，正是护军胡烈。胡烈原本立在一旁，沉默不语，见诸将虽然讨论得热烈，但都是主张出兵，觉得不妥，便出言提醒。他不久前刚吃过姜维的苦头，五千玄马营兄弟全军覆没，痛定思痛，整个人都变得谨慎多疑了。

帐内陡然安静了下来。这也难怪，这些将领大都与姜维交战多年，都或多或少吃过姜维的亏，知道他诡计多端，此次忽然率兵南去，确实是不同寻常，谁能担保这会不会又是一个诱敌之计？见众人安静了下来，胡烈接着说道："那姜维老匹夫为人奸险狡猾，示弱诱敌一向是他所长，我看咱们是否出兵应该慎重考虑一番才是。"

诸将点头表示同意。

"不必考虑了，一定是邓艾！"

钟会忽然开口，诸将又是一愣，目光纷纷投向他。只听他缓缓说道："大家是否还记得，之前邓艾率军准备从阴平小道偷渡入蜀，然后便没有了消息，邓艾所率之军约一万人，而今姜维带走之军也恰好是一万人，这难道只是巧合吗？邓艾此刻必已成功入蜀，而且已进逼成都，因此姜维才不得不南去。"

诸将你看我，我看你，似乎是难以置信。胡烈昂声道："都督，您说得非常有道理，但属下有一事不明，邓征西如果真的率兵成功偷渡阴平，按理来讲应该先来袭击剑阁的后方，与我军前后相呼应才是，怎么会直接往成都进发呢？况且，他手中只有区区万人而已。"

钟会深深地看了胡烈一眼，没吱声。

胡烈从对方深不可测的目光中似乎看出了什么，陡然醒悟："难道、难道邓艾是想弃我们于不顾，独揽灭蜀大功！"

此言一出，帐内立刻掀起了一阵骚动，诸将纷纷开骂："好个邓艾老匹夫，竟想独占大功！"

"他奶奶的！咱们在这边浴血苦战，那老家伙投机取巧，也想贪功？做他娘的春秋大梦去吧！"

"去他妈的！咱们这就冲进成都去,看看谁才是灭蜀的功臣！"

"出兵！出兵！出兵！出兵！先破剑阁,再取成都,不能让邓艾那厮耍威风！"

钟会高举双手,示意众人安静。

良久,他缓缓说道:"显然诸位和我都是一样的心思,这灭蜀的大功,说什么也不能让邓艾给独占了去。只是目前,剑阁犹在,阻我大军去路,不知有谁愿为本帅分忧？"

参军皇甫阇赫然出列,高声吼道:"都督,末将愿为都督分忧,不破蜀贼,提头来见！"钟会微微一笑,"很好,勇气可嘉！那么你便领本部人马攻取大剑山西侧营寨,姜维既已将大军抽走,该处应该很空虚,必然一击可破。"

"末将遵命。"说罢,转身出帐。

胡烈等皇甫阇离去之后,这才上前道:"还请都督明察,姜维并非庸人,他将大剑山西侧之兵抽走,又怎么会料不到我军必会趁虚袭击呢？末将以为,该处必有埋伏,都督出兵可要三思啊！"

钟会呵呵一笑:"胡护军倒是变得谨慎了,这可是件好事。姜维老谋深算,不过,我钟会也不是庸人,又怎会不知道他的伎俩呢？只是如果不让皇甫阇去走一趟,又怎能瞒得过蜀贼的耳目？"

胡烈不由得心尖一颤,再次想起在白水寨一役中那丧命的五千玄马营兄弟。

弃子！

皇甫阇是下一枚弃子吗？

胡烈只能暗自叹息。

钟会沉思了片刻,回到帅案前,取出八只军令,高声下令:"将军庞会领本部人马攻打小剑山;护军荀恺领本部人马攻打小剑山东谷;将军王买领本部人马出乐林攻打虎南山;将军句安率领本部人马攻打三苗岭;司马夏侯咸领本部人马攻打凤凰谷;将军田章领本部人马攻打剑中寨;前将军李辅领本部人马攻打北阳坡;护军胡烈你从本帅军中抽出一支攻打上居山。我倒要看看没有了姜维,那些蜀贼庸才怎么挡得下我军八路齐攻。"

诸将上前领令,齐声道:"谨遵将令,不胜不归！"

一时间,大帐内杀气冲天。

钟会以食指轻轻敲击着桌面,嘴角挂着满意的微笑,目送诸将一一离去。等他们都走出了大帐,钟会面上的笑容忽然一敛,取而代之的则是一股阴煞之气。此时此刻,他心中的思绪却是更加纷乱了。

"邓士载啊邓士载！你我同殿为臣，原本秋毫无犯，你又何苦要打乱我这盘好棋呢？早知如此，当初便该寻个机会杀了你才是……"钟会喃喃自语。好一会儿，从案上取过纸笔，蘸上墨，振笔成书，然后交给在一旁伺候的丘建，吩咐道："你速速给我送这封家书回洛阳府中，要那三人立刻赶来，不得有误！"

丘建将书信谨慎地收入怀中，躬身行礼："小的这就去办。"

夜已深，秋风瑟瑟，令人生出些许寒意来。蜀国皇宫巨大的露天庭院内，数百支如小孩手臂般粗细的红油蜡烛将黑夜照耀得如同白昼一般，数百朵橘黄色的火苗随风摇曳着。一座潜龙池金波荡漾，上头浮满了杜鹃花瓣儿，象征着"万象回春"的吉兆。池畔花场前，丝竹悦耳，数十名年轻貌美，衣着光鲜且又暴露的舞伎，正随着琵琶弦音翩翩起舞，空气中飘散着淡淡薰香，令人心醉神驰。

刘禅身披貂皮大衣，高坐于主位，眯着眼，看着眼前这一派乐舞升平。黄皓随侍在侧，不住地为他添酒加菜。

"这么说来，邓艾之军确实没有多少人？"

黄皓急忙恭身行礼："回陛下，正如陛下先前所料想的那样，邓艾之军营多人少，奴才窃以为，不过万余人而已。"

"哼！"刘禅端起玉盏一饮而尽，然后重重地在桌上一顿，不屑道，"邓艾这匹夫，就凭这么一点兵力，也敢跑来成都撒野？爬上成都外墙都还嫌不够……跳梁小丑，不久自死，何足挂齿！喝酒，喝酒！"

黄皓赶忙斟满。

此刻乐师琵琶声渐急，羯鼓大响，这首"蜀国四弦"正演奏到高潮之处，就见一名身材丰满诱人的舞伎手执拍板跃众而出，轻快地舞到刘禅面前，她容貌虽算不得国色天香，但丰胸细腰，皮肤白皙，双目灵动，尤其是嘴角边生着一颗小痣，使其更显妩媚动人、勾人心魄。她抬起头向刘禅抛了个媚眼，随即转身舞了开去。刘禅脸上堆起一片笑容，心底十分舒坦，端起玉盏又是一饮而尽。

"陛下所言甚是。另外，奴才又听探子回报，说是大将军已领一万轻骑回成都赴援，如此一来，只要我军前后夹攻，不愁邓艾不破，陛下宽心就是了。"黄皓一边说着，一边又替刘禅斟满了酒。

一听到"大将军"三个字，刘禅眉头不禁一皱，刚端起的玉盏也放了下来："姜维这老家伙真是气死朕了！"说着，夹了块牛肉，放进嘴里慢慢咀嚼着，声音含混不清。

"和他那恩师诸葛丞相一模一样，整天'北伐中原，复兴汉室'地嚷嚷个不休，听到朕耳朵都快起茧子了！这些年倒也罢了，他带着军队在西北屯田练兵，让朝里也乐得清静，这回带兵回来救驾……啧啧，还真是件挺麻烦的事，总得给他加个官吧？但他都已经是大将军了，还能升成什么样呢？总不能给他个丞相来当吧？你说是吧，黄爱卿？咳……"

"陛下所言甚是……呦！您可慢着点用，别伤了身子。"黄皓赶忙为刘禅揉搓后背。

刘禅喝了口酒，压了压食，接着又道："朕到现在还是想不通，这些家伙是给什么迷了心窍，在蜀中不是过得好好的吗，何必要北伐中原，复兴汉室？那个'汉'已经亡了五十年啦，又何必那么执著呢？我蜀中田壤肥沃，气候温和，大米小麦无一不长，自成一国，这有什么不好的呢？黄爱卿，你瞧瞧，现在蜀中二十多万户，却养了十五万大军，几乎每户都有壮丁要被征调入伍，真是劳民伤财啊！"

"奴才也是想不通。"

"想得通才怪！你有没有想过，要是不执意北伐，兵力可以裁减一大半，三万人便可扼守住汉中，其他壮丁卸甲归田，谷米产量必然大大提升，到时候只要三不五时贿赂东吴、西羌，要他们骚扰曹魏，曹魏必将无暇西顾，我国便可永保太平康盛。北伐！北伐！看看他们都搞成了什么样子，七万大军空着汉中不守，驻在沓中屯田种麦，使魏人趁机而入，然后再作出一副尽忠报国的模样。当然了，没有理会姜维的急奏，这是朕的失职，可是，难道他们就没犯过错吗？呸！所谓'天下本无事，庸人自扰之'，便是给这班人的真实写照。朕只恨拿不住军队，否则……"刘禅越说越气，端起玉盏猛灌了一口。

黄皓忙替刘禅将酒斟满，安慰道："陛下，现在就先别恼国事了，当心气坏了身子。"

刘禅仍是愤愤不休："朕为一国之君，体谅的是百姓，姜维和廖化这两个老家伙就为了一个虚妄的'丞相遗命'，滥动干戈，连年兵争，他们可曾了解百姓的苦痛？朕不过和他们意见相左，他们便四处宣传朕对他们事事制肘、昏懦无能。朕念在他们毕竟为忠臣，年纪也大了，不忍责怪，但他们又可曾为朕着想过一二？"

此时乐舞已歇，舞伎们整束衣衫，上前参见。刘禅原本想要那名领头的舞伎留下来陪他饮酒取乐，但此时已是兴致全无，随意挥了挥手："舞得不错，下去领赏吧。"

舞伎们纷纷退下，一片偌大的花场内顿时变得异常寂静。

"唉！"刘禅一声长叹，显出几分凄凉。

一阵秋风吹过，上白朵火苗随风摇摆，似乎是在应和他的叹息。

黄皓躬身笑道："陛下且放宽心怀，奴才还为陛下另外准备了一支节目，必定可以令陛下精神为之大振。"

"哦？"刘禅忙问，"是什么节目？快说来听听。"

"舞剑。"

"嗯，如此甚好，朕恐怕有好几年没见人舞剑了。可是好剑手？"

"陛下是击剑的行家，看了便知。"黄皓说罢，拍了拍手，只见外头走进来一名白衣男子，年约五十许，粗眉大眼，面容威严，手持一柄六尺长剑，站定后将剑竖于胸前，向刘禅缓缓行了个剑士礼。

刘禅做了个手势，示意他免礼。

那白衣男子站直身子，深吸了一口气，伴着一旁鼓点"咚"的一声，一道白虹在黑夜中划过，皎如流星。

"好！"刘禅不由得眼前一亮，抚掌喝彩。

那白衣男子舞剑初时十分地缓慢，但却扎实有力，一刺一挡清晰可辨，但随着鼓声渐急，长剑却是越舞越快。只见那剑法大开大阖，气势雄浑，剑势来往间大有金戈铁马的恢宏气势，并不似一般优雅悦目地剑舞，令原本秋意盎然的庭园之内，刹那间便弥漫起了一股肃杀之气。渐渐地，密集的鼓点产生了变化，时而急促，时而舒缓，那剑势便也随着那鼓点极尽繁复变化，忽而轻灵疾劲，忽而舒缓有致，攻时暴烈凶猛，守时绵密稳固，的确是当今属一属二的高明剑术。

刘禅虽自幼文弱，但常观看赵云、姜维这些剑道高手舞剑，所以对击剑之术也还是有所涉猎的，看得出眼前这场舞剑的精髓所在，舞至绝妙之处，他不由得热血沸腾，忘情地鼓掌叫好。

一曲舞罢，鼓声渐歇。白衣男子额头微微渗出汗珠，上前单膝跪下，朗声道："山林野人献丑，还请陛下恕罪。"

刘禅笑道："好剑法！好剑法！好一场精彩绝伦的剑舞，朕可要好好地犒赏你，又何罪之有呢？"

白衣男子立刻拜伏于地，高声道："谢陛下！"

刘禅微笑着捻了捻胡须，问道："对了，你这剑舞可有名目？"

"回禀陛下，这剑法叫'军争'。"

"军争？"

刘禅略微沉思了片刻，鼓掌笑道："好个'军争'！原来是从兵法中化幻而出的剑法。观君舞剑，确实是'疾如风，徐如林，侵略如火，不动如山，难之如阴，动如雷霆'，与孙武子的军争之道相符,便如一高明将领行军布阵般,森严耸立,奥妙非凡。嗯,以兵法入剑道,朕生平还是头一回见到,奇哉!妙哉!"

白衣男子忙行礼:"谢陛下夸奖。"

刘禅示意免礼,忽然像是有所醒悟,忙道:"但是,朕有一点想不明白,你这剑法走的是纯阳刚一路,当是以正道行军破敌,但其中却常常突出奇招,甚至是怪招、险招,仿佛要与对手同归于尽一般,这又是为何?"

白衣男子一笑,不慌不忙地回答道:"孙武子兵势篇有云,'凡战者,以正出,以奇胜,故善出奇者,无穷如天地,不竭如江河'。默守剑招最多只能立于不败之地,但若想要取胜,便要出奇招、怪招、险招,甚至是不要命的招术。行军作战也是如此,一味坚持正道行军,而不能行险者,不配为三军之帅也。"

刘禅听他这么一番解释,倒是颇感兴趣,道:"哦?但我朝诸葛丞相在世之时,却曾经告诉过朕,'兵者,死生之大事,不可不慎,为将者,谨慎为上,行险致胜者,不过赌徒之流,下之下等',这么说来,你便是丞相口中所说的'下之下等'之人了?"说罢,不禁哈哈大笑起来。

白衣男子只是微微冷笑,却并不答话。

"何故发笑?"

白衣男子道:"诸葛亮五伐中原,却寸土未得,不也就是因为如此吗?故而发笑。"

刘禅脸色一沉,大喝道:"你这个家伙胆子倒是不小哇!敢出言诋毁诸葛丞相,你难道不知,这可是万死之罪?你……你叫什么名字?"

皇帝发怒,那可不是闹着玩的,寻常人早已是吓得跪地求饶了,谁知那白衣男子却是面色不改,反而将身子挺得更直了些。只听他朗声说道:"在下,便是魏国征西大将军、灭蜀大都督,邓艾是也!"

刹那间,一股浓浓的杀气自他身上散发出来,一朵飘落在他脚边的杜鹃花,竟被这股杀气给硬生生震碎,破碎的花瓣洒落了一地。

此话一出,众人皆惊。这也难怪,任谁都无法想到那镇兵于城外的敌人,不但已经渗入到城内,其主帅更是大摇大摆地站在了皇帝面前。一时间,侍卫们竟都手足无措,呆立在那里,似乎不知道该如何应对才好。

刘禅脸色骤变,颤声问:"你、你就是邓艾?你怎么……"说到此处,忽然恍然大悟,目光凶狠地望向站在一旁的黄皓。

黄皓本就惴惴不安,看到皇帝对自己怒目而视,不由得大惊失色,双股颤颤,慌忙跪下磕头道:"陛下饶命!陛下饶命啊!是他逼奴才的,奴才只是领他一人进来而已,没有其他人……奴才绝无通敌卖国之意,还请陛下饶命、饶命啊!"

邓艾上前一大步,拱手道:"请陛下息怒,无需责怪黄中常,人在生死关头,身不由己而已。"

刘禅侧过头来再次打量邓艾,知道他是只身进宫,心下稍定,调整了几次呼吸后,脸上的神色已恢复了之前的平静:"邓将军用兵好行险招,朕自然是早有听闻的了,却没想到竟然险到这种程度,你只身一人进入皇宫大内,纵有三头六臂,也绝飞不出这皇城去,难道你就不怕死吗?"

邓艾哈哈一笑,豪迈地说道:"这世间没有人是不怕死的,但能人上士,深知离死尚有多远,所以无所畏惧罢了。"

刘禅也不禁大笑起来:"哈哈哈!你胆量的确过人,不过终究是一介莽夫而已。那你可否知道,你现在已经是一脚踏入了鬼门关了?只要朕一声令下,左右侍卫便可将你剁成肉泥,你可怕了?"

谁知邓艾却是一脸稀松平常,不慌不忙道:"但我的本事却不只如此,陛下不妨听完我的来意,再杀我也不迟。"

刘禅微一皱眉,只觉得对方那过于从容的表情着实令人好奇,当下拂了拂衣袖,说道:"那么,将军光临蜀宫,可有何指教?"

"在下身为说客,劝陛下早日开城献降。"

刘禅早料到他会如此一说,不由得一阵冷笑:"哼哼,你现在已是自身难保,却来劝朕投降,岂不荒谬?"

"在下深知陛下乃是深明大义之人,特来为陛下剖析利害,等陛下听完在下之言,再说荒谬不迟。"

"好,朕便让你说,说完了再整治你这个妄人!"

邓艾朗声道:"魏、蜀两国征战数十年,为的是什么?不就是因为蜀国自认为是汉室正统,借口复兴汉室,连年北伐,结果导致陇右一带生灵涂炭,蜀中大地也因劳役过重,民众生活艰苦,以致于天府之国名不副实吗?其实汉室早就在董卓乱政之际就亡了,天下英雄趁势崛起,我国太祖皇帝及贵国昭烈皇帝都是当世之豪杰,人中之龙凤,各以其才干称雄于世,成就了如今这天下三分之伟业。如果贵国能放弃所谓的'汉室'迷思,那么魏、蜀便可各安其分,天下百姓共享太平,陛下以为如何?"

不得不说,邓艾的这番话刘禅是打心眼儿里赞同的,但是目前双方毕竟处于敌对状态,剑拔弩张,总不能点头称是。他想了想,回应道:"将军这番话该说给你们主子去听,既然魏、蜀各安其分,那将军便应该领麾下人马退回陇右才是,便如将军所说的,从此以后两国互不侵扰,共享太平,这难道不好吗?"

邓艾却摇了摇头:"陛下如果早几年领悟了这道理,我今天也就不会出现在这里了。自诸葛武侯以来,魏、蜀两国相争便如衡器二端各置一权,为水平之势,但今日我军破汉中、入成都,衡器一端已向我大魏倾斜。汉中防守严密,本来无隙可趁,但我军却不到半月便拿下了阳安关。剑阁天险,飞鸟难渡,但我军却翻过来了,这是为什么?此乃天意呀!天意要魏兴蜀亡,这才助我飞渡摩天岭。陛下如果仍然执迷不悟,逆天行事,必遭天谴!"

刘禅反唇相讥:"朕虽然信天意,但阁下所说的却不过是虚妄之言而已,唬弄一些愚夫愚妇可以,朕却不信你这套歪理邪说。你飞渡摩天岭又如何?兵临成都又如何?钟会大军仍被阻于剑阁之外,不久便将粮尽而退。而如今阁下已是瓮中之鳖,即便朕不杀你,姜伯约又岂会放过你?这样看来,天意似乎是在蜀而不在魏啊!"说罢,哈哈大笑。

邓艾沉吟着不再说话,神色紧绷,似乎是在盘算下一步该怎么走。此时敌将潜入宫中的消息已经传开了,百余名侍卫蜂拥而至,把个潜龙池畔围了个水泄不通,邓艾便是有通天的本领,恐怕也是插翅难飞。

然而,情况当真如此吗?

一切,还都尚未可知。

沉吟了良久,邓艾忽然面色一肃,似乎已有定案,拱手道:"既然陛下不信我这个'天',那好,我就给陛下说说'利'。陛下可知,现在正是你投降的唯一时机,一旦过了此刻,恐怕陛下主动要求投降也不成了。"

刘禅不屑道:"朕只知道现在是你投降我国的唯一时机,一过此刻,你便要人头落地!"说罢,一拍桌案,大喝一声,"来人啊,给我拿下!"

侍卫立刻围拢了上来。

邓艾大手一挥,喝道:"且慢!刘禅,你所能指挥的不过是这些人而已,你何不想想,蜀国兵马大权,如今是在谁的手上?"

刘禅做个手势要两旁侍卫止步,双眉蹙起,半晌才道:"你是说姜维?"

邓艾点了点头:"正是姜维。陛下虽身为蜀国之主,却不执掌兵权,今天陛下如果先投降了我,便相当于蜀国举国投降,我主必封陛下为蜀王,以收天下民心。但倘若陛下今日不降,而姜维却早一步先降于我国,陛下便是一个无土之主,到时蜀王之位便归了姜维,而陛下恐怕连个亭侯都封不上,因此我才说,现在是陛下投降的唯一时机,稍纵即逝,还望陛下三思。"

刘禅摇摇头，不以为然道："姜伯约素来忠胆，又怎会降于阁下？真是天大的笑话！"

邓艾以同样不屑的口吻回击："陛下未免太过于天真了！常言道，知人知面不知心，姜维屡次兴兵北伐，陛下均不赞同，以致大军辎重接济不上，屡战而不胜，姜维为此对陛下积怨已深，再加上黄皓在朝中屡屡中伤于他，令他长年驻兵在外，不愿入朝。正所谓'一朝有隙，日久渐深'。这么一说，陛下还能说他必不会反吗？"

刘禅不由得倒吸了口凉气，眉头紧锁。邓艾所说的并非没有道理，这些年来蜀中朝野纷纷扰扰，的确是令他这个后主皇帝烦恼不已。

邓艾趁热打铁："那我就再说得明白一点。相信陛下已经得知，姜维只带了一万轻骑来援成都，何以带那么少的兵？如果带一万五或者两万人马前来岂不更有胜算？姜维是来战，还是还谈投降条件，还请陛下细细揣酌。"

夜风渐冷，四周烛光摇曳，只见刘禅面上忽明忽暗，阴晴难辨，邓艾的一番话已触动了一个君王心底那根最脆弱的神经。一时之间，潜龙池畔鸦雀无声，众人均等待着刘禅的一句话，一句至关重要的话。

——那句话，将决定整个蜀国的命运。

"休想！"

刘禅如惊雷一般爆出一声怒斥，令众人着实吓了一跳。只见他指着邓艾怒喝道，"好你个邓艾，竟要挑拨我君臣之情，刚才那一刹那，朕差点就真的被你给说动了！姜维所作所为固然恼人，但他的忠心，朕却是毫不怀疑。先主曾告诉过我，'疑人不用，用人不疑'，我既然用姜维为帅，便无丝毫疑虑，他只带一万轻骑来援，那是他自负，什么谈投降条件云云，纯属阁下的捏造，朕断不敢相信！"

说完，端起桌上玉盏，轻啜了口酒，然后"啪"地一声摔碎在地上，高声道："邓艾，如今你已无计可施，就安心地去吧！"

皓月当空，万籁俱寂。

忽然间，旷野上响起了一阵纷繁而杂乱的马蹄声。那马蹄声由远及近，打破了这死一般的寂静，一大队轻骑兵正朝着成都方向疾驰而来。这里距离成都不过三十里之遥，若是在白天少雾之时，站在高处便可眺望到成都那高大宏伟的城廓。

猛然间，骑兵为首之人勒住马头，高举起右手，大喝了一声："停！"

后方骑兵纷纷止住去势。

旷野顷刻间便又恢复了宁静。

只见那为首之人立身于马鞍之上，手架凉棚远眺成都方向，口中喃喃自语："不对呀，为何会这般安静？太奇怪了……"后方一骑迅速奔到跟前，轻声问："大将军，为何忽然止步？莫非发现贼兵在前方有所埋伏？"

　　为首之人四周看了看，重新坐回到马鞍上，沉声道："不是，我只是觉得奇怪，按理说，邓艾军此时应该开始攻城了，但却不见前方有火光起，也听不到丝毫的喊杀声，这着实让人奇怪……"

　　身旁之人却是不以为然："大将军，末将以为，也许邓艾面对坚城壁垒束手无策，又听说您带兵回援，便知难而退了也说不定。"

　　为首之人却摇了摇头："邓艾素来兵行险招，好不容易穿过阴平小道进入蜀中腹地，并一举攻到了成都，怎会轻言放弃？再者说，就算是放弃，按照他的性格，也会在险要处设下一支伏兵，劫杀咱们。可是你瞧瞧，此处林木茂密，正是设伏兵的好所在，可是哪里又有魏兵的影子在？"

　　身旁之人摘下头盔，用力搔了搔头皮，支吾道："这个末将就不知了，会不会是邓艾又在耍什么阴谋诡计？"

　　为首之人抬头望天，口中反复咀嚼着那四个字——阴谋诡计。忽然，像是有所醒悟，失声道："不好，成都危矣！"

　　刘禅，字公嗣，小名阿斗，乃是刘备的长子。也许是老天故意要给这位蜀国未来的皇帝一些磨难，他出生后不久便赶上曹操南征，刘备抛妻弃子独走江夏，小阿斗险些命丧于战场，多赖赵云舍命保护才得以幸免。十七岁时，刘备崩于白帝城，他继皇帝位，当时军政大权均由诸葛亮掌控，他仅是虚有皇帝之名。二十九岁时诸葛亮去世，蒋琬续行掌权，直到蒋琬死后，方由他亲政。纵观数十年来刘禅的业绩，虽无甚恶害，但也没什么善举，称他为平庸之君，倒也不为过。

　　然而世事难料，历史的巨轮不停地向前转动着，这位平庸之君终究还是要面对不平庸的局面。魏、蜀两国结怨数十年，今日必有个了断，但结局如何，却是无人得知，即便刘禅以为已经知道了结局，但其实却未必如他所想。

　　此时此刻，只见邓艾拾阶而上，直挺挺地站在刘禅面前，竟是无人上前喝止，也无人出来阻拦，整个皇宫之内，静得如同一座死城。

　　"咚！"

　　邓艾将手中长剑插在刘禅面前的案几上，沉声喝问："我便再问你一次，你这昏君，降还是不降？"他嗓音沙哑，已不像之前那样斯文平静了。

刘禅环顾左右，这才恍然大悟，喃喃道："原来如此，怪不得有恃无恐……已经动过手脚了？"邓艾点头道，"不错，你宫里的侍卫已全被我的人干掉了，现在这边的人……嘿嘿，忠儿，你们一共杀了多少人？"立刻有一名侍卫装束的青年从人群中闪出，回答道："一共是三百四十六人。"

黄皓循声望去，正是那个自称"汪言"的年轻卫士，不禁暗骂自己糊涂："汪言"不就是"妄言"吗？当时怎么没察觉到这点？顿时额头冒汗，追悔不已。

邓艾笑道："不多嘛！看来大多数的人都被调去守城了，我这儿不过二百余人，拿下皇宫却还不费吹灰之力。"

刘禅万没料到，情势急转直下，竟然变得如此糟糕，颤声问："是何时、何时让这些人混进来的？"

邓艾冷笑一声，侃侃言道："还不是多亏了你的宠臣黄皓？之前黄中常率二百名护卫来我军营劝降，我却只接见了他一人。在我和黄中常滔滔之辩时，我儿邓忠早已率人将那二百人给剁了，取其衣裳令牌，扮成皇宫侍卫，随黄中常一道回来。我本来已做好一进城就先发难的准备，没想到成都防备竟然如此松懈，不验令不验人，让我的兄弟们一路大摇大摆直进到皇宫来。嘿嘿，这下可好，看来人头落地的，要换成咱们的陛下了！"

黄皓早已吓得魂不附体，"扑通"一声跪倒在地，颤声道："你、你说只有你一人，怎么……"

邓艾朝他投去厌恶的一瞥，冷笑道："所谓兵不厌诈，难不成你要我实说有二百人吗？我邓艾虽爱兵行险招，但还不至于随意置自身于死地，如果真的只身入宫，我又怎敢像刚才那般长篇大论不休？这回我是以行险为饵，偷袭为实。"随即把目光转向刘禅，"蜀宫已在我军的控制之下，我再问你一次，到底降还是不降？"

刘禅咬牙切齿道："你有本事就杀了朕，成都内还有五千余军，你休想活着见到明天的太阳！"邓艾大怒，长剑一伸，冰冷的剑锋已架在了刘禅的脖子上，喝道，"军失其主，又怎能成军？我这便杀了你，成都便不攻自破了！"

面对生死关头，刘禅反倒不惧怕了，昂首道："那你还不快动手？朕虽被世人讥为昏君，却也不致贪生怕死，亲手断了祖宗的基业！"

邓艾手上的力道又加重了几分："我不愿多伤人命，降，便饶你不死。"

"誓死不降！"

"果真不降？"

"不降！"

现场一片肃穆。邓艾握住长剑的右手微微地颤抖着,剑尖也跟着晃动不已,似乎也到了决策生死的紧急关头。他双目紧紧盯着眼前这个自称为朕的男人,而刘禅也是毫无畏惧地目视对方,两人目光相交之处,隐隐传来刀锋之音。

"算你有种!"邓艾还剑入鞘,大步下了台阶,吩咐道,"把人给我带上来!"

只听得一阵妇孺泣闹之声传来,数十名男女被魏军押上了大殿,其中有老有少,甚至还有名在襁褓中的婴儿,窝在母亲怀中弱弱地啼哭着。这些人个个衣着华丽,面容却是无比惊恐,竟然是蜀国一众皇亲,其中包括刘禅七个儿子儿媳,和十余名孙子孙女。

刘禅睁大了眼睛,惊呼道:"你这是……"随即便明白过来,不由得脸色大变,起身怒斥道:"邓艾匹夫!你竟然想用朕的家人要挟朕!"

邓艾背对着刘禅,缓缓道:"我不杀你,但并不代表我不杀他们。我要先拿你这些儿子孙子们开刀,在你面前将他们逐一处斩。不过,在他们死尽之前,你还有投降的机会。简单来说,他们的命运完全掌握在你的一念之间。"

"无耻小人!"

"无耻?"邓艾忽然转身,冷笑道,"'兵者,诡道也',兵不厌诈,更不厌无耻!势已如此,陛下不妨再考虑一下我的提议。"

邓艾振振有词,字字句句都如利刃般割着刘禅的心。此时他已是冷汗淋漓,双拳紧握,指甲深深陷入到肉里,但却不觉得丝毫疼痛。直到此时他才明白,他所面对的是一个无所不为之人——不!根本就不是人,而是一个魔鬼,一个为达目的而不惜采取任何手段的魔鬼!那些他最亲近的人,正悬在这只魔鬼的利齿之下,等待他的一句屈服。

可是,他不能就这么屈服。

刘禅目光落在一个小女孩的脸上,那小女孩最多也只有五、六岁的年纪,是他最疼爱的孙女,此时在她那对大大的眼睛中,充满了恐惧,似乎是在向他这个做祖父的求救一般。他又看了一眼最器重的长子,眼神中同样写满了恐惧,钢刀已在他的脖子上压出了一道深深的血痕……

不屈服,又能如何?

他的心渐渐软了。

皇长子见父亲望向自己,哭叫道:"父皇,救我……身家性命要紧,把蜀国交给他便是……"

刘禅心头不由得一颤,暗叹:此子相貌堂堂,身材伟岸,素有才名,最受我的器重,如果蜀国不亡,将来这帝位定会交于他手。没想到,却是一个贪生怕死之辈,真是没想到啊!但是,事已至此,已经无法挽回了,我该怎么办才好呢?想到此处,不觉心如死灰,叫了声:"罢了!"

"大哥!你这个软骨头,死就死了,有什么好怕的?父皇,千万别听大哥的鬼话,不能投降啊!我们生为汉人,死为汉鬼,宁可以死来殉国,也不能苟且偷生!父皇,听孩儿一句话,千万不能降啊!"一名相貌颇为丑陋的皇子从魏军手中挣脱出来,跪倒在地,大声疾呼,"父皇!皇爷爷创立基业不容易,我们怎么能轻易放弃?咱们以死殉国,地下见到皇爷爷也有面目,万万不能投降啊!"

他便是刘禅的第五子,北地王刘谌。此人性格耿直,素来刚烈敢言,却不甚讨刘禅的喜爱。然而却是令刘禅没想到的是,在这一生死存亡、命悬一线的时刻,反而是这个不受自己待见的儿子,毫不畏惧地站出来,大声疾呼。

"谌儿,为父待你一向不厚,是为父错了!"

"父皇,千万别这么说……"

一旁冷眼旁观的邓艾微微一笑,做了个手势。邓忠会意,走到刘谌身后,一把揪住他的发髻,大喝道:"你话不嫌多,少爷我倒是听得烦了!"说罢,将手中长剑在刘谌突起的喉头上一抹,首级立刻"咕噜噜"滚落到地上。那失去首级的尸体缓缓地倒了下去,鲜血从颈腔中狂涌而出,瞬间便溅红了地面。

北地王妃"哇"的一声扑到丈夫的尸体上失声痛哭。半晌,她缓缓抬起头,朝邓艾咬牙切齿道:"你这小人!我诅咒你必死于女子之手,死于荒野之中,为大火所噬……"话音未落,一名魏军挺长枪自她身后搠入。北地王妃哀嚎一声,香消玉殒。

邓艾眼看着二人死去,始终面无表情。

邓忠凑到近前,小声道:"斩草须除根。"邓艾点了点头。邓忠立刻做了个手势,便有两名魏军上前各抓起一个小孩子走出来。这两个小孩子都不过四、五岁的年纪,早已吓得不知哭泣,正是刘谌的一对子嗣。邓忠大手一挥,那两名魏军便将小孩子倒着高高举起,准备朝石阶上摔去。

"给我住手!"

一声大喝,却是刘禅。众人不约而同将目光投向了他。

在众人的注视之下,刘禅缓慢地,一步步朝前走去。他觉得那射向自己的每一束目光都像是一支箭,涂了剧毒的利箭,深深地刺进了他的身体中,所以当他迈动双腿的时候,他觉得自己已被乱箭射穿。他早已经死了。不知不觉间,两行清泪自他的面颊上缓缓流淌下来。

"邓将军，政争军争，都是咱们男子汉大丈夫的事，你又何苦对这些不懂事的孩子下手？你就不觉得良心有愧吗？"

邓艾摇头道："非也。政争军争只有胜负，没有良心，只看结果，不看过程。只要能逼君投降，我邓艾什么都做得出来。"

刘禅不禁仰天长叹："朕自幼随着诸葛丞相读书，所学者，仁义而已，今日却要受一个不仁不义之人的挟持，上天是何其讽刺啊！"

邓艾"轰"地大笑了起来："仁义？仁义是败者之道，成王败寇，强者灭掉弱者，是这个时代的铁律，君可见常胜者论仁义？真是笑话，天大的笑话！"

刘禅正色道："你身为武将，杀戮乃是你的本性，又如何懂得仁义之理？朕身为一国之君，所作所为都是护国保民，这些又怎会是你这嗜杀之人所能够明白的？"

邓艾收敛笑容，说道："那既然如此，陛下就更应该投降了，不然姜维回军成都，岂不是在成都将有一场天大的杀戮？这岂是陛下所说的'护国保民'之道？"

刘禅沉默了半晌，脸上忽然露出凄惨一笑，伤感地说道："如果我今日降了你，必会换得万世昏君之名。但是如果我不降，便会将亲眼目睹我所爱之人受到屠戮。利义交迫，天地待我为何如此不仁？"说着，抬头望天。

众人只觉得脸上微微湿寒，一阵似有若无的夜雨竟已悄然落下，雨水打在杜鹃花瓣上结成细小的水珠，令花儿更显得鲜红娇嫩。这一场恰逢其时的杜鹃夜雨，仿佛是在为这个走上穷途末路的国家，铺上最后一段哀绵之路……

此时此刻，刘禅的面上也湿了，却不知是泪水还是雨水。他叹了口气，凄然道："先帝建国不易，这我也是了然的，但所谓国家者，不过是立在百姓之上的一个虚名而已，我又怎么能牺牲他人的性命，去保全一个虚名？邓将军，我有一个请求，如果能答应，我便投降。如若不然，我死都不降。"

"陛下请讲。"

思考了片刻，刘禅道："将军能否保证在我投降之后，蜀地不劫一丝，不毁一屋，不杀一人，一切如旧？"

邓艾左手放于胸前，正色道："我虽身为军人，但却并非以杀人为嗜好，今天杀五皇子，那是被逼之举，如果陛下早点降了，我又何必多所杀戮？我邓某人可以对天发誓，如果阁下投降之后，我军滥杀蜀中一人、毁掉一屋、劫掠一丝，我邓艾必遭烈火焚身，十日凌迟而死！"

"朕便信了你！"说罢，刘禅返身回到桌案前，端起玉盏，饮下了最后一口美酒，怆然道："我以将军为信人，必不失言。天命有常，万事有终，我为国君，却连我所爱之人都保护不了,如何再保护万民?唉!也罢也罢,昏庸之名便由我来承担吧!但求他人无恙,我降了便是。"

"好!识时务者为俊杰,陛下这决定确实明智。"

直到此时,邓艾一颗悬着的心才算是落了下来。刘禅摇头苦笑:"只怕你是最后一个说我明智之人了。"

邓艾没有再理会他,转身吩咐邓忠:"你速护送陛下回宫,请他立刻写下降表,昭告天下,尤其是正在回援途中的姜维,动作要快,恐怕他现已快到城下了。其余人等,紧守住皇城,待我军进城后才可以撤哨,明白吗?"

"孩儿明白!"

邓艾长吁了一口气,转身欲走,却又像是忽然想到了什么,转身又道:"在降书内便称北地王刘谌力谏抗敌,但蜀主不听,他们夫妻二人便至刘氏宗庙处自刎殉国。我军进城后,立即派人厚葬此二人,以褒扬其忠勇不屈。"说着,目光中竟透出些伤感来。

邓忠拱手称是。

邓艾又把头转向刘禅:"陛下,在下便先出城,明日入城时那出降大典,记得可要办得风光一些才是。"刘禅双目无神地望着前方,没有言语。邓忠向前一步道:"爹放心就是,孩儿谨照爹的吩咐,明日后主必与榇自缚,亲迎我大军入城。"

邓艾轻轻一笑,压在心头的最后一块石头也落了地。点头道:"嗯,好好准备吧,我这就出城整顿军马,你在宫内严布防务,以免城内蜀军作乱。"说完,转身对刘禅微微欠身,大步走了出去。刘禅则低头不语,随着魏军撤了下去。

顷刻间,偌大的潜龙池畔已是空无一人。雨,却越下越大了。

第二天,刘禅亲自开城投降,并诏告天下。

蜀国灭亡。故事,却并没有结束。

　　涪城坐落于涪水之滨，北有涪水雄关，乃是川东军事重镇，昔日刘璋便是在此地设宴迎请的刘备，邀他入蜀以防备张鲁，却没想到落得个引狼入室的下场，刘备反而兴兵驱走了刘璋，西川便因此而易主。

　　事易时移，枯荣互见，许多往事已成为了历史。

　　蜀国，也已成为历史。

　　这一日，只见数十名威武强壮的魏国士卒在涪城城头上往来走动，将原本悬挂着的"汉"字军旗换成了清一色的"魏"字军旗，所换下的汉军旗被凌乱地堆置在城脚边处，等到尽数拆卸下来后，便会一把火烧尽。

　　蜀国真的就此亡了？

　　长衫布巾的姜维孤独地站在太守官邸前，回首望着这一切。此时的他，已经完全没有了昔日决战千里的英雄气概，只不过是个满目凄凉的落寞老人而已。看着城脚边那成堆等待销毁的汉军旗帜，不禁心如刀割，那些旗帜上溅满了蜀军的鲜血，相信也有他的，血犹未干，仍斑斑可见，那可曾经是他们所誓死守护的一切，而如今，却是如此不堪一睹。

　　他长叹了口气，低着头朝官邸大厅走去。

　　前方有个声音传来："姜伯约，你总算是到了！"

　　姜维缓缓抬起头，就见官邸大厅之内，魏国一干武将都穿着轻便之装端坐于两旁，每个人的面前酒肉都颇为丰盛，但却均未动筷，显然是在等候某位贵宾的到来。端坐于主位之上的钟会，锦袍鹤氅，气度无比的庸容华贵，只见他一边招手，一边朗声道："伯约，你迟到了！"

说者似无心,听者却有意。姜维鼻腔一阵酸楚,再也忍耐不住,两行老泪便顺着粗糙的面皮滑落了下来,染湿了花白的胡须。他勉强定了定神,向前走了两步,一拱手,悲怆地说道:"蜀中全军均在老夫的手中,此时来见邓大都督,尚嫌早了!"

钟会一愣,随即哈哈大笑起来。

那一日,邓艾使计巧取了成都,当时姜维正在赴援途中,离成都只不过十余里。当得知成都失陷,不由得目瞪口呆,方寸大乱,立刻派人回返剑阁通知大军南撤回援,钟会便趁势大破剑阁一线,并兵分多路,南下追击蜀军。姜维与回援蜀军合兵一处,行至郪县时,刘禅的降书便到了,姜维等人只得眼睁睁地就地缴械投降,钟会一举进驻了涪城,接收了这十万蜀军。

钟会将投降蜀军分成十一部,多赐酒肉以稳定军心,同时还严禁魏军扰民,并在城内各处张贴安民告示,称:有取百姓财物者,斩!有强抢民女者,斩!有私吞民田者,斩!有滥杀百姓者,斩……蜀中百姓莫不称赞!

而此次太守官邸内的盛宴,则是专门为姜维而设的。

钟会慌忙起身,笑道:"事已至此,伯约兄何必如此伤感?阁下既然已经前来赴宴,心头的不快,不妨暂时放在一旁,请上坐与在下开怀对饮几杯,岂不快哉?请!请!"说着,朝身旁的空席指了指。

姜维一拱手,低声道:"败军之将,又怎敢安坐于都督身侧?在下只求一末位便已知足了。"

钟会大笑:"哈哈哈,伯约未免言重了。在下知道姜伯约乃是天下一等一的高士,文武双全,便是昔日的诸葛公休、夏侯太初也无法与君相比,坐在上座才不至于辱没了,伯约千万不要再客气了。"

所谓"夏侯太初"者,便是昔日的夏侯玄。他是夏侯尚的儿子,夏侯渊之从孙,风格高朗,弘辩博畅,官至太常,是当代之清谈名士。钟会年少时颇有才名,眼界甚高,当代名士大都不入他眼,唯独对夏侯玄倾心不已,几次提出与之交往,均遭到拒绝,不免怀恨在心。之后中书令李丰想要除掉司马师,以夏侯玄代之。事情败露后,司马师灭了李丰、夏侯玄的三族;"诸葛公休"者,诸葛诞也,汉司隶校尉诸葛丰的后人,诸葛亮的从弟,名气与夏侯玄相类,才学却是平平。世人有言,蜀国得一龙,吴国得一虎,魏国得一狗,那"一龙一虎"说的是诸葛亮与诸葛瑾,"一狗"指的便是诸葛诞了。他曾经帮助司马师平毌丘俭,官至魏征东大将军、司空之职,镇守淮南,十分得人心,之后兴兵谋反,结果被司马昭讨平,夷其三族。

夏侯玄和诸葛诞都是天下闻名的人物,而两起"灭族"惨祸均有钟会的参与,此时此地他忽然提起这二人来,既像是在有意恭维姜维,又像是在提醒他什么。

姜维自然熟知这二人的悲惨下场,心头不由得凛然,当下行礼道:"既然都督如此说来,在下便不客气了。姜某谢都督赐座!"一揖到地,然后在钟会的身旁坐了下来。

钟会等他坐定后,立刻鼓掌道:"列位!今天设宴待客,不是为了庆祝克敌,只是为了替伯约接风,列位可痛饮作乐,不要拘束……乐师,奏乐!"

诸将纷纷应和,一时间鼓乐齐鸣。

就见数十名妖艳舞伎踩着莲步从两侧偏门内涌进大厅,随着鼓乐翩翩起舞,曲子却是西凉的"梦西曲"。这首曲子乃是将士西征,妇女思君之歌。姜维原本身为魏人,年轻之时被诸葛亮使计而降了蜀国,之后所听到的都是西川的曲调,今日忽然听到旧日故乡的乐曲,不禁百感交集,感慨万分。

一旁的钟会察言观色,似乎看破了此点,便试探着问:"伯约兄离乡有多少年了?"

姜维一声长叹:"唉,应该有四十多年了!"

"可有意回乡看看?"

姜维愣了一下,随即摇了摇头:"只怕沧海桑田,人事已非,亲朋故友早已阴阳相隔了……再者说,我来蜀地已经几十年了,早已成为蜀人,视蜀地为故乡,并不做他想。"

钟会温言道:"如今魏、蜀既然已成为一家,咱们也就不要再分什么彼此了。来!在下先敬将军一杯,先干为敬!"说着,仰头将杯中酒水一饮而尽,然后亮了亮杯底。

姜维见钟会如此殷勤、豪爽,心中大有不寻常之感,连忙举杯:"恭敬不如从命!"一饮而尽,然后又斟满了一杯,向钟会举杯道,"在下如今已降了都督,怎么能让都督敬酒?在下失礼了,自罚一杯!"说罢,又是一仰头。

"好!不愧为大将军,爽快!"钟会大笑起来,接着又道,"伯约兄不必如此客气,在下从小便听说过将军的事迹,心里十分仰慕,以为自我国司马宣公之后,天下人物便以君为首,今日能同桌共饮,实在是我的荣幸啊!"

姜维听了钟会恭维之言,半假还真,却也不禁笑道:"我也是久闻都督的大名,知都督家学渊源,尤其于书法一门独步天下,才名更执河洛清谈之牛耳,黄老刑名之学无一不精,乃是当今士大夫的表率,如今又立此大功,可称得上是文武双全,出将入相,令在下十分的钦佩。说句实话,如今我国陛下诏令姜某向都督投降,在下这才是心悦诚服的投降,如果换作是邓艾那个匹夫,我姜某必会与其一决死战,誓死不降!"

钟会素来与邓艾不睦,听了姜维的一番话,心里自是十分的得意,不禁拊掌大笑:

"哈哈哈,听伯约之言不虚,确是我的知己。来！再敬一杯！"

姜维正要举杯,忽然听到座下有人朗声说道:"听姜大将军之言,似乎是对邓征西颇为不屑？但是之前邓征西偷渡阴平、兵胜绵竹、智取成都,姜大将军进不能败敌,退又不能护主,却在此大发蔑视之言,依在下看来,这纯粹就是三岁小儿讥笑巨人不能扛山,不免令人齿冷了！"

争鸣辩论,乃是华夏一道独特而伟大的奇观,于春秋战国时达到顶峰,之后,便逐渐淡了下来。然则,这一风习却没有因时间的推移而绝迹,时常便有三、五好友聚在一起辩论时事,各抒己见,规模虽然没有鼎盛时期,动辄几百上千人那般大气势,但所涉及内容却是更为广博了,农、工、商、兵等等,都被纳入辩论的范畴。

听到有人挑起辩论,众人都不禁停住筷子,望向发言之人,却是护军胡烈。胡烈虽然遵照钟会的军令,善待投降的蜀军,但一见到姜维,便想起自己那五千玄马营弟兄尽丧于此人的手中,仍是气愤难忍,便忍不住对姜维反唇相讥。

姜维瞥了钟会一眼,见他仍然笑吟吟地饮酒,对胡烈的话似乎并不介意,心下暗忖:好个将帅一家,都督来扮白脸,护军来扮黑脸,嘴上说是为我设宴接风,原来是杀我的气势来了！当下便一清喉咙,朗声道:"那邓艾好行险兵,所依仗的便是侥幸,不过是一介赌徒而已。姜某纵然不肖,但也不至于向一个赌徒伏首,胡将军以为如何？"

胡烈不由得一阵冷笑,回敬道:"胜败才是衡量统帅的唯一准则,为将者所重视的便是结果,而不是逞嘴皮之快。姜大将军称邓征西为赌徒之流,而阁下却又败于赌徒之手,大将军岂不是连赌徒都不如了？可笑啊可笑！"

姜维放下酒杯,正色道:"胡将军所言差矣,为将者领兵作战,其所掌握者,小则将士的身家性命,大则国家的社稷安危,怎能轻易犯险？为将者不惧生死,又怎能枉顾下属的性命？凡人皆为父精母血,数十年而养成,即便死也要死得其所,统帅为逞一己之快而将士兵置于险地,这绝不是兵法之道。所谓为将者,必须谨慎用兵,进退有本,攻守有序,先求全旅,方才求胜,否则纵使侥幸获胜,也不能称之为高明。邓艾率军偷渡阴平,虽然堪称奇计,却也是凶险到了极点,稍微有点差池便将全军覆没,此绝非兵法之正道,姜某虽然不才,却也不齿降之！"

胡烈大怒,"嚯"地站起身,大喝道:"姜大将军说邓征西偷渡阴平小道乃是侥幸,却不知邓征西素来能谋善断,或许他早就勘察过阴平的地形,谋定而后动呢？姜大将军又有什么好说的？"

姜维不禁仰天大笑,良久才收敛笑容,说道:"如果邓艾事先勘察过阴平的地形,一定不会坚持往阴平行军。在下虽不才,但也算是比较谨慎的了,怎么会守剑阁而忽略阴平？在下早先已派士兵一千人于景谷处设防，不巧正好赶上许仪攻打小剑山，其势非常凶猛，这才将那一千人调往小剑山赴援。待许仪败退后，又回防景谷，其间不过十天，而邓艾便是在这十天里偷渡阴平。胡将军不妨设想一下，邓艾只要晚个一天，或是早个一天，他早已葬身于荒山之下，尸骨无存了，而他犹不自知，这不是侥幸是什么？如果一定要说我败给邓艾，也不是智力不及，实是天命不在我这边！"

胡烈心头一震，暗想：照他说来，邓征西之所以成功偷渡阴平，倒是托了许仪的福，而许仪却被斩首……实在是冤枉得很啊！他正要再说什么，却被钟会举手阻止："胡将军，今日设宴是为了开心，这些事情都已经过去了，逝者已逝，你也就不必太计较了。伯约兄今后将与咱们同殿称臣，大家应该携手合作，为我大魏共谋天下才是。来来来，伤感情的话都别说了，喝酒才是真格的！大家喝酒，喝酒！"

钟会之言表面上是对"赌徒之辩"而发，实际上却是暗劝胡烈不要再计较玄马营五千兄弟惨死之仇。胡烈当然明白钟会的意思，心中虽忿忿，却也只得行礼称是，退回座中与众人一块饮酒吃肉。

钟会见胡烈不再言语了，再次拍了拍手，"梦西曲"忽然变成了"百花迎春调"，乐音高亮，节奏轻快，舞伎随着这乐曲翩翩起舞，如蝴蝶翩然于花丛之中。一时间，大厅内充满了欢愉的气氛，之前的剑拔弩张一扫而空。诸将久经战阵，再次见到如此欢庆的场景，自然大为享受，喧闹之声此起彼落，推杯换盏，觥筹交错，不亦乐乎。

等到酒过三巡，众人都有了几分醉意，钟会则眯着一双单凤眼斜倚在几上，小声道："伯约，如今蜀国已灭，你看这今后的天下……将谁主浮沉？"

姜维虽也有了些许醉意，但意识还是清醒的，听到钟会忽然发问，不由得心中一凛：钟会这厮莫非已起了不臣之心？果真如此，却可为我所用。思索了片刻，答道："天下三分，如今已去其一，魏一统天下已是迟早的事，司马公又掌控魏国军政大权，谁主浮沉，不必说，也不应说。"

钟会闻言，突然醒悟，佯装酒醉，大笑道："我也真是糊涂了，喝酒是为了开心，谁管他浮沉不浮沉？伯约兄，我再自罚一杯！"

"哪里哪里，应该由在下敬才是。"

"客气了，请！"

"请！"

胡烈素来严谨，不喜饮酒作乐，见众人都喝得欢畅，也不愿坏了兴头，喝过几杯后便戴上皮帽，悄悄退出了大厅。此时正值深秋，蜀中向来多雾，午时过后，涪城便笼罩在了一层朦胧之中，远山近树雾气飘荡，颇有些画外之感。

胡烈离开太守官邸，牵了马，径直来到涪城大街上闲逛，只见街道两旁的市集依旧忙忙碌碌，裁缝为人量身剪布，肉贩提刀屠猪宰羊，酒肆开门迎客，娼馆生意兴隆，路人熙攘喧哗，车马穿越如流……与平日全无异常。他暗想：所谓"汉室"云云，这实在是士人笔下之文章，市井百姓所求者不过温饱安定而已，是汉是魏，又有什么差别呢？

正思忖间，忽见一骑自大街另一头奔过来，马上端坐着一名年轻军官，仔细观瞧，正是胡渊。

胡渊也瞧见了胡烈，急忙奔到近前道："爹，都督的饮宴这么快就结束了？"胡烈挥了挥手，作苦笑状："酒席哪里会有这么快结束的？现在里头正热闹着呢，你爹我只是坐不住出来走走，透透气罢了。"胡渊笑道："爹闻到酒气便直皱眉头，当然是坐不住了。"

"谁说不是呢。"

"对了，爹有没有游览过涪城？"

"这几日忙着安顿军马，哪里有那个空闲。"

"要不……趁现在闲来无事，孩儿便陪着爹四处逛逛，听说城北有座寺庙，颇有些古迹，值得一看。"

胡烈想了想，点头道："也好。"

于是父子二人便骑着马，在大街上并肩缓步而行，两旁的百姓纷纷举目观望。胡烈提醒道："可别为了玩耍，误了正事。都督交待给你的事办得如何了？"胡渊一拍胸脯："爹放心就是，都督要我分十一部安置蜀国降兵，我早已经办妥，其军械辎重等物也都已没收归库。蜀将都十分配合，蜀军秩序也都良好，只有少数地方有动乱，我已经派人平定了，为首的砍了脑袋，剩下的赏给酒肉等食物，情况已稳定了许多，就等着都督处置。"胡烈点了点头，又问："那些蜀将被安置在何处？"

"偏将以下都与自己的部下在一起，张翼、董厥、廖化等一批高级将领则暂时被软禁在涪水关总兵府内……这几位大人物，都督要我以'上宾之礼'款待，我可是一点都不敢马虎，每人都配了两名丫环，两名仆厮，还特意给他们请了位精通川菜的厨子，好酒好肉地伺候着。不过，廖化那个老家伙忽然得了重病，卧床不起，回头我还得找大夫为他看诊呢，就怕他有个什么三长两短，都督便要怪在我的头上……"

胡渊正说着，忽然看到市集上人群骚动，一小队魏兵自长街另一头缓缓行来，当先三人十分威风，都乘着高头大马，着将军甲，显然是身份不低。

再仔细观瞧：最左侧一人蓄着虬髯，身材极为高大雄壮，手持一柄方天画戟；中间那人瞎了一只眼睛，脸上坑坑疤疤十分丑陋，手上提着一柄厚背砍山大刀，正在那儿不住地把玩着；右边之人身材瘦长，两条臂膀却是十分结实健壮，持一柄虎头长枪，一副冷面；三人身后跟着百余人，清一色侍卫衣铠，腰上挂着兵刃。领队三人神态倨傲，手中亮晃晃的枪戟四处晃荡，吓得长街上做生意的老百姓赶紧收拾摊铺，让到街旁，对这一队魏兵指指点点。

胡渊见状立刻策马上前，大声喝问："给我站住了！你们是哪里来的？胆敢冒犯钟大都督的军令，还不快下马领罪！"

那三人勒住马头，却仍旧一脸的冷傲，根本不将胡渊放在眼里。左侧蓄着虬髯那人冷笑了一声，瓮声瓮气地说道："你又是哪里冒出来的毛头小子？敢在大爷们面前大呼小叫，还不赶快下马给大爷们磕头请罪！"

胡渊闻言大怒，刚要发作，却又想到自己毕竟有军命在身，对方又是自己人，当下只得强忍住怒气，说道："在下钟都督帐下玄马校尉胡渊，奉命掌管涪城内外治安。钟都督有命，我军将士上街不许穿盔甲，戈矛枪戟等长兵器一律不许携带，刀剑等随身兵器必须入鞘，不得见刃，以免惊扰了百姓。几位不但穿了盔甲，又携带长兵刃，已是犯了军法，还不快快下马领罪，随我回去给都督发落！"

当中那个独眼龙"嘻嘻"一笑，对那瘦长者道："我说钟兄弟，你看这个愣小子没头没脑的，毛还没长全呢，便说要拿咱们几位回去给钟大都督发落……你说咱们该拿这小子怎么办？"那瘦长者闷哼了一声，沉声道："当今天下，像这样的糊涂小子哪里又少了？我看……还请左贤王替咱们开个道吧。"说罢，眼睛望向那虬髯汉子。

虬髯汉子闻言哈哈一笑，叫道："好哇！某家正愁没地方舒活筋骨呢，倒撞到枪口上了！"说罢，策马向前，对胡渊喝道："你这个没脑的臭小子，是要自己让开，还是要试试某家这柄方天画戟的厉害？实话告诉你，某家这柄方天画戟可是新铸的，还没见血开光呢，你可要试试？"

胡渊挺了挺胸膛，肃然道："所谓'军法不行，军心不定'，我既然承都督之命管理城内外的治安，便由不得你们这些妄人放肆！说不得，只好动粗了……犯法抗命者，死！"随着一声暴喝，胡渊双腿猛地一夹马腹，腰间长剑瞬间出鞘，如闪电一般径直往那虬髯汉子的右肩刺来。

这一记"跃马击"乃是玄马营杀敌绝技之一，策马击剑全在一瞬之间完成，讲究的便是疾如闪电，瞬间杀敌制胜，如果不是马术剑术均有一定的造诣，这一击便不易使得完全，破绽便露了出来。胡渊自幼便跟随着父亲辗转各个军营，可以说是在马背上长大的，马术剑术自是十分精熟，这"跃马击"正是其拿手绝招之一。此刻他见对方手持长戟,如果是正面交锋,自己在兵刃上便已先输了一截,所以用上这一招,便是要以近身打法挤住对方的长兵器,不让其发力。

众人眼睛只是略微眨动了一下,胡渊的剑锋便已经刺到那虬髯汉子的肩头处。

"来得好!"那虬髯汉子一声暴喝,右手长戟往地上一插,右肩顺势一沉,轻巧地避过了胡渊这雷霆般的一击。接着双手齐出,扭住胡渊的右臂,往外硬扯,竟是要以蛮力将对方扯下马来。

胡渊没料到对方的身手如此矫健,竟能避开这一击,身形竟一下子失去了平衡,眼看着便要被那虬髯汉子给扯过去了。但他毕竟久临战阵,虽惊不乱,危急间双腿紧紧夹住马腹,左手将缰绳向外一扯,反倒是要以马匹的力量将对方扯过来。

"好小子,果然有些门道!"虬髯汉子大声赞道,同时以脚策马,顺着胡渊坐骑的拉扯力量方向走去。一时之间,二人二马便如陀螺一般,在大街上旋转了起来,只激得尘土飞扬,两旁百姓都看得拍手大声叫起好来。

"哼哼!小爷的手段多着呢!"

"别光说不练!"

二人手上较劲儿,嘴上也不放松。

正在二人僵持不下的时候,长街另一头又奔过来一骑,马上之人身材矮小,正是丘建。只听他大叫道:"小胡将军、左贤王,二位且先住手!"原来丘建领三人进城之时,遇到了一点麻烦,城门官非要他出示钟都督的手谕,方可放人。丘建正与对方理论,谁知那三人便领着部卒径直进了城,丘建待要追赶,却被城门官揪住,所以才耽搁了这许多时间。

虬髯汉子听到丘建的喊声,立刻便松了手,回到原位。胡渊也策马回到父亲身旁,还剑入鞘,对那虬髯汉子怒目而视。丘建策马奔到双方之间,喘着气道:"诸位……诸位都是自己人,怎么没来由地……在大街上斗起来了?"

虬髯汉子左贤王冷冷一笑,将两只粗壮的手掌握成一个拳头,一较力,手指关节立刻发发出一连串"噼里啪啦"的声音,有如爆豆。他看了胡渊一眼,脸上尽是不屑之色:"好狗不挡路!挡路狗,爷爷我差些就折掉你的一条右臂。哼!也罢,狗总有狗运可走,这次便先饶了你。"

胡渊怒喝道:"丘兄弟,这些家伙携带长兵刃上街,已是触犯了都督的命令,我只是依法行事,没想到这班妄人竟然抗命拒捕。丘兄弟,这些可是你带来的人?若是如此,可要连你也脱不了干系了!"

丘建赶紧向两旁各一抱拳,解释道:"诸位先冷静些,冷静些。小胡将军,这三位都是都督的贴身部下,这位蓄着虬髯的将军姓刘名信,乃是并州匈奴左贤王。这位独眼将军名叫杨针,是钟都督的近卫。而这位,"他指着持虎头枪的大汉道,"便是钟偡,官拜殿前校尉,乃是都督的族弟。日前都督要我送封家书回洛阳,顺道传这三位入蜀,以协助受降占领等诸多事宜……这三位初来乍到,还不知道都督的军令,还请小将军网开一面,让我们先见过都督再说。"

胡渊见丘建压低了身段,心头怒气稍平,沉声道:"即便是都督的亲信,也不该如此嚣张跋扈,公然抗命,难不成这儿便没有军法了吗?"丘建正要再开口求情,却听左贤王冷冷地道:"军法?那军法是给普通军士所设立的,我们都是钟都督门下的亲信,怎么能与一般军士等而视之?简直就是胡闹!"

胡渊气往上涌,大喝道:"我呸!你难道不知道王子犯法与庶民同罪的道理吗?你们不过是洛阳城里被驯惯了的马儿,在天子脚下还可以耀武扬威,来到这军中便由不得你们放肆!要是不服,便先问过我手中的这柄剑!"说着,再次抽出长剑,准备上前厮杀。

"世元,不要冲动!"

胡烈策马缓缓上前,唤住了胡渊,冲那三人一拱手,温言道:"既然三位将军是从洛阳新来的,不明军法,正所谓'不知者不罪',我看……就让三位先过去吧,有什么事以后再说,免得让蜀中百姓瞧咱们的热闹。"

胡渊听父亲如此说,心下虽不忿,但仍是收起长剑,退到了一旁道:"哼!今天就先算了,等日后到了都督面前,看都督如何裁决。"丘建赶忙冲胡烈一抱拳:"胡将军,别来无恙否?"然后转头对那三人道:"三位将军,这位胡将军便是征蜀护军胡烈,乃是当朝第一勇将,此次突破剑阁,论军功,诸将之中应以将军为首。"那三人对胡烈倒是十分客气,纷纷拱手行礼。

"胡将军,都督急着要见我们,不便耽搁,丘建先告辞了。"

"慢走。"胡烈说完,拉马让在了一旁。四人便继续朝前行进,与胡渊擦身而过时,左贤王还不忘朝胡渊瞪了瞪眼珠,胡渊同样怒目回敬。

胡烈父子立在当地,见那队军士背影渐远,最后转进了太守府邸内。胡渊不由得咬牙切齿,骂道:"妈的!简直就是狗仗人势!总有一天要他们知道胡小爷我的手段!真是丧气,坏了咱们父子二人的兴致……爹,那寺还去不去?"

胡烈却没有理会儿子,只顾喃喃自语:"都督的亲信……不在洛阳好好地待着,跑到这里来干什么?"

献计

邓艾长臂一挥，将鱼钩带饵掷入到水中，水面上立刻荡起了圈圈的涟漪。此刻，他的眼睛虽然紧盯着水面，一脸悠哉，但脑子里却飞快地运转着，盘算着。他暗道：此事究竟有几分胜算？之前的那封密信，是否已经安然送到了那人手中？……良久，他的脸上忽然露出微笑，似乎已经下定了某种决心。

邓艾所垂钓之处，便是成都丞相府，诸葛亮的故居，诸葛亮死后，诸葛瞻住在这里，诸葛瞻死后，便空了下来。诸葛亮素来喜欢垂钓，于是便在府中的庭院内开凿了一座大池，取名为"隆中"，一则垂钓静思国家大事，二则缅怀往昔躬耕之日。

然而时过境迁，如今在此垂钓者，却已换成了邓艾。

邓忠放下手中一份草稿，来到邓艾身旁，轻声道："爹，这封上书……确实可行吗？孩儿觉得有些不妥。""为何不妥？陇右的军权都在我手中，只要将司马昭诱到长安，大势便由我主导，由不得他了。"邓艾凝视着水面上的浮标，缓缓作答。

"孩儿的意思是，这计策……会不会被旁人看出破绽来？如果被看破的话，不但大势去矣，就连咱们邓家都将遭到灭族。"

"哈哈哈……"邓艾忍不住大笑起来。好一会儿才止住笑声，缓缓道："这是当然了，要知道，天下没有看不破的计策，但这也要受计者有本事才行。纵观当今朝中，司马昭已是年迈昏聩，脑筋已经大不如前。他儿子司马炎只不过是个庸才而已，吃喝嫖赌无一不精，但正事却是一样不会。或许钟会还有那么一点点屁本事，不过此人喜欢耍小聪明，又心胸狭窄，不足为虑。其余全都是些酒囊饭袋之辈，呵呵……如果说能看破我这计策的……"说到此处，他的脸色忽然一沉，沉声道："或许只有一个人有这个本事，不过那家伙是个痨病鬼，能做的有限。大业将成，又怎能因为一个将死之人半途而废呢？"

邓忠见父亲意志坚决，当下躬身道："爹向来都是算无遗策，智比鬼神，孩儿自当尽力为爹效命！"

邓艾点头以示嘉许："嗯，此事必须谨慎行事……我已将这份草稿发给各营，使他们先有个准备，等上头命令一下来，咱们便立即启程。你率领本部军为前锋，牵弘、王颀、杨欣三人各领一营，归我中军调度。梁浩、田续分领左右二军。张成、马应领后军，保护那个阿斗。周默、皇甫陵殿后押粮，一到长安，便立即发难。这次行动可谓生死一线，所以万万不可大意。"

"是……爹，那师纂呢？"

邓艾叹了口气，摇头道："师纂领军留守成都……师纂这个人也算得上是个难得的人才，我也比较看中他，只不过……只不过他却是司马昭的人，这等机密大事，又怎能将他带在身边？封他个官，让他留下便是。"

便在这时，一名仆厮自前堂奔了过来，躬身行礼道："启禀将军，皇……刘禅在前厅求见。"

邓艾颇感意外，口中自言自语："这昏君竟会主动来见我？稀奇！真是稀奇……"当下吩咐那仆厮："领他过来吧。"

不一会儿，仆厮便领着刘禅来到隆中池边，只见他那肥胖的身躯裹着一袭青色长袍，头上却并未戴冠，一派士人的装束。邓艾回头看了他一眼，却并不起身行礼，只是淡淡说道："刘后主好兴致，这般寒冷的天气还来看在下钓鱼……坐，请坐，不要客气。"

刘禅对邓艾的轻蔑倒也不以为然，微微一笑，便在其身旁席地坐了下来，不紧不慢地说道："昔日诸葛丞相在世之时，也喜欢垂钓……唉！当时我年岁尚轻，常坐在这里……那，就是我现在坐的这个位置，听他的训话，往往一训就是半天。如果有鱼上钩，丞相心情便会好得多，早些放我离去。当时，我倒是盼着池里多养些鱼了。想不到，时光如箭，丞相也走了那么久了，而蜀国终究还是亡了！"

说话间，水面上浮标微微晃动，邓艾那原本微眯的双目忽然圆睁，用力将钓竿一拉，钓起来一尾金鳞的大鲤鱼。

"恭喜将军，好一条大鱼！"

邓艾并不理睬刘禅话中的弦外之音，将金鲤放进竹篓中，笑道："如果我是诸葛丞相的话，那后主现在便可以走了。"刘禅微微一笑，道："丞相当年开凿隆中池，不想今日却供将军垂钓，如果丞相还在世，不知当做何感想。"邓艾一边往钩上添饵，一边道：

"诸葛丞相如果还在世，邓某人又怎能在此垂钓？后主你说是不是？"

刘禅笑而不答。

之前，原本邓艾应出席受降仪式，但因忙着调动军马以防备姜维，便由邓忠代为受降，所以这是二人的第二次会面，较之第一次在蜀宫潜龙池畔聚首，少了些剑拔弩张的杀气，倒是多了几分高深莫测的味道。

邓艾再次将鱼钩掷入水中，缓缓道："后主此次前来，难不成便只是想与在下聊些诸葛丞相的往事？"刘禅微微欠身："我这次来，只为将军的那份上书。"邓艾心头一抖，转过头注视着对方，似乎是想从对方的眼神中得到某种答案。良久说道："后主对上书有何意见，不妨直言，可是邓某词藻不够华美？或是气理不够通顺？邓某不过一个武夫，舞文弄墨非我所长，还望后主见教。"

刘禅正容道："见教则不敢当。大凡忠臣之书，文词简洁，气理朴实，上书所言尽归于一心，这些做主上的是可以分辨得出的……但将军的这份上书，却令人觉得……觉得不止一心啊！"

邓艾父子闻言皆一震。

邓忠性子急躁，忙出言喝斥："你这亡国之君胡说八道些什么？竟敢污灭我爹有二心，当心你的脑袋不保！"刘禅却并不惧怕，反而大笑道："邓小将军不要恼怒，在下之言自有所依据。我与邓将军不过一面之缘，便已深知将军于治军方面严厉谨慎，行军方面却好用险兵，为求胜果，不择手段。综合以上的判断，我认为将军是一位智计卓绝，但却野心勃勃、狂妄自大之人。我说得可对？"

邓忠"刷"地一下长剑出鞘，架在了刘禅的脖子上，喝道："昏君还敢胡言！真的以为小爷的剑是吃素的？"邓艾却挥了挥手："忠儿不得无礼，听后主把话说完。"邓忠无奈，只得还剑入鞘，忿忿地站在一旁。

自始至终，刘禅都是神色自若。见邓艾示以眼色，便继续道："将军不否认，便是认了。既然将军是个狂妄自大之人，那么这份上书就显得不合理至极。书中语气卑下，尽说灭蜀之功当归于他人，偷渡阴平、大战绵竹、潜入蜀宫之事却是只字未提，还称'刘禅识时务而降，宜加封扶风王，以昭天下'云云，将军心里清楚得很，这并不是事实。将军不居功便也罢了，还自请内调回京城，如果真是这样的话，将军军权势必被剥夺殆尽，只能仰人鼻息而已，这可不是将军的作风。昔日丞相常说，一个狂妄之人忽然变得谦卑，一个智勇之人忽然变得蠢懦，里面一定有诈。所以，将军这么做，必有所图。"

邓艾听罢，沉默了片刻，忽然发出冷笑一声，说道："后主难道没听说过'飞鸟尽，良弓藏,狡兔死,走狗烹'的道理?我今日灭敌国而不居功,乃是保全性命之计,以免重蹈韩信、大夫仲的覆辙,说我有别的企图,后主不免多虑了。"

韩信乃是汉朝开国元勋之一,素有"兵仙"之称,其用兵之道,为后世兵家所推崇,却也因此而受刘邦的妒恨,黜为淮阴侯,最终招来杀身之祸,被吕后和萧何诬以"谋反"而杀之;而大夫仲,指的便是文仲,春秋末期著名的谋略家,越王勾践的谋臣,和范蠡一起为勾践最终打败吴王夫差立下赫赫功劳,后被勾践不容,自刎而死。以上两人皆因功高震主而死于非命。

刘禅摇头道:"非也!昔日王翦灭楚,萧何镇秦,他二人的保命之计便是自污,前者向秦始皇多要财宝田产,后者命亲戚贪污纳贿,都是表明心无大志。将军是个聪明人,如果真的只是为了保命,怎会不虑及不到这一点?更何况,阴谋虽然藏于暗处,其现者却不止一端,在下便是多知道了一些事情,才知道将军之谋的。"

"哦?那倒是真的有趣了,敢问后主还知道哪些事情?"

"将军向黄皓索取黄金百万两。"

邓艾笑道:"只不过是那奴才的保命费而已。此人奸佞狡猾,口舌翻花,本应该一刀给剁了才是,但他既然肯花钱保命,我也只得网开一面了。试想一下,这世间有哪个人对钱财不动心呢?"刘禅却摇了摇头:"纵观将军的所作所为,在下可以用性命担保,将军便是个不贪财之人,取黄金百万两,那是另有目的。"

邓艾抿嘴不语。

刘禅又道:"将军既然不承认,那在下便继续往下说了。在下认为将军别有所图的最后一个原因在于……将军并未杀我。"听到此处,邓艾忍不住仰天大笑:"谬哉!谬哉!我不杀你,只不过是因一念之仁而已,阁下就算是不感激我,也该自称侥幸才是,怎么会拿这种事来说嘴,诬我别有所图呢?当真岂有此理!"

刘禅却不理会他,自顾自说道:"将军好行险兵,却非暴虎凭河之徒。那日将军率二百人潜入蜀宫,虽然已经掌控住大半的情势,但风险仍在,如果在下当时意气用事,一声令下要外围兵士齐上,将军纵然杀了我,恐怕也是自身难保。将军一死,城外魏军则群龙无首,只会成为姜维援军铁蹄之下的枉死之鬼。以将军之才,不可能没顾虑到这一点,也不应该故弄玄虚,又是舞剑,又是说降,还胁持妇孺逼在下就范。"

邓艾刚要反驳,却被刘禅挥手制止:"兵行险招,时间拖得越久,风险便越大,将军不会不知道这个道理。将军当时应该一剑杀了在下,或者胁迫在下大开城门才是,然后再令城外军队进城夺下守城蜀军的兵器,则成都不战可破,但将军却并未如此,这是为什么呢?留在下一条命在,必有所图。"

听完刘禅这一席话,邓艾握住鱼竿的手不禁微微颤抖了起来,但脸上的表情却依然平静如旧。只听他冷冷说道:"后主倒是说得头头是道,既然如此,那么后主可否言明,邓某所图的究竟是什么?"

"请调回京为钩,刘禅为饵,所钓者,司马昭而已。"说着,刘禅用手指了指竹篓中的那条金鲤。

金鳞本非池中物,一跃龙门上九霄。

刘禅虽没有明说,但那意思已经再明白不过了。

一旁的邓忠不禁大惊失色,叫道:"爹!这家伙……应该立刻杀了!"说罢,又要拔剑上前。邓艾连忙喝止:"给我住手!"然后回头面向刘禅,感叹道:"我以为洛阳无人能识破我的计谋,却没想到所上之书还未出成都,便被人识破了……井市传言阿斗昏庸无能,是扶不起的阿斗,可今日一见,并不然啊!"

刘禅只是淡然一笑,阖首道:"将军过奖了,在下生性平淡,自知并非帝王之材,但若论阴谋诡计,心念澄静,反而看得更清楚。"

"愿闻其详。"

刘禅站起身,踱步道:"那司马昭年事已高,自淮南三叛之后,精力更是大不如前,从此足不出河洛一带,坐拥中原精兵,又挟魏天子号令群臣,根深蒂固,势难撼动。将军要谋司马昭之命,第一步便是要将他诱至陇右。将军在上书中建议封我为扶风王,以郿坞为都,郿坞在长安之西,乃是将军的势力范围,司马昭执掌魏国大政,且又好大喜功,依情依理必西至郿坞迎接我受降,如此便正中了将军的'诱虎出山'之计。而将军又请调回京,则可借口顺道护送在下,率兵至长安,等司马昭一到便乘势发难,先以精兵杀司马昭及随从,再挥陇右之兵进军洛阳,如此不出十日,将军便可取代司马昭之位,挟天子以令诸侯,宰制天下了。也许,将军的雄心还并不只此……"

"唰!"邓艾拉起钓竿,钩上却是空空如也,鱼饵早已不见,"并不只此?这话是什么意思?"

"将军心里明白,何必明知故问?"

邓艾收起鱼竿,沉声道:"我不来跟你争辩,我且问你,我为何要造反?我是司马宣公一手提拔上来的,如今又立下了不世之奇功,必定加官进爵,位极人臣,我并没有理由造反啊!"

刘禅轻叹一声,缓缓道:"将军是司马懿的门下,这没错,但却非司马昭之人,这也是事实。你贵为征西将军,镇守陇右十年,如今灭蜀之战,主将却是钟会,将军只不过是一个偏锋而已,将军之不得势由此可见一斑。如今将军抢了钟会之功,必遭人妒忌,轻则被卸去兵权,当个无权的高官,重则陷于小人谗言,流放边疆,甚至是死于非命。将军自命不凡,又怎能安于这样的下场?"

邓艾脸上现出钦佩之色,由衷道:"嗯,我确实是个自命不凡之人,自以为高深莫测,想不到后主却看穿了我的心思。"邓忠在一旁急道:"爹,这阿斗既然看穿了咱们的计策,不如杀了,以免他去告密。"邓艾却摇了摇:"无妨,后主如果要告密,今日便不会来这里陪我钓鱼了。"然后将脸转向刘禅,拱手道:"后主猜得透我,我却猜不透后主,现在换成我好奇了。后主来此,究竟所为何来?"

"合作。"

"合作?"

刘禅微微向前倾了倾身,小声道:"没错,合作。将军的计谋虽然玄妙,但还不够周全,在下今日前来,便是为将军补计的。"邓艾讪笑:"后主识破我的计谋,能不泄密在下已经是大为感激了,至于再献计嘛……在下可不敢用。"刘禅正色道:"将军这道上书,既然瞒不过我,又怎能瞒得过司马昭?他毕竟在阴谋场上摸爬滚打了这许多年,如今位极人臣,并非只是侥幸。"

"其实不然,后主身在成都,知道我暗暗潜入蜀宫之事,因此能识破我的计策。洛阳不过是一票酒囊饭袋之辈而已,怎能与后主相提并论呢?何况,在下在上书中故意隐去暗潜蜀宫这一节,朝中以为是后主自己开城献降,不知潜龙池畔那一幕,必定无法推知出我的计谋来。"

刘禅不由得摇头叹息:"将军,你久领军兵在外,不知道揣摩主上的心理。大凡拜将之日,上位者将十万大军交到将帅手中,所顾虑的,并不是军争的胜败,而是将帅是否忠心。将领上书增兵、要粮、请援、议政等,主上必先确定该将绝无反意,然后才对上书做考量。将军如要实行'诱虎出山'之计,这第一步该是先去除司马昭的疑虑,然而将军却跳过了这一步骤,只怕司马昭一见到此上书便想到将军要反,到时来成都的,非调军的诏书,而是囚车和枷锁了。"

邓艾的脸色一瞬间变得难看无比,他一世战无不胜,攻无不克,朝廷向来只有褒奖的份,哪里会有罚?因此从未想过揣度上意,也不屑于搞那些官场上的小动作。此刻听了刘禅之言,暗思司马昭的为人,不免心惊肉跳。

"敢问后主,该如何去除司马昭之疑?"

刘禅微微一笑,似已胸有成竹:"将军为何不请命留镇蜀中?"一旁的邓忠闻言不禁大笑起来:"哈哈,你这阿斗,根本就是不明事理嘛!留镇蜀中只会让人以为我爹要据地称王而已,哪来的去疑可言?"

"如果将军今日手握十万大军，请求留镇蜀中自然是愚蠢之极，但将军今日手中只有一万人，区区万人……"刘禅顿住不说，只是看着邓艾。邓艾立刻会意："正因为我手中只有一万军兵，根本不可能割据自立，我只要上书声明我留镇蜀中是要为伐吴做准备，司马昭必然不会疑我有反意，如此便过了这第一关。我说得可对？"

刘禅拍手笑道："正是如此！但将军乃是龙虎之材，司马昭自然不敢让将军久镇蜀中，因此必定会找个借口，令将军率军返回魏都，这时只要将军在京中所安插的内应稍一运作，便可如将军之意，护送在下往长安了，大事必成矣！"

邓艾倒吸了口凉气："后主真乃神人也！不知后主又是如何知道在下朝中安插了内应？"

刘禅笑道："这个并不难猜。将军偷渡阴平之后，之所以没有攻击剑阁后方，与钟会形成前后夹击之势，而是直取成都，想来在那之前，将军便已起了反意。据探子事后回报，将军攻下涪城后，有人秘密出营顺原路返回，当时不得其意，现在回想来，应该是将军派去京城联络那位内应的使者。另外，在下刚才不是说过，将军拿了黄皓一百万两黄金，必有所用吗？将军并不是贪财之人，而设下此等大计，又怎可能单独行事？必定要里应外合，那笔钱想来便是将军之前许给那位内应的。基于以上两点，我便知道将军在洛阳必有内应，而且此人应该是司马昭身边的亲信。"

邓艾大为叹服，忙拱手行礼："了得，了得！后主果然不是凡人！"说着，突然想起了一件事来，便问道："后主，你所献之计，在下自是心悦诚服，但你之前所言'合作'二字，也就是说阁下另有所求，却不知……"刘禅飘然起身，一揖到地，凄然道："我乃亡国之君，还能有何所求？在下只不过是想请将军将军队带出蜀地，请将军得势之后，免了蜀中百姓的徭役，不要再征召蜀丁，如此我便知足了。"

邓艾愣了半晌，这才道："只是这样而已？阁下不为求自身求荣华富贵，却要为蜀中百姓请命？"

刘禅仰望苍天，一滴泪珠自眼角无声地流淌下来，声音竟有些哽咽："所谓富贵耳，在下已经享受了大半生，已是足矣。在下为君无能，不能制止战争，令百姓饱受徭役之苦，尚且覆国，今为阶下之囚，我所能做到的，也不过如此而已。"

邓艾听了，竟半晌不能言语。

这，难道就是那个被世人称之为昏君的人吗？一瞬间，他对这个人似乎有了更深的领悟。

良久，邓艾开口道："我杀了你的儿子和儿媳，你难道就不恨我？"

"恨！"刘禅早已双眼湿润，大声道："怎能不恨？你灭了我蜀国，这是一恨；你杀死我儿，这是二恨；你将忠烈之名留给我儿，昏君之名却要我来承担，这是三恨。要不是念及蜀中百姓，念及我所爱之人的安危，我怎么会降？然而在下虽恨，但木已成舟，却也无能为力了。如今我只盼蜀中能重享'天府'之名，百姓安居乐业，如此，便是我担负千古骂名，也不枉了。"

说完，不等邓艾招呼，起身自行离去了。

邓艾望着刘禅离去时的背影，若有所思。良久，吩咐邓忠道："速去书房为我铺二张绢纸，我要重拟上书。"

"爹，当真的要与刘禅合作？"

邓艾站起身，凝视着隆中池碧绿的水面，缓缓道："刘禅有智谋而无勇略，性情过于仁爱不够残忍，如果在太平时为君，必是文景之流，但说到乱世与人争雄，那便是扶不起来的阿斗了。他一味为蜀中百姓着想，却不知治乱相依，不经战乱，怎么能有太平日子？我要取司马昭而代之，进而亡魏兴邓，谋取天下，不过刚好合了他的意，因此献计助我，我又何必拒绝？不必多言，快去准备，咱们时间有限。"

邓忠抱拳道："是，孩儿现在便去。"刚一转身，却又回过头不解道："爹，拟一份上书，为何要二张绢纸？"

"自然是要拟二份上书。"

"为何要二份？"

邓艾忽然笑了，那笑容有一股说不清道不明的意味在里面："为成就大事，我还得先拔去一颗眼中钉……如果我所料不差，那人现在也正如此想。"邓忠待要再问，却被邓艾挥手制止，"不必再问，此乃天机，不可泄露也。"

结义

涪水关总兵府,修得飞角重檐,宏敞富丽,然而这昔日的军政要地,如今却是异常的清冷、萧瑟,到处散发着一股陈腐、衰败的气息。

突然,那两扇厚重的檀木大门"吱呀"一声被人从外面推开,一人牵着马走进来。守门魏兵见了急忙上前行礼,接过其手中的缰绳,那人却连看都没看他一眼,一言不发地径直朝里面走去。

待那人走得远了,魏兵恶狠狠地朝地上吐了口唾沫,小声骂咒道:"姜维这老匹夫,简直就是狗眼看人低!是大将军就了不起了吗?口口声声说什么'鞠躬尽瘁,死而后矣',如今还不是降了我大魏?早晚不得好死!"

魏兵声音虽低,却字字句句传到了姜维的耳中,不过他并未理会。走进一间大屋,他便直奔最里侧的一张床榻而去。床榻上躺着廖化,此时的他双目紧闭,面颊凹陷,气若游丝,看样子已是病得相当严重。

"廖老的病情如何?"姜维走到榻边,轻声问。

"刚才大夫来过,说廖老年事已高,精神上又受到了如此大的打击,只怕是……只怕是……"张翼坐在一旁,无奈地摇了摇头,后面的话虽然没有说出口,但意思已经是相当明显。

姜维叹了口气:"廖老自少年起便跟随先帝征讨四方,汉室之亡,对他的打击自然要比旁人大得多。"

这房间十分的宽敞通阔,原本是供总兵与部下军议之用,如今摆设在两侧的兵器和桌案已被悉数取走,房间中央多了一张大圆桌,上头摆满了美酒佳肴,但却无人动筷,任凭着酒菜逐渐冷去。廖化则躺卧在床榻之上,张翼、董厥一坐一站,分侍在两旁。

张翼问:"大将军,钟会请您去赴宴……如何?"

姜维神色黯然,低声道:"又能如何?胜者狂欢庆贺,咱们这些亡国之臣,只能对泣而已。"

一旁的董厥恨声道:"大将军,那咱们……那咱们便这样善罢甘休了?"

"董将军是什么意思?"

"什么意思!"董厥不禁大怒,声音不自觉提高了几分,"我是个粗鲁武夫,说啥便是啥意思。大将军,咱们可是非战之降,十万大军分毫未损,只是因为那些……成都里的人贪生怕死,害得咱们现在成为阶下之囚。大将军,这口气我姓董的怎么也咽不下去啊!"

"伯恭以为如何?"

张翼手抚桌角,缓缓道:"大将军,降书到达之日,我帐下军校都是激愤不已,人人痛哭流涕,以刀砍石,怒骂朝廷的软弱无能,都说'我等尚奋战不休,怎能如此便降?'在下费尽了心思,总算是稍稍安抚了下来,命他们缴械投降。但是大将军,"微微一顿,声音立刻高昂了起来,"等部众们都散去了,剩下我一人时,也不免伤心落泪,恼恨得折断了随身长剑。大将军,这把剑可是我祖上传下的,跟了我大半辈子,我本来料想它是因为杀敌力尽而断,没想到却是断在了自己的手里。剑亡而人安在,这是身为军人的耻辱!大将军,我姓张的誓死不降!"他一向以冷静自持,但说这番话时,却是越说越激动,说到最后,简直如呐喊一般。

姜维垂着头,低声道:"这降书……可是陛下下的召。身为军人,服从乃是本分,我也不能……"

董厥忍不住大叫起来:"我呸!什么服从是军人的本分?我只知道,军人的本分便是杀敌保国!当年先帝受挫于荆州,地不过一镇,兵不足万人,尚不肯向曹贼屈膝,而如今咱们坐拥十万大军,粮草辎重充足,反倒甘愿成为阶下之囚,哪里有这样的道理?大将军,这口气我是绝对咽不下去的,只要您一声令下,我董厥便是单枪匹马也要杀进贼营,给他来个……"

张翼忽然一摆手:"收声,有人!"

就听得房外脚步声由远而近,有人在门外立定,轻轻扣了扣门。

姜维定了定神,朗声道:"进来。"

一名魏兵推门走进来,向屋内几位鞠躬行礼,然后眼睛望向姜维道:"姜大将军,钟都督请您到府中小叙。"

姜维略一皱眉,挥了挥手:"知道了,你且先回去禀报都督,说我随后就来。"

魏兵行礼告退。

等那魏兵走得远了，张翼立刻大摇其头，不解道："刚刚大宴方歇，现在又要小叙，真不知道钟会这厮究竟打什么鬼主意？"

姜维站起身，整理了一下衣衫："打什么鬼主意？等下便知。我去去就回，二位且为我照顾好廖老。"说罢，朝门口走去。

谁知董厥一个箭步抢在姜维的前头，拦住其去路，拔出腰中配剑高声道："姜伯约，你本来就是魏人，如今你如果要再回去做魏国的官，我本来是阻止不了你，但如果你胆敢做出对不起汉室，对不起丞相的事来，"说着，举剑往身旁木柱用力一砍，"铎"地一声砍出一道深深的印子，"这柱子，便是你的榜样，我董厥绝不食言！"

姜维定定地望着木柱上的剑痕，久久说不出话来。

"大将军。"张翼轻唤了一声。

姜维这才缓过神来，回头看了董厥、张翼一眼，径直走到床榻边，伸手握住廖化那干枯的手掌，眼圈已然发红。

"我姜某深受丞相大恩，在蜀中已是几十年了，早已不是魏人。如今陛下开城献降，我与二位一样的心思，深感其辱，刚才一番话，只是略探二位的心意而已。"说到此处，忽地压低声音道，"二位既然有此决心，那我便并非孤立无援，只要二位能依照我的计谋行事，我敢打包票，不出三个月，便能杀尽魏狗，再复汉室！"

张翼、董厥闻言大为兴奋。

"此话可当真？"

"自然当真。"

"却不知大将军有何妙计？"

姜维略一思忖，缓缓道："此计便要着落在钟会的身上，不过目前尚不可说破……我姜某今天便在此当着廖老将军的面立誓，如果我不能复兴汉室，宁死于乱刀之下，也不愿苟且求活！"说着，用力握紧了廖化的手掌。也许是太过于激动，姜维竟觉得廖化的手似乎轻轻颤抖了一下。

姜维离了总兵府，骑马进入涪城，来到太守官邸前，只见大厅内仆厮来往如飞，正在收拾刚刚大宴后的残局。姜维将马匹交给营门官，走进官邸，绕过大厅，径直往后院的内室走去。钟会进驻涪城太守官邸后，却不住在卧房，反而命人在书房内设榻，睡于其中，以便于随时读书写字。

姜维推开书房门，朝里望去，只见钟会正斜倚在书案之后凝神细观，案上铺着一张羊皮地图,姜维不必细看也知道那是西蜀的地形图。书案左上角摆着酒水和几道精细小菜,右上角放着笔墨纸砚文房四宝,案旁点了一盏檀香,烟雾袅袅,满室馨香。

此时钟会已换上了一身青色长衫,正聚精会神地看着地图。他长发披肩,三缕须髯垂于胸前,右手不住地上下抚弄,颇有些世外高人的派头。听见有人进来,他忙抬起头,见是姜维,赶紧坐正身子,笑道:"伯约兄这回来得便快了,还恕在下失礼……不必客气,请这边坐。"

姜维见四周无人,便也不客气,在钟会左首边坐了下来,笑问:"不知都督邀在下前来,有何事见教?"

"不忙,容我为将军斟酒。"说着,钟会起身亲自为姜维斟上一杯美酒,笑呵呵说道,"其实也没什么大不了的事,只是在下久仰将军的大名,刚才在厅中大宴,人多口杂,难以畅所欲言,所以特邀请将军去而复来,小叙一番,方便就多聊聊。"

姜维微微欠身:"都督乃是文雅高士,文章天下传诵,在下不过是个粗鲁武人,和都督谈话,恐怕有辱尊听。"

钟会忙摆手道:"老将军言重了,在下虽于文艺一道略有涉猎,但所钟爱的仍旧是用兵之道而已。老将军师承诸葛武侯,乃当今天下第一用兵人才,有鬼神之谋,在下不才,还要向老将军多多请教才是。"

姜维叹道:"败军之将,不敢言勇。姜某不能保国卫民,所谓'鬼神之谋'云云,倒是都督过誉了,令姜某着实惭愧。"

钟会微微一笑,朗声道:"兵法云,'军争胜者,须天、地、道、将、法五术齐备'。老将军不得明主,不得其时,五术中只得'将'一术,蜀国的灭亡,并不是将军的过错,又何必自责?"

姜维没说什么,只是摇摇头,将杯中酒一饮而尽。

钟会再为姜维斟满美酒,沉默了半晌,这才开口道:"将军可知,在下行军过定军山时,曾前往武侯墓祭拜过一番?"

"足感都督盛情!"

钟会面露钦佩之色,朗声道:"在下对武侯钦敬已久,祭拜乃是聊表心意而已,何足挂齿?"稍一停顿,又道,"在下始终好奇,诸葛孔明弱冠出茅庐,辅佐刘玄德于风雨飘摇间,不出十年却能盘据西川,与魏、吴鼎足而立。我常听朝中宿老说,当时武侯挥军夺取汉中,曹操夜晚反复不得眠,只怕那'隆中对'真的实现,曹氏便危矣。孔明入蜀后,励精图治,以一州之地,南平蛮夷,北伐陇右,逼得司马宣公也只能是闭关自守,更令将军这等优秀的将才甘心归服于他,却不知这孔明究竟是如何的天纵奇才,能这般以弱击强，几乎完成逆转之势？"

姜维听出钟会话中似有讽刺之意，暗想会不会是在试探自己，顿时多了一份警惕，再结合其在酒宴上的言行，脑海中忽然灵光一闪，便已有了计策。只听他一声长叹："唉……诸葛丞相逝世已久，常人仍奉他为神明，以为他学究天人，乃是天纵奇才，却不知丞相不但不聪明，反而略微愚钝。"嘴上说着，心里却默默祈祷：一切都是为了兴复汉室，不得已而为之，还望丞相在天之灵莫怪。

钟会听了不禁大奇，忙问："愚钝？这也太说不过去了吧？"

姜维缓缓点了点头："在下跟随丞相多年，所说皆为真实。丞相的反应的确很慢，旁人所说的话，往往要半晌才能回应，常人只需一刻便能读完的简册，丞相却要读上半天。寻常文官草拟奏章落笔如飞，丞相却如刻石一般，缓慢至极……如果真要说，诸葛丞相不但不是奇才，反倒是个蠢才。"

钟会不免失笑："阁下可是在诳我？如果孔明真如阁下所说，是个蠢才，又怎能建立起如此的功业？赤壁之战前，舌战东吴群儒，难道都是讹传不成？"

姜维正色道："丞相常说，他资质愚钝，所能倚仗者，唯有'坚毅'二字。读册比别人慢，那便彻夜苦读；落笔比别人迟缓，那便反复练习；至于辩论，丞相曾说，他说话比常人要慢，这样一来，思考的有时反而更通透，这却是好事。舌战群儒那是有的，但丞相说当时他年岁尚轻，毫无经验，为了报答先帝知遇之恩，只好硬着头皮上。听说他在前往东吴的路上，浑身颤抖，夜不能寐。"

钟会偷眼看向姜维，见他表情严肃，不似伴装，心中的疑惑便去了几分，口中感叹道："中庸道，'人十能之而己百之，人百能之而己千之'，诸葛丞相所作所为倒是为这话做了注脚了。"

姜维又道："在下跟随丞相南征北讨，只见他书不离身，笔不离手，凡读有心得，马上记下来，夜里再反复思辨，谋略方成。丞相能为一道谋略，数日不吃不眠，其坚毅我等不免为之叹服。除此之外，丞相还说，他之所以战无不胜，除了'坚毅'二字外，便是凭了运气。丞相之所以看中在下，实在是在下深得'坚毅'二字的要领而已，若论智谋，在下实属寻常，所以都督之前称姜某'鬼神之谋'，实在是受之有愧。"

钟会哈哈一笑道："诸葛丞相确实令人敬佩，至于运气云云，那是上天眷顾于勤奋之人。不过，称赞将军'鬼神之谋'，那却是钟某的肺腑之言。来！姜将军，我欲遥敬诸葛丞相一杯，你且代受了吧。"嘴上虽然客套，心里却是着实不以为然。他本以为诸葛亮是个不世出的奇才，原来却只是个凭借运气克敌制胜的蠢货。想到这里，不免对姜维也生出了几分轻蔑之心。

姜维察言观色,猜透了钟会心中所想,不由得暗喜,忙道:"在下代丞相谢过都督!"二人同时举杯一敬,各自喝了半杯,再将剩下的酒在地上,算是为逝者致敬。

姜维又为彼此斟满了酒,却听钟会口出叹息之声,心知他必有话要说,便问道:"不知都督为何叹息?"

钟会又是怅然一叹:"我是在感叹人生无常啊!诸葛丞相虽智不如人,却能以勤补拙,最终成为一代伟人。但即便是这般人物,到头来也不过碑一块、土一抔,什么隆中对,什么舌战群儒,只不过是幻梦一场。孔明既然如此,那像我这样微不足道之人,在这世间疲于奔命,却又是为了什么?"

姜维心念一动,对之前的猜测更加胸有成竹,便道:"都督年不过四十,在我这等老朽之人看来那是年轻得很,却已经位极人臣了,如今又立下不世之奇功,前途不可限量也,怎么突然有了人生之叹呢?"

"文人所取得成就的极点,只不过是国富民安;武将所取得成就的极点,也只不过是破敌灭国而已。我上辅佐司马公,下灭蜀国,年不过四十,便已成就文武之极,已经是进无可进了,不免有高处不胜寒之叹。"说到此处,钟会不禁摇头苦笑。

姜维对钟会的浮夸言词不动声色,平淡地说道:"都督既然如此感叹,为何不效仿汉初张良,登峨嵋之巅,随赤松子云游天下,运气炼丹,以求长生不死之道?"钟会闻言哈哈大笑,良久才止住笑声,说道:"伯约兄说笑了,那是仙人之道,在下年岁尚浅,恐怕还到不了那个境界。"

姜维知时机已经成熟,便装模作样地思考一番,然后问:"如果是这样的话……那都督为何不百尺竿头,更进一步,超越文武之上?"

钟会立刻脸色一沉,拍案喝道:"姜伯约!我对你赤诚相待,你却如此这般以言语讥讽于我,你到底有何居心?"

姜维早知他会有此一问,所以并不着慌,仍旧是一副自若的神态,慢悠悠地说:"都督既然已经灭掉了蜀国,功盖天下,万事皆利,岂不闻'同声相应,同气相求。水流湿,火就燥。云从龙,风从虎'?在下只是奉劝都督不要拘泥于眼前小利而已。"

"大胆!"

钟会猛然起身,抽出腰间长剑,指向姜维的眉间,沉声道:"你乃一介降将,却敢跑来诬陷本帅!难道不知我的剑已悬在你首级之上,顷刻间便可取了你的性命?说!你倒底是何居心?"

姜维凝视着那不住晃动的剑尖,却没有半分惊慌神色,只见他目不斜视,缓慢举起酒杯凑到唇边,"咕嘟咕嘟"将酒水吞入肚内,动作却是十分从容淡定。他喝得极慢,几滴酒水溅了出来,润湿了他花白的胡须。待一杯饮尽之后,他忽然尖起嘴唇,朝着钟会的剑尖轻轻吹了一口气。

这一系列动作,可谓匪夷所思之极。

之后,两人都静默不动。

一时间,书房之内一片寂静,案头上的烛火忽明忽灭,映着二人面上的神色,也都是阴晴不定,竟有一种说不出的诡异之感。那是一股莫名其妙的氛围,但却充满了豪迈之气,似乎是死敌之间的箭拔弩张,又好像是结拜兄弟之间的披肝沥胆,仿佛天下大势,便取决于这二人之间……

良久——

"哈哈哈……"

钟会忽然爆出一阵大笑,打破了这室人的沉默。他还剑入鞘,举起酒杯向姜维道:"不愧是姜伯约,佩服!实在是佩服!"说罢,一仰头,将杯中酒一饮而尽。姜维虽面色平静,但内心深处却早已是汹涌澎湃、巨浪滔天了,他知道钟会接下来要对他说什么,他也知道能否复兴汉室将在此一举。思忖了片刻,轻声道:"在下早就知道都督不是凡人,必定不愿久居于人下。"

原来,刚才姜维称钟会"同声相应,同气相求。水流湿,火就燥。云从龙,风从虎",这一段话乃是孔子对周易乾卦九五爻辞所做的注解。乾卦九五向来便是帝王之象,姜维引用这段话正是暗指钟会有不臣之心,图谋九五之位。

再说钟会佯怒,以剑指住姜维额头。剑者,金也,应对兑卦,人之首级,应对乾卦。钟会又说"剑在首级之上",就是暗指兑上乾下,便成了"夬"卦。夬者,决也,意思便是要姜维立刻下定决心,随他举事,如有不从,便顺势取其首级。而姜维对钟会的要挟却不立即作答,而是朝剑上吹了口气。气便是风,对应巽卦,剑尖仍然代表兑卦,则上巽下兑,便成了"中孚卦"。孚者,信也,中孚卦即有诚信待人之意,姜维便是以此卦暗示钟会将心里话说出来,以昭诚信。

如此这般以周易六十四卦相互影射、暗示、探询,寻常人看了定是一头雾水,只有智识高强、对中华易理颇为精通之人才能解其真意。姜维身为西凉上士,博学强识,对经学多有涉猎,钟会更是当代玄学大家,易经解注早已了如指掌。二人这一番高来高去,一来是不愿将话挑明,二来也有点较量的意味。二人见对方能明白自己的心思,心下也不禁十分佩服。

钟会灿然一笑,手一挥,朗声道:"既然伯约兄喻我以诚信,那我便直说好了。我本来就十分好奇,以诸葛亮之能,又怎能长久侍奉刘禅这个庸才?刚才听到老将军这么一说,这才明白,诸葛亮资质寻常,因此他必须韬光养晦,甘为人臣。而我钟会则不同,三岁能文,七岁习武,不过二十便为当代名士,文章天下传诵,领兵作战,战必胜,攻必克,用兵如神。我常暗想,'天纵奇才'这一称号,恐怕非我钟会莫属。以我这天下一等一的人才,却要匍匐于司马昭这样老朽之人的脚下,供他驱使,岂不遗憾?"

姜维原本便知道钟会是个浮夸、自恋之人,却万没想到竟然到了这种程度,脸皮之厚世间罕有,身上立刻便起了一层鸡皮疙瘩,同时也不免暗自好笑。但他表面上却是不露半点声色,问道:"都督似乎十分瞧不起司马公啊?"

钟会摇了摇头,说道:"司马昭老迈昏聩,冥顽不灵,其子又是个酒囊饭袋之辈,倘若让司马家得了天下,不出三十年,天下必复于乱!"此时他并没有想到,他无意中所说出的话,竟不幸言中。

"那么……都督的意思是?"

钟会以食指轻抚酒杯边缘,朗声道:"如今我灭了蜀国,声势正如日中天,手握天下雄兵,汉中、武关、潼关等险要又在我手中,本帅只要令一上将领五万大军出汉中北上,关中一带空虚,得之不费吹灰之力。然后本帅再率领大军顺黄河东下,则河洛司隶也将为我所有,到时我便可代魏自立,成为天下新主,岂不快哉?"说到这里,他的手不禁微微颤抖了起来,急忙喝下一大口酒为自己壮胆。又道:"即便不成,我再回军退守蜀中,不失为又一刘备。此为万全之策,却不知老将军以为如何?"

姜维却故意装糊涂:"都督的计策自然是好的,在下实在瞧不出有什么不妥之处。不过,这与在下何干?"

钟会一笑起身,从腰间解下佩剑,推到他的面前:"当然有干系,我以为,这北伐上将之位,非老将军莫属,却不知意下如何?"

姜维如何不明白钟会的意思?他将佩剑放在姜维面前,如果姜维同意和他一同造反,便以剑授之;倘若姜维胆敢拒绝这一提议,便顺势砍下他的首级。这一举动,正应了刚才钟会所做出的卦相。

姜维双目盯着那佩剑,双眉紧锁,似乎是难以抉择。钟会在一旁长吟道:"所谓'良禽择木而栖,明臣择主而侍',又道'识时务者为俊杰',将军这决定如果下得明智,天下之人必不会指责将军如同当年的吕奉先,是个反复无常的小人。"

虽然这正是姜维所期待的,但毕竟关乎生死,那一瞬间,他的脑海中竟闪过无数个念头——忠义、背叛、性命、权力、死亡、富贵、荣辱、遗志、面对、逃避、杀戮……等等,有的念头相互冲突碰撞,有的却又相辅相成……

过了许久,他似乎已下定决心,叹了口气,双手取过佩剑,冲着钟会深施一礼,道:

"姜某愿追随都督一生！"

钟会大喜，一把握住姜维的手："有姜老将军的帮助，大事何愁不成？"说着，从墙上的箭袋中取出一支羽箭，笑道："咱们二人既然要共图大举，便应该效仿当年刘关张桃园三结义，结为生死兄弟！"也不等姜维表态，立刻便将那羽箭折成两段，将其中一段递给姜维，朗声道："我钟会与姜维在此折箭为誓，结为异姓兄弟，生死与共，祸福同享，如果有悖誓言，他日便死于自己的剑下！"

姜维无奈，只得对天立誓："我姜维今天便与钟会结为兄弟，必将竭诚相待，同生共死，如果有悖誓言，他日将开膛剖腹而死！"

所谓结拜立毒誓，其实是对人性的不信任，自古以来人们便认为，誓言发得越毒，其意便越诚，因此誓言便一个比一个狠毒，毒到连发誓之人自己也不相信的地步。钟会与姜维所立誓言也是如此，但他们却做梦也想不到，他们所立下的誓言，都于将来某日应验，这似乎正应了那句话"冥冥之中，自有天意"，不过那是后话。

礼毕，钟会显得十分欢喜，拉着姜维的手道："论年庚，你便是我大哥。大哥，将来的一切，便要多劳你了。"

姜维同样是一脸兴奋，拉着钟会的手上下摇动："自家兄弟何必客气，做大哥的自当尽力辅助便是。"钟会笑得更开心了。

少顷，钟会忽然笑容一敛，神秘地说道："既然如此，大哥不妨先看看这个。"说着，从案旁取出一道卷轴，交给姜维。只见那卷轴上的封条已被揭开，封条上写着"征西将军邓艾上天子书，密"的字样。

"这是邓艾的上书？"

"正是，此书是我的属下今日在汉中官道上截获的，我已经读过了，大哥不妨再读读看，可否有什么不妥之处。"姜维忙展开卷轴，细细读了一遍，抬起头疑惑地望着钟会，喃喃自语："怪哉……怪哉……"

"大哥以为，这道上书怪在哪里？"

姜维思忖了片刻，说道："我本以为邓艾会自恃灭蜀之功，夸大炫耀，想不到这上书言辞却是恭谨之至。书中请封刘后主为扶风王，居长安蒠坞，这倒还可以理解，怎么会自请留镇成都？还说要准备攻吴事宜？邓艾之军不过万余人，留镇成都又有何作为？这实在是令人费解啊！"

钟会笑道："我本来也觉得这道上书说不通，但转念一想，却又觉得十分合理。想那邓艾本来是自傲骄狂之人，灭蜀之后，绝不可能随便接受个三公之位，回洛阳当个有名无实的崇官。但如今既然蜀国已灭，再加上他年老体衰，精力已经大不如前，朝中便不可能再用他为将,自然不能许他再领兵权,因此他便退而求其次,率领本部兵马镇守于成都,当个土霸王,如此便知足矣。他也不能请求增兵,否则朝中必定疑他将割据自立,这便是邓艾的矛盾之所在了。"

姜维微微点头,问道:"不知贤弟截取这份上书,又有何目的?"

钟会取过一支毛笔,蘸了点墨水,却不落笔:"咱们要北伐,必须先使大军无后顾之忧。邓艾虽兵不过万人,但他居于成都,对咱们来说却犹如芒刺在背,势必先除之而后快!"

姜维顿时醒悟:"贤弟莫非是要篡改上书?"

钟会笑了起来,眼神却是冰冷:"邓艾为司马宣公一手所提拔,向来忠于司马氏,但我却要让司马昭亲手杀了他!"

姜维却摇了摇头:"篡改倒是不难,难在这笔迹……"

钟会眉毛一扬,笑道:"笔迹吗?大哥有所不知,书法乃是我家学,临摹字帖对我而言,便如家常便饭一般,要模仿邓艾的字迹,又有何难?"

两人相视大笑。

遣使

洛阳，天子之都，自光武中兴以来，这里便为天下首府，虽于汉末遭董卓一把火焚烧而毁，但在曹操的锐意经营之下，不过数十年便又欣欣向荣了。曹丕篡汉之后，即将都城由许昌迁回到洛阳来，令洛阳重拾往昔都城之荣光。

这洛阳城坐北朝南，自南大门进来便是铜驼街，乃是洛阳城内最为繁荣的街道，八个大市沿街次序而设，整日喧闹不歇。大街尽头便是皇城午门，门外广场为监斩犯人之处，青石板上到处可见暗色的血渍，似乎是在向百姓们炫耀着当权者的威势。午门广场西侧有一条小径，沿着皇城根儿直通城西大街，那条街较之铜驼街便冷清了许多，原因无他，只是因为整条三里长的大街竟被一幢豪宅所占据。

只见城西大街上往来巡逻的卫士与疾行而过的仆厮，其余闲杂人等，概不许进入。那座巨大豪宅正门开在街中央，正对着皇城西门，宅门高达十几丈，竟比皇城还高要出一截儿，宅主的威势可见一斑。宅门前并没有石狮或大旗之类，反倒是四根铜柱直冲天际，柱上青龙张牙舞爪地顶住了琉璃瓦顶，在四条青龙间，是一块金黄色的扁额，上面以小篆刻着三个大字：晋公府。

当今大魏晋公，便是司马昭了。

司马家本为河内大族，却富而不贵，直到曹丕篡汉称帝后，司马懿被任为尚书仆射，统镇许昌，方开启了司马家的权势之路。曹丕死后，司马懿先是屯驻襄樊，以抗东吴军势，之后又被改调到陇右，与诸葛亮对峙。诸葛亮死后，更受命北讨辽东公孙康，逐渐掌握曹魏军权。曹叡死后，司马懿于高平陵之变中除去了大将军曹爽，又杀了夏侯玄、王凌等拥曹人物，魏国军政大权便落入到其手中。待他死后，其子司马师继承爵位，平文钦、毌丘俭等乱势，势力更加巩固，至司马昭时，已是加九锡，爵晋公，剑履上殿,入拜不趋,权倾朝野了。司马昭先平定诸葛诞之乱,淮南抵定,而后又于变乱中杀了魏少帝曹髦,改立曹璜为帝。皇帝被弑,本是震惊天下的政治事件,但曹髦之死却没有激起太多的涟漪,可见此时魏国早已是司马家的天下了。

自司马师起,魏国军政大事便已不决于朝廷,而是决于司马家的内阁。内阁乃是一间小室,位于晋公府书房之侧,为晋公与心腹大臣议政之所在。此时此刻,司马昭便半坐半卧地踞于内阁上座,其子司马炎侍于其侧。在二人对面放着五张蒲团,却只坐了四位大臣,旁边所空出的位置,本应属于钟会。

"诸位看过这三道上书后,可有何评议?"司马昭身形削瘦,须发花白,脸上沟纹纵横,说话的声音十分微弱,明显已是行将就木之人。四位大臣互相对看了看,都把头低了下去,不发一语。司马昭微微一笑,知道无人愿意先开口,便回身问司马炎:"吾儿,你怎么看待此事?"

司马炎年约四十许,与其父同样有着一张削瘦的面孔,只是印堂发黯,双目黄浊,鼻头通红,乃是久浸酒色之貌。听到父亲发问,当下清了清喉咙,郎声道:"回父亲,这三道上书,一道乃是钟会所作,内容上报邓艾在成都专断独行,结好蜀人,私授官职,有不臣之心。另外两道则是邓艾所作,一道是从白帝城经襄阳送到洛阳,另一道却是由汉中经关中送来,两道上书均为邓艾亲笔,可怪就怪在两道上书的内容却是南辕北辙。"说罢,看了司马昭一眼,目光有些飘忽。

司马昭点点头,示意他继续说下去。

司马炎又道:"由汉中送来的那道上书,措辞骄矜自夸,不但自表刘禅为骠骑大将军、扶风王,还请求留二万魏军、二万蜀军于成都,供其指挥,为伐吴做准备……孩儿以为,这分明便是想据地为王!可奇怪的是,另一道自襄阳送来的上书措辞却十分谦卑,请求朝廷封刘禅为扶风王以安天下民心,并说蜀中尚未安定,请求以原军留镇成都。这样一看,那邓艾似乎又无据地为王之心。呃……孩儿所见,仅仅如此而已。"

司马昭脸色一沉,喝斥道:"没用的东西!整天就知道吃喝玩乐,你将这些事情又说了一遍又有何用?为父要听的是你的评议,不必在那儿絮絮叨叨了。"司马炎面露难色,期期艾艾道:"父亲,这评议……这评议……孩儿只以为事有蹊跷,还谈不上什么评议。"

司马昭叹了口气,不再理会儿子,将目光投向四位大臣,说道:"诸位总该开口了,总不成要我儿做主吧?"

此时,最左首的大臣稍微正了一下衣冠,发言道:"禀主公,臣以为,钟会有反意。"

司马昭神色一肃:"贾公闾为何有此结论?"

"请主公明鉴，邓艾两道上书，内容竟是完全不同，如果不是邓艾年老而智昏聩，那么必定有一道为他人所伪作。为何伪作？只是因为有人想诬陷邓艾谋反自立，借机将之除去便是。"

"但两道上书皆为邓艾亲笔，字迹与其书信完全吻合，谁能伪作？"

"臣以为，作伪者便是钟会，大家都知道钟会擅长书法，临摹字迹绝不困难。他拦下邓艾的上书，加以篡改，然后自己再配合篡改内容上书呈报邓艾有不臣之心，便是要坐实邓艾谋反的谣言。钟会所图为何？必定是他本人有意造反，想先除去邓艾，如此才能完全控制巴蜀，以作基业。"发言者乃是贾充，字公闾，魏太卫贾逵之子。他向来为司马家心腹，曾参与平定诸葛诞之役，弑杀曹髦也为其所主导。此时他担任廷卫，安阳乡侯，加散骑常侍，统领河洛一带军事，负责制定刑律，是司马昭下第一大红人。

见司马昭沉吟不语，贾充又补充道："请主公细思，钟会并无妻小在京，无牵无挂，而且手握十万大军，如果真的图谋造反，其势必不可收拾，应速杀之，以除后患。"

司马昭微微颔首，刚要表态，却又听座下一人发言道："禀主公，臣对贾大人之言，不尽赞同。"

司马昭将脸转向那人："裴季彦以为如何？"

"贾大人说那自汉中送到的上书，乃是钟会所伪作，此点臣无半点异议，但光凭此点便称钟会意图谋反，则未免太过于危言耸听。钟会久随主公，忠诚可鉴，岂会说反就反？如果主公便这样下令将其处死，不免有兔死狗烹之嫌，令天下名士心寒。"说话之人姓裴名秀，字季彦，魏尚书裴潜之子，时任尚书仆射，封济川侯。裴秀素有文采，少有令名，时人称"将来领袖有裴秀"。平定诸葛诞之役，他与钟会共同担当参谋，深得司马昭信赖。后来，司马昭命他改订官制，以为代魏做准备，说起来，也是司马昭跟前的大红人。

贾充听了裴秀之言，立刻反唇相讥："敢问裴大人，钟会如果不是要造反，篡改邓艾上书所为何来？难不成只是一时心血来潮，卖弄书法家学？"

裴秀笑道："贾大人说笑了，我与钟会共事已久，知他为人量狭气窄，如今灭蜀之战钟会军原为主力，却没想到先入成都者竟然是偏师邓艾，此举必令他大为妒恨，欲杀邓艾以雪耻，因此才会篡改其上书，诬以谋反。臣以为，钟会乃是当世奇才，若为此事便杀之未免可惜，主公不妨下令责备，他一则心虚恐惧，二则感激主公不杀之恩，必会更加为主公卖命，此方为上上之策。"

司马昭大笑："妙哉！妙哉！二人却有不同见解……那么卫伯玉又以为如何？"座下一人面色苍白，自始至终咳嗽声不断，似乎身染痨病，听司马昭询问，当下拱手道:"回主公,咳……臣的见解,和二位大人都不尽相同。"

"哦?"

司马昭大奇:"有何不同?速速说来听听。"

"咳……臣以为,二位大人皆是着眼于钟会篡改邓艾上书,却没有想过,咳……那邓艾为何要发两道上书,且经由不同路径送来洛阳?"

此言一出,众人皆语塞。

那人继续道:"钟会量狭之事,乃是世人皆知,则钟会妒忌邓艾,将借机除之一节,也,咳……也是在情理之中。邓艾便是算定了此节,故意引诱,咳……引诱钟会篡改其上书,然后又从襄阳另上一本,使钟会露出破绽。如此一来,欲陷人者反遭人害,而,咳……而除去钟会,才是邓艾真正的目的。"司马昭眉头拧成一个疙瘩,许久没有平复。

"他欲加害于钟会,难不成……"

"邓艾将反!"

那人话音刚一落下,贾充立刻大声道:"卫大人此言太过于荒谬,如果邓艾将反,怎么会自请以原军留镇成都?邓艾军不过万人,若要谋反,又能成得了什么气候?"那人微微一笑,不慌不忙道:"咳……这便是启人疑窦之处了。邓艾向来心高气傲,此番灭蜀之役立功甚伟,应该大肆张扬才对,如今他上书却措辞谦卑,又毫无道理地请求留镇成都,咳……这绝非他的初衷,其中必定有诈。"

"一万人能干出什么事情来?别忘了钟会十万大军伺机在侧!"

"为何如此?在下此刻还想不通,咳……"

这人便是邓艾先前口中所说的"痨病鬼",名唤卫瓘,字伯玉,其父卫觊曾任魏尚书。他自幼便体弱多病,但却天资聪慧,并以孝道著称,弱冠即为魏尚书郎,其后升迁至中书郎、散骑常侍。司马昭之时,命他为廷卫,专司审判。他深明法理,司马昭将之视为心腹智囊。

司马昭听了卫瓘之言,却不置可否,而是问最后一名大臣:"以上三位均已发过言了,剩下荀公曾一人,你与钟会乃是舅甥之亲,不知有何见解?"那人连忙拱手道:"回主公,臣识微智浅,所能说的几位大人前面都已经说过了。不过臣却以为,邓艾、钟会均为人中之龙凤,现领大军在外,又均有逆乱之形迹,主公应该及早准备才是。"

裴秀却在一旁讥笑道:"本以为荀大人会为钟士季说上几句好话,没想到荀大人更狠,竟要将两人一并除去,真乃大义灭亲也!"

这位"荀大人"便是荀勖,字公曾,为钟繇的外孙,虽已年近五十,却是钟会的外甥,常被人讥笑为"白头甥"。他官至从侍中郎,封关内侯,向来是司马昭的亲信,专门负责掌管晋公府的机密事务。

荀勖听了裴秀讥讽之言,忙辩解道:"裴大人误会了,在下的意思是,现如今蜀中的情况尚不明朗,朝中不妨派一人入蜀督促各军,若真有变,可立即应对。参酌各位大人所言,在下以为,钟会谋反的可能性较大,毕竟手握重兵,而邓艾却是深藏不露,更加危险。此二人均为当代高士,如果当真造起反来,必定天下大乱。但如果冤杀,对主公的声誉却又有所损伤,所以应该派一人前往查探虚实,这是很必要的。"

司马昭缓缓点头:"嗯,公曾说得十分有理……那么你认为,该派谁入蜀较妥?"

"卫大人足智多谋,性情沉稳,办事老辣,可担此重任。"

司马昭回头问卫瓘:"伯玉以为如何?"

卫瓘无奈,只得道:"臣自当尽力而为。"

"很好!"司马昭拍了下手,坐直身子道,"诸位的意见,老夫均已知晓。邓艾、钟会均非池中之物,老夫早已了然于胸,使二人领军在外,对朝廷威胁甚大。老夫便命卫伯玉为监军,前往蜀中监视钟会,再下一道命令,将邓艾给召回京来便是了。"

裴秀奇道:"主公,召邓艾回洛阳?"司马昭随手拿起面前食碟中的一枚果子,拨了吃下,笑道:"目前虽然还看不出邓艾有反意,但总不能真的让他留镇成都吧?便封他为太尉,将他召回洛阳,释其兵权,让他安度晚年便是了。"

裴秀又问:"那为何不将钟会也一同召回?"

司马昭微有不悦:"裴季彦为何如此糊涂?蜀国刚灭,蜀中尚有许多事情待办,总得有个人处理吧?况且那钟会随我已久,不管怎么说,我仍信其忠诚。这样好了,我先封他为司徒,仍留他在蜀中善后,果真有变,伯玉可见机行事,将其就地正法,无须上奏。等下我便命人将手谕送到你俯上。"

卫瓘连忙行礼道:"谨遵谕令……但臣仍以为,咳……钟会不至于乱,倒是邓艾素有异志,召他回京,只怕他不从,反倒是直接反了。"贾充忽然起身,向前一步道:"主公,臣有一计,不知可行否?"

"说来听听。"

"邓艾上书请求封刘禅为扶风王,居于郿坞,主公不妨顺水推舟,准其所奏,并命他率军护送刘禅北上,主公可亲往长安迎接,等他一到便释其军权,则他纵有异志,但慑于主公的天威,便也无法得逞了。"

裴秀、荀勖二人均点头称赞,卫瓘却不言语,重重地咳嗽了几声,以掩饰那说不出口的疑虑。

司马昭不由得抚掌大笑："呵呵呵……如此甚好，那便如贾卿之言，先派一人入蜀召回邓艾，伯玉则携我的手谕去见钟会，依计行事。这便下去准备吧。"

卫瓘起身行礼："臣领命！臣这便，咳……这便回府准备了，收到主公的手谕便即刻启程。此行必不辜负主公和各位大人的嘱托。"说罢，低头匆匆离席而去，像是有意逃避什么似的。

大计已定，却没有散会的迹象。

司马昭目送卫瓘离去，转头又问荀勖："派卫伯玉前去，君以为如何？"荀勖笑道："臣自然明白主公的意思，我等四人之中，贾大人领洛阳大军，裴大人身担军国大事，都不能擅离洛阳，而臣与钟会又有亲属关系，监军只怕会引起他人非议，因此卫伯玉是唯一的人选。卫大人虽已先有成见，但其智谋过人，臣以为必不能坏事，请主公放心便是了。"

"嗯，荀公曾果然是见识非凡……但我派卫瓘入蜀，却是要钟会暂卸心防。"

"这个……臣就不明白了，还请主公指点。"

司马昭却笑而不答，而是拿起面前的酒杯，轻轻啜了一小口，转头对贾充道："现在你手上尚有多少兵马？"贾充据实禀报："回禀主公，河洛一带约有八万人，如果将南阳一带兵力调集起来，约有十二万人。"

司马昭点头道："那你便调集十万人马，向西进发，扼住汉中各谷口，我与皇上、太后、百官随后至长安准备……此事先别给卫瓘知道。"

"调用大军？主公难道怀疑钟会有反意？"

司马昭不由得哈哈大笑起来："贾卿多顾了！我派你统领大军，难道也怀疑你有反意？一切尚不能明说，等到了长安便都知晓了。老夫有些疲倦，你们都下去吧。"

"是！"众人起立，行礼，退出内阁。

晨光初现，露雾未消，整个巴蜀大地，仍然笼罩在一片轻薄雾霭之中，与画中仙境相似。剑阁官道上，一队人马列队缓缓而行，在队伍中央的，是一辆黑木大车，外头包裹了铜皮，车头雕成龙形，十分华贵，乃是皇帝使者才有资格乘坐的车冕。

卫瓘坐在舒适的车内，手上拿着一封信细细读着。蜀中潮湿的天气，令他的痨病更加恶化，他喝下一碗刚刚煎好的中药，拿出手巾揩了揩嘴角，靠着驼绒制成的靠垫稍做歇息。身旁一名与他容貌神似的男子取过一张毛毡，替他盖上。这人便是卫瓘的亲弟，名唤卫璪，字仲玉，小卫瓘不过三岁。兄弟二人自小丧父，依居于舅家，数十年来相互扶持，感情十分融洽。

卫瓘服侍兄长躺下,自己则坐在一旁,问道:"大哥,你刚刚话还没说完,'朝中有变',这话怎么讲?"

卫瓘正专心读着那封信,对卫瓘的问话恍然不闻。

卫瓘又唤了一声"大哥",卫瓘这才醒过神来。他将那封信谨慎地拢进袖内,深吸了口气,缓缓道:"黄钟毁弃,瓦釜,咳……瓦釜雷鸣,当今小人之势凌驾于君子之上,如果不快些应变,必会酿成大祸,到时则悔之晚矣!咳……"卫瓘一惊:"大哥的意思是……朝中有人要谋反?"

卫瓘颔首。

"那人是谁?"

"贾充。"

卫瓘又是吃了一惊,忙道:"那贾公闾素为主公的心腹,岂会有二心?"卫瓘却摇头道:"你呀,阅人就是只看表面,岂不闻'知人知面不知心'?那贾充乃是个随风转舵的小人,何处有利便往何处去。他父亲,他父亲贾逵本为曹氏,咳……曹氏重臣,但曹爽被诛后,贾充便立刻改投入司马家门下,此番若见邓艾之谋有利,便与邓艾串谋造反,亦非,咳……亦非意料之外。"

卫瓘仍有些不相信:"但是贾邓二人一朝一野,相隔千山万水,又怎能串谋?"

卫瓘叹了口气,道:"这便是此计的高明之处了,看似迂迴,但每一步,咳……却又合情合理。邓艾先上书请求原军留镇成都,如此朝内便不会怀疑其有反意。哼哼!逆料上意,真是高招啊!但主公生性多疑,必不肯将他久放在外,这一点也在邓艾的算计之中,然后贾充再提议以护卫蜀帝为名,召邓艾至长安,并由主公亲往受降,以主公那好大喜功的性格,此一提议肯定不会拒绝,等他一到了长安,一切便都落入到邓艾的掌握之中,大事则去矣!至于他们如何串谋,想来在出兵伐之前便已商议妥当。咳咳……"他一口气说了这许多话,立刻咳嗽不止。

卫瓘连忙轻拍其背:"大哥,既然事态如此严重,为何不及早说给主公听?当面说破,则邓、贾二人的奸谋便不能得逞了。"卫瓘咳嗽了一阵,好不容易透过气来,喘息着道:"呼……仲玉啊,贾充与邓艾密谋不知已经多久了,完全不露痕迹,我便是当面说破,又有谁肯相信?况且贾充之位在我之上,如果我将这番话说出来,只怕不出洛阳十里,便被他给杀了,焉有命到此?咳……"

"如今主公已经派人前去召回邓艾,这……这该如何是好?"

卫瓘坐起身,揭开窗帷看着窗外,左侧有一条大江滚滚流过,正是涪水。思索了片刻,只听他低声道:"一切,就要看钟士季的了。"

密信

　　这一日,钟会正在书房内与姜维密议,忽然听到卫兵报告说"卫监军"到,不由得一愣,好一会儿才回过神,忙下令速请监军大人进来。待卫兵转身出去了,钟会对姜维道:"司马昭派了个病病鬼来当监军,大哥,这事你怎么看?"姜维笑道:"看来伪书之计已见成效,此人必定是为邓艾而来。"

　　钟会闻言,笑而不答。

　　所谓世事难料,世间之事变化无常,阴错阳差者所在多有,这次卫瓘入蜀,将为原本就错综复杂的蜀中局势增添了一丝新的变数,只不过,这变数是好是坏,将使局势如何走向,目前却尚未可知。

　　片刻后,卫瓘跟随卫兵步入书房。钟会亲自到门口迎接,满脸欢喜,上前一把拉住卫瓘的手,问候道:"伯玉兄,多日不见,可是想煞小弟我了!不知伯玉兄近来身体如何?"一副亲亲热热的样子。

　　卫瓘笑道:"我这将死之人,身体还能怎么样?倒是有劳士季挂怀了。钟大都督这趟出征灭了蜀国,立下了不世之奇功,我来这儿便是给您贺喜的,能受司马公如此重托,我也是倍感荣幸啊!咳……咳……"

　　钟会连忙摆手:"哪儿的话!微末功劳而已,让卫监军见笑了。卫监军远来劳累,且先上座休息。来,这边请。"说着,亲自揽着卫瓘来到姜维旁,介绍道:"伯约兄,给你介绍一位大人物,这位便是我朝廷尉卫瓘卫伯玉。伯玉兄深明法理,断案如神,人称皋陶再世。"又一指姜维,"卫大人,这位便是蜀国大将军姜维姜伯约,这个名字想来您一定是如雷贯耳吧?"

　　卫瓘千算万算,却偏偏没算到会在这里撞见姜维,顿时大有不寻常之感,一时间竟有些不知所措。倒是姜维一副淡定自若的样子,抢先拱手道:"在下于蜀中也是久闻卫大人之名,今日得见,不胜欢喜。"

卫瓘猛地醒悟过来,只得咳嗽了两声以掩饰刚才的失态,忙拱手行礼:"原来是姜老将军,失敬,失敬!"心中已是起了警觉。

钟会招呼卫瓘在他的右手边坐下,又吩咐仆役添加酒菜杯筷来给监军大人接风。卫瓘笑道:"士季未免太客气了,我这身子骨儿,咳……酒是喝不来的,还是添杯白水吧,其他的就别麻烦了。"

钟会听了后,一拍脑门儿,大叫"该死",忙命人端壶热水上来。转头对卫瓘道:"卫大人前来监军,我自当要好好地巴结,免得大人在主公面前说我的不是。"说罢,哈哈大笑起来。卫瓘陪笑道:"我捧钟大都督都还来不及呢,又怎敢说什么不是?士季也太多虑了吧!咳……"

钟会连忙作揖:"也罢,是我失言,望卫大人不要见怪。不过,玩笑归玩笑,伯玉兄这次入蜀来,想必有什么特别的任务吧?"蜀国已灭,朝廷却还派监军过来,必定别有用意,钟会岂有不明白的?他倒也不掩饰,开门见山便问卫瓘。

"这任务嘛,咳……咳……"卫瓘连咳嗽了两声,端起刚送来的热水喝了一口,接着说道,"这任务自然是有的,我这边带来一份诏书,是主公派给你的,要升你为司徒,进县侯,增邑万户。"

钟会接过诏书,看了一会儿,面上却无丝毫喜色。他将诏书还给卫瓘,强挤出一丝笑意,说道:"如此自然是好,在下也算是没有白忙活一场,咱们待会儿再去大厅举行接旨仪式。不过……主公要卫大人当监军,总不会只是封个官吧?"说罢,一双妙目紧盯着卫瓘,似是要从他脸找出答案来。

卫瓘给他瞧得心中慌乱,忙低声道:"另一件事乃是机密,且屏退左右。"说完,朝姜维看了一眼。姜维十分识趣,立即起身,待要退开,谁知却被钟会一把给拉住,笑道:"卫大人也未免太多心了吧?伯约兄现在已是我大魏的臣子,又岂是旁人?有事直说无妨,以姜将军之谋,对事情必有所助益。"

卫瓘没料到会有这种情况出现,心中一股新的疑虑渐渐浮出水面。但此时箭已在弦上,不得不发,在那一刹那,他审度情势,当下便道:"既然如此,那我便与都督……以及姜老将军实说了,咳……咳……我这回入蜀,乃是奉命擒拿邓艾回洛阳,这还要都督……不,司徒大人助我一臂之力才是。"

钟会却故意装糊涂,惊讶道:"邓艾有何罪名,要擒回洛阳?"卫瓘瞟了钟会一眼,心下不以为然,说道:"难道士季这么快就忘了,日前不是有人上书,奏报邓艾结好蜀人,意图不轨吗?"

钟会讪笑,"那只是在下妄自臆度,做不得准的!"

卫瓘心中暗骂:明明是你要置邓艾于死地,却偏偏摆出一副玩笑嘴脸,真乃小人也!面上却装出一副惊慌失措的神情来,叫道:"士季不在洛阳,满朝文武,便要、便要栽在那个奸邪小人之手了!"说着,便将邓艾如何上书留镇成都,如何诱导司马昭前往长安,贾充又是如何里应外合的事情给说了一遍,然后道:"邓艾这计策迂迴巧妙,而且又没什么证据,我私下将这计策说给主公听,他也是,咳……也是半信半疑,我反复劝说下,他才同意派我为监军,表面上前来,咳……前来监理蜀地重建事宜,实则是将邓艾绳之以法,就怕消息走漏,激得他马上反了,那便棘手了!"说罢,双目不住打量着钟会,似乎是要观察他究竟相信了几分。

钟会不动声色,转头问姜维:"伯约兄,你与邓艾交战十余载,你以为如何?"姜维坦言道:"那邓艾向来胆大心细,好行险兵,卫大人所料的计谋,如果是寻常人断然想不出来,但如果换了是邓艾,却又十分符合其一贯的作风。"

钟会点点头,又对卫瓘道:"既然如此,那么卫监军是要我协助,擒拿邓艾?"卫瓘一揖到地:"邓艾领军占据成都,壁垒森严,我手上不过百余人马,实在无法撼动,还请司徒念在天下苍生的份上,大军南下,将之一举擒获。"

钟会不禁大为踌躇:"依卫监军之言,那邓艾造反想来是不会有错的了,但苦于没有真凭实据,在这样的情况下我便贸然出兵擒拿他,只怕天下人会讥笑我量狭,见不得邓艾先入成都啊!这可怎么是好?"姜维忽然道:"司徒,那邓艾是不用兵则矣,一用便如泰山崩顶之势,挡之不住。如果他果真如卫监军所说,已起了反意,那咱们便应该尽快作出反应来,免得事情变得不可收拾,那就麻烦了。"

卫瓘久闻姜维与邓艾乃战场上的一对宿敌,互有胜负,今日见姜维态度积极,以为他是对邓艾怀有私仇,也没多想,当下便道:"咳……咳……都督,姜老将军说得对极了,要出兵便要快,以免局势有变啊!"

钟会举手要两人住口,思忖了片刻,这才道:"此事还要再想想……卫大人,你且先别着急,明日此时,我必定给你一个答复,你且先回驿馆歇着吧。"说罢,举起酒杯,将杯中酒水一饮而尽,却不亮杯底,这是送客的意思。

卫瓘无奈,只得起身告辞而去。

"大哥以为此事该如何处置?"钟会眯着单凤眼,目送卫瓘出了大门,端起他曾经使用过的水杯,将所剩之水倾倒在地上。

"简直就是一派胡言!"

"正是。"钟会一连冷笑了数声,这才说道:"倘若司马昭真的要我擒拿邓艾,必定会以手谕下命,卫瓘只要拿出手谕来,我自然得从命,又何必在这里长篇大论?这个痨病鬼,确实不高明!"说完,手一松,那杯子摔落在地上,"哗啦"一声化为碎片四散开去。

姜维看着地上的碎片,默然不语,似乎是在为着什么事担忧。

钟会斜倚在铺着毛皮的扶手上,伸手朝外拨了拨长发,轻声问:"大哥不说话,可是在担心什么吗?"姜维抬起头,眼睛眨也不眨地看着钟会,隔了半晌,这才缓缓道:"我只是忽然想到……倘若卫瓘入蜀不是为了邓艾,那又是为了什么?"

钟会立刻警觉起来:"大哥的意思是……"

"只怕伪书之计已败!"

钟会稍稍坐直了身子,警觉之色已消失无踪。轻笑了两声,说道:"原来是这件事!不瞒大哥说,这种事早已在我的预料之中,其实也没什么大不了的,如果司马昭真的是派卫瓘来治我的罪,那也不过是助我成事罢了,又有何惧哉?大哥未免多虑了。"

"愚兄不明,愿闻其详。"

钟会闷哼一声,不屑道:"本都督手握十万大军,宰制巴蜀,卫瓘不过是个痨病鬼而已,随从不过百人,又岂能奈我何?我只要暗地里将他斩杀,再上报朝廷,便说卫监军因蜀中潮气重,肺疾转剧而死,又有谁会怀疑?再者说,从他刚才的言行来看,丝毫没有怀疑我的意思,反倒是自作主张,要借我之手除去邓艾!司马昭派这种人来当监军,只是告诉我其已心智不明罢了,如果我起事,大计必成,又何必忧虑?"

"邓艾已是尽力避开嫌疑,但还是被他所识破,可见此人头脑之冷静,心思之缜密,必须小心提防才是。"

钟会似乎未将姜维的话听进耳去,只听他淡淡说道:"这也许只是机缘凑巧罢了,这痨病鬼能活到今日,总有几分好运气的。"姜维则摇了摇头,皱眉沉思了起来。良久,忽然话锋一转:"这么说来,只怕司马昭已是着了邓艾的道儿,如果让邓艾抢了先机,可不比司马昭好对付啊!"

钟会闻听此言,这才收起轻蔑之色:"确实如此,却不知大哥有何妙计?"姜维捋了下花白胡须,缓缓道:"如果司马昭果真是派卫瓘入蜀来对付咱们,但卫瓘却自作主张想借咱们之手擒拿邓艾,这实在是阴错阳差,如果这一步棋下得巧妙,确实可以一箭双雕。"

"愿闻其详。"

姜维凑过头去，低语了几句，钟会脸上立刻露出一丝诡异的笑容。

蜀宫正殿之上，一名锦衣华服的宦官展开黄绸，高声念道："大魏皇帝诏曰，艾，曜威奋武，深入虏庭，斩将搴旗，枭其鲸鲵，使僭号之主，稽首系颈，历世逋诛，一朝而平。兵不踰时，战不终日，云彻席卷，荡定巴蜀。虽白起破彊楚，韩信克劲赵，吴汉擒子阳，亚夫灭七国，计功论美，不足比勋也。其以艾为太尉，增邑二万户，封子二人亭侯，各食邑千户，并依其所奏，封刘禅为扶风王，由艾率军押解即刻北返。钦此！"

邓艾拜伏于地，高声道："皇恩浩荡，邓艾虽死难报，敢不尽绵薄之力，为我主尽忠！臣，谢主龙恩！吾皇万岁万岁万万岁！"

礼毕，那宦官将黄绸折起，走下大殿，将黄绸交到邓艾手中，笑嘻嘻地说道："邓大将军，哦不，现在应该是邓太尉，您这会儿升了官，以后可还要多提拔提拔下官才是啊！哈哈哈……"

邓艾起身笑道："陈公公未免言重了，您可是司马公跟前的第一大红人，上达天听，我才要请您多照料才是……那，一点小小心意，不诚敬意，还请公公将就着零花，他日另有厚礼奉上。"说着，从怀中摸出几碇黄金，塞到那宦官的手中。

那宦官的脸上立刻笑开一朵花，忙道："邓太尉实在是太客气了，好说，好说。"说着，便将手拢入袖中，待手抽出时，那几碇黄金已不见了踪影。邓艾微微一笑："陈公公远道而来，跋涉辛苦，还请先到驿馆休息，明日再随我等一同北返，如何？"

"如此甚好，一切听太尉大人的指示。"

"陈公公，这边请。"

"请。"

待那陈姓宦官离去之后，邓艾大步上了正殿，只见殿下诸将昂首直立，气宇轩昂，脸上写满了"兴奋"二字。众人历经千辛万苦力克强敌，今日朝廷下诏加官进爵，血汗终于换得荣耀，想到不久之后便可以衣锦还乡，诸将心里自然像吃了蜜糖一样高兴。

邓艾身为主帅，自然深明属下的心理，便朗声道："诸位，奉皇上的诏令，命咱们北返班师，诸位在外征战已久，必是思乡情切，依我看……北返之事不宜拖迟，明日一早，咱们便立刻启程，诸位以为如何？"

诸将闻言都为之一愣，北返虽然已是确定之事，但却没料到竟会如此急迫。不过，一来军队人数不多，二来驻扎之日尚短，调动起来相对容易些，一日之内准备北返事宜并不困难。再者说，诸将也早已习惯了邓艾那非常的行军方式，因此仅是相互看了几眼，并没有人提出任何异议。

邓艾见无人说话，便下令道："如此甚好，今夜诸位便吩咐士兵们早些就寝，明日辰时动身。邓忠率军为前锋。牵弘、王颀、杨欣三人各领一营，归我中军调度。梁浩、田续分领左右二军。张成、马应领后军，以护卫刘禅。周默、皇甫陵殿后押粮。至于师纂……"他语气忽然放缓，说道："我已表奏你为益州刺史，由你统领巴蜀一切事宜，你便领本部军留镇成都，不必随军北返了。"

此言一出，诸将均感诧异，此次灭蜀之役，师纂始终是邓艾的左膀右臂，理应随军北返才是，却没想到邓艾会命他留守蜀中。不过师纂本人倒是没什么反应，拱手说道："末将遵命。"

邓艾满意地点了点头，又朗声道："北返虽然是班师回朝，但诸位尚不得松懈。据探子来报，自我军南征之后，陇右一带羌乱复萌，扶风一带有小股羌军出没，危害甚深，这也是我急于北返的原因之一。诸位北返途中当命军士保持戒备，以防有不测之乱。"

"谨遵太尉军令！"诸将一齐躬身行礼。

邓艾扫视众人，挥手令他们退下，却朝邓忠使了个眼色，示意其留下。等诸将悉数退场后，邓艾返身步上高台，一屁股坐在龙椅上，将头上的虎头金盔取下来搁在膝头，右手用力揉捏着眉心，长长地呼出一口气来。

邓忠走到父亲跟前，小声道："没想到那刘阿斗的计策还真管用。爹，如今这计策已经过了七成，还差那最后一步，现在可不是唉声叹气的时候啊！"

邓艾抬起头注视着儿子，坚硬、冰冷的脸庞，终于有了一丝回春的迹象。他向后靠在精雕细琢的椅背上，舒展双臂，缓缓道："自那日上书之后，我便没有一夜睡得好。我这一辈子在沙场之上舔血度日，要说兵行险招，我可从未皱过一丝眉头，但这回上书给朝廷，人家说'宫门百丈，议殿千丈'，那可是我摸不着的边，心里着实没底。我按着刘禅的计策将书给上了去，就怕回来的不是北返的谕令，而是枷锁和囚车……直到今天，呵！直到今天……"说着，轻轻摇头，眼神竟有些游移不定。

邓忠从来没看到过父亲这个样子，竟有些不知所措，想要说点什么，却又不知该从何说起。邓艾深吸了口气，目光重又变回到高深莫测，似乎已心有定见。他站起身，重新戴上头盔，朝殿门走去。"洛阳来的那些礼物放置在哪里了？"

"都置在偏殿了。"

"走，去看看。"

"是。"

父子二人一前一后出了蜀宫正殿，进入一条十分迂回的走廊。这条走廊有个古怪的别名，称做"迴肠廊"，形容其九曲十八弯，甚为复杂之意。两人穿过迴肠廊来到东翼偏殿，那原本是蜀国皇帝用以进行午朝的所在，此时殿门紧闭，十余名魏兵手执长戟守在门前，一见都督大人驾到，纷纷躬身行礼。

邓艾推门进入偏殿，顿时一股檀香扑鼻而来，只见偏殿空地上堆满了大大小小近百只木箱，每只都装饰得华丽雍容，箱子上头均用金字刻上赠礼者的大名，盒子里面所盛者自然是朝中的那些显贵，为了巴结太尉大人新上任所送来的一点点"心意"。当然了，这所谓一点点"心意"，是足够普通百姓享用一世的。

邓忠年轻好奇，将那上百只箱子逐一打开验看，只见其中有玛瑙美玉者，有锦绣绫罗者，有珍珠钻石者，有金银翡翠者……五光十色，不一而足，只把个邓忠看得是眼花缭乱，赞叹连连。他虽出身于将门，但父亲素来节俭，所以长到这么大，他还从未在同一时刻看到过如此多珍宝呢！

邓艾却对那些五光十色的珍宝看都不看一眼，目光竟在盒子上头打转，似乎别有所图。他环视着众多箱子好一会儿，最后在一处角落里挑出一只最小最不起眼的木箱，捧在手中掂了掂，感觉颇轻。只见箱盖上头刻着"平阳贾充拜上"五个篆字，旁边不显眼处还刻着一行小字：山贼断头于铁蹄，君定天下于马上。

邓艾的嘴角立刻勾起了一丝笑意，忙将木箱打开，仔细一看，里头却是一只翠玉马。只见那玉马马头高昂，呈高声嘶鸣状，前蹄下踩了个玉人，匍匐于地，却是蜀军的装扮。邓艾一打眼，便知此马乃是模仿"马踏匈奴"的塑像。昔日西汉骠骑将军霍去病早逝，汉武帝便命人雕霍去病之爱马蹄下踩一匈奴人之像，立于霍去病的墓前，以表彰他的战功，后世便仿此一雕塑，以赞扬勇猛克敌之将领。此番贾充所赠之玉马蹄下所踩的便是个蜀人，蜀地多山，故其箱上铭文称蜀兵为"山贼"。

邓忠忙凑过头来，看了看，一脸不屑道："这位贾大人也忒吝啬了点吧？别人都是珍珠三百、玛瑙五十地送，这贾充官做得最大，送的东西却是最为寒酸，也真是太不够意思了吧？"

邓艾笑道："非也，这马中别有玄机，倒不是寒不寒酸的问题了。"就见他将那只玉马翻来覆去看了好一会儿，又仔细读了读箱上的铭文，似乎已是心有所悟，当下仔细检查起玉马背上的马鞍来。只见马鞍和马身中间有一道小小的缝隙，似乎内藏有什么物什。邓艾用力掀了掀马鞍，却是纹丝不动。再次检查整只玉马，却没发现半点异样，不禁喃喃自语："咦？这就怪了！"

"爹，既然贾大人在这马中藏了东西，打碎便是，何必如此废神？"

邓艾却摇了摇头，说道："既然这只玉马乃是能工巧匠所打造，便不会那么容易取得里头的物什。"说着，举起马身摇了摇，便听见有粉末晃动的声音，接着道："这马身里藏有磷粉硝石，一打碎，磷粉起火点着硝石，便会将里头所藏的物什给烧尽，以防泄密。我和贾大人密谋了半年，如果连这点小伎俩都不知道，焉能活到今日？"

"但是这玉马……"

邓艾挥了挥手，沉吟了起来，良久才道："这上面必定藏有机关，关键应该在这铭文上……山贼断头于铁蹄，君定天下于马上……山贼断头……君定天下……没错了，东西的确藏在马腹中，可是要取出来，却要山贼先断头才行。"说着，取出随身小刀，用刀柄在那玉人雕像头上一撞，只听"喀喇"一声，那玉人的头颅立刻应声而断。

可说来也奇怪，那玉人的头颅并没有掉落在地上，反倒是悬在了半空之中，仔细一看，原来那断裂的头颅和雕像间竟有一条极细的丝线相连。邓艾将那丝线轻轻一拉，玉马背上的马鞍立刻弹了起来，里头折了一张薄薄的宣纸，上头写着几行字。

邓艾猛地将玉马掼在地上，摔了个粉碎。

邓忠惋惜道："爹，东西既然找到了，为何还要将玉马毁去？毕竟是由一块整玉雕刻而成，应该也值上几两银子，摔了实在可惜。"邓艾正色道："大事未成之前，任何对咱们不利的东西都要毁去，以免落下把柄。"

"原来如此。"

邓艾将那宣纸展开，只见上头写的却是一首短赋："有子兮光宗，将千百兮向蜀中。宿夜兮无间，戴飞蹄兮提金重。"

"哈哈哈……"

读罢，邓艾大笑起来，把一旁的邓忠笑了个莫名其妙，忙问："爹，这我可就不明白了，贾大人大费周折造了这只玉马出来，就是为了藏一首如此迂腐的颂赋？而您看完这赋后，却大笑不止，这又是何故？"邓艾好不容易止住笑声，说道："孩子，为父时常劝你多读些书，可你就是不听，怎么样，书到用时方恨少吧？告诉你，此乃是上天助我也，距大功告成，又进了一步！"

邓忠搔了搔后脑，表示不解。

邓艾便逐句解释道："这首赋不过是个哑谜而已，浅显至极。'有子兮光宗'，意谓有儿子光耀门楣，此乃'充闾'，充者，光耀，闾者，门也。昔日贾逵晚年得子，谓此子将有充闾之庆，故名为充，字公闾，因此这句'有子兮光宗'乃是指贾充自己。第二句'将千百兮向蜀中'，表面上是指我率军入蜀，但与第一句连着看，说的却是贾充率军望蜀中前来，'千百'乃是十万之数，估计应该是河洛驻军的总数。因此，'贾充率十万大军望蜀中进发'便是前二句所欲传达的意思。"

"后两句呢？"

"第三句'宿夜兮无间'，原本是指勤奋之意，也就是不分昼夜地读书，但在此处却是指时间，白昼与黑夜并无差异，一般长短，此乃春分之时，阴阳互偕之际，是说贾充大军将于明年春分时到达蜀中……要这么久？也对，行军过于急促，恐惹来司马昭疑心……且不去管他。这最后一句'戴飞蹄兮提金重'，本是描述骑马持兵器之状，唯此处'飞蹄'意指'司马'，'金重'正好成一个'钟'字，因此这句乃是要我安心北上，以取代司马昭，贾充则将率军南下取钟会。"

听完解释，邓忠这才恍然大悟："原来如此！"

邓艾走到灯烛旁，将手上纸笺点着火，甩在地上，看着纸笺完全烧成灰烬，这才笑呵呵地说道："看来咱们的计策比预期的还要成功，司马昭不但怀疑钟会将反，还令贾充率大军前来，如此，中原则空虚，我等大事必成矣！"

邓忠一想到将来这天下可能改姓邓，而父亲如果当了皇帝，自己不就是太子了吗？不由大为兴奋，笑道："爹，这是天要亡司马氏啊！竟将军权交到了贾大人的手中，现在就算咱们没在长安拿下司马昭，这天下也是咱们的了！"邓艾忽然笑容一敛，训斥道："你就是太心浮气躁，所谓'行百里者半九十'，大计还未成，话可别说得太满了。"

邓忠抓了抓脑袋，没敢吱声。

"不过……倒是可以提前庆祝一下。"邓艾仰起头，环顾偏殿之中那百来只宝箱，忽然问道："忠儿，咱们爷儿俩到底有多久没喝酒了？"邓忠托着下巴想了一会儿，回答道："驻军陇右半年，攻沓中三个月，攻蜀两个月，爹军令严明，行军之时不许军士们饮酒，这样算起来……该有将近一年没碰过酒了吧？"

"一年了吗？那可真是太久了。"

"爹，怎么了？"

邓艾双眼凝视着虚无处，轻声道："也没什么，如今咱们大计已成了一半，又有老天相助，今日不妨好好放松一下。"

"您是说……"

邓艾转过身来，笑着拍了拍儿子厚实的肩膀，温言道："京城送过来的好酒也有不少，你把北返的事情交待下去，便来这边挑几坛好酒，咱们爷儿俩今天晚上大喝他一场，不醉不归，你说如何？"

邓忠立刻兴奋地跳起来，狂咽了几口唾液，叫道："有何不好！一年不曾饮酒，差点便憋死孩儿了！请爹稍等片刻，我去去便回。"说罢，一溜烟出了偏殿。

看着儿子粗壮的身影消失在视线中,邓艾感到双肩着实轻松了不少。是啊,孩子已经长大成人了,而且天资聪慧,武艺不逊于自己,所欠缺的只不过是经验。待有朝一日扫平天下,君临万物,成为一代帝王后,便可放心将大位交于他手,自己也乐得过几天清静日子,那该是何等的惬意啊!

想到此处,他不知为什么,心里竟是没来由的一阵惆怅:难道……我真的已经老了吗?不,我没有老,在没夺取天下之前,我还不能老!不,其实我已经老了,要不怎么会渴望过安逸日子?

老与未老,不断交锋着……

邓艾缓缓走到一只木盒前,从里面取出一面雕琢得十分华丽的银镜,只见镜中映出一张既熟悉却又陌生的面孔来,额上那两道粗眉依旧威严肃穆,但却已斑白,脸部肌肉依旧硬朗不见松弛,却已是布满了错综复杂的皱纹。光阴如流,镜中之人早已非当年养犊少年,或初入疆场的青年将领,而是一名饱经风霜的老将了。

"唉……"

忽然,他感到有一团火在胸中燃烧起来,一种前所未有的感觉在体内不住地向上升腾着——老将便老将,那又怎样?恰恰就是我这老将,在不久的将来,成为新一轮的天下霸主!待到那时,天下有谁人还敢说我老?谁敢?谁……

不知为什么,他忽然想起了曹操,想起了那首著名的《龟虽寿》,便朗声吟诵了起来:"神龟虽寿,犹有尽时,腾蛇乘雾,终为土灰,老骥伏枥,志在千里,烈士暮年,壮心不已,盈缩之期,不但在天,养怡之福,可得永年,幸甚至哉,歌以咏志!……曹孟德写就此诗时的心境,想来当与我同!"一时间,脸上竟掠过一丝北人特有的剽悍之气。

他将那面银镜反复观赏了半晌,这才揣入怀中,深深吸了口气,缓缓地吐呐出来。此时此刻,四周静得出奇,显得十分安详。他的心同样很安详,抬头看向殿上的龙椅,他仿佛看到了不远的将来,自己坐在了洛阳皇宫之内,文武百官匍匐于脚下,殿外盈满万民的欢呼之声……

"天下三分,一统于邓!哈哈!哈哈哈……"邓艾笑得很欢畅。然后,他躺了下来,躺在了金银珠宝之间,闭上眼,缓缓进入了梦乡……

"大将军，你是说……邓艾要押着皇上去长安？"

"是护送。洛阳那边已经有命令下来，封咱们皇上为扶风王，要邓艾率军护送其北上，明日一早便启程。"

"明日一早便要启程？为何这般着急？"

"安插在成都的探子是这么回报的，想来应该没错，至于为何如此着急……暂时我也是想不通，总归有他的理由便是了。"姜维并没有将邓艾谋反的事说出来，以免性子急躁的董厥做出什么大胆的举动，令他的计划横生枝节。

"这个……唉！"董厥站起身，在房中焦急地踱着步子，大叫道："大将军，如果皇上真的被送去长安了，那咱们蜀国可就真的算是完了，即便是诸葛丞相从天而降也没得救哇！大将军，这可如何是好？"一听说刘禅将被送去长安，他立刻便慌了手脚，却又无计可施，急吼吼地在地上来回走动。

"敢问董将军，你可有什么好计策？"一旁的张翼忽然开口。

"我现在方寸已乱，会有什么好计策？"

张翼重重一哼，冷笑道："既然没有计策，就不要叫得那么大声，外面有魏狗把守，你想让大家一起掉脑袋？"

"你这说的是什么话？"

"人话！"

董厥一时语塞，一跺脚，坐回到椅子上。

这倒也怪不得张翼，他向来为人随和，说话极有分寸。然而如今皇帝要被带往北方，这一走，蜀国便真的完了，不免心烦意乱，又听到董厥只是一味大喊大叫，心中有气,不由得便出言讥讽,言辞间不免咄咄逼人。姜维却并不参与二人的争执,只是一味地低头喝茶,间或双眼紧闭,似乎是在思考什么。

"大将军,您倒说句话啊!"董厥急道。

姜维索性闭上双眼,来个不理不睬。

张翼快步来到姜维身旁,轻声道:"大将军,一国不可无君,如果皇上真的被送去北方,那咱们要想复国便是投鼠忌器……那邓艾急着启程,想来多少也是料到了咱们的计划,以防有变,才会如此地着急。依我看,事不宜迟,咱们今夜便该动手了。"姜维猛地睁开眼睛,眼瞧着张翼,"动手?如何动手?"

张翼似已胸有成竹:"如今钟会对我军的监视已然松懈,千夫长以上已经可以配刀于营中往来行走,这样一来,我和董将军便可各自召集死士数十名,趁今夜偷出城去,直袭成都,将皇上劫出后,立刻兴兵,杀尽魏狗,中兴我大汉!"

姜维不由得一阵苦笑,起身道:"那邓艾智计高强,手上一万精兵均是上选之士,只凭数十人便要从铜墙铁壁一般的成都劫走皇上?说起来容易,做起来却是难如登天。再者说,咱们兵器盔甲都还押在敌军手中,要发难对抗魏军,还嫌早了些。"张翼不由得大急:"大将军,难道咱们就这样算了?"

姜维拿起桌上的茶壶,缓慢地将茶水注入到耳杯中,缓缓道:"二位请不要慌张,皇上我定会将之留在成都,计已定下,想来明天一早便可见成效。"低头抿了口茶水。

董厥噌地起身,"大将军,这计是……"姜维挥了挥手,令其坐下,轻声道:"董将军不必多问,此计尚不可说破,待事成后便知。"董厥仍不甘心,走过去一把夺过耳杯,大声道:"大将军,现在都是什么时候了,还在这儿卖关子?你便将计策告诉我们,这样咱们也好有个心理准备,你这样装神弄鬼的……哎呀!真是急死我了!"不由得手臂乱舞,神情颇为滑稽。

此刻张翼倒是冷静了一些,伸手按住董厥的肩头,说道:"董将军,大将军既然已经有定计,必定是机密,我看咱们还是别过问的好,免得人多口杂,传到魏狗的耳朵里那可就糟了!咱们几人共事已有十余年了,大将军的话难道还信不过吗?"董厥瞪了张翼一眼,将耳杯交还给姜维,气呼呼地回到座位上,懊恼道:"大将军的话我自然是信得过,只是这当下的局势……"

姜维续了杯茶水,一口喝干,接着董厥的话茬道:"只是这当下局势混沌,人人都有自己的心思,什么事都不能说定,对不对?"顿了一下,看着欲言又止的董厥,笑道:"不过还请二位放心就是,当前局势仍在我的掌握之中。这样吧,二位且先回去暗中召集人手,以备后用,倘若我所料不差,复国之日不远矣。"

董厥、张翼不知姜维葫芦里究竟卖的什么药，只是见其一副成竹在胸的模样，心里虽充满了疑问，却又不好多说什么，无奈之下只得悻悻而别，各自回去准备了。

待二人走后，姜维取出酒，连饮了几杯，只觉得酒意上脑，一切似乎都变得有些朦胧了。他站起身在房中走了几圈，将已盘算好的计划反复思索了几遍，不禁暗自叹了口气，只觉得刚才所说的"局势都在掌握之中"云云，不过是自欺欺人而已。现如今这般局面，变数纷杂，一切都尚无定数，只能是见招拆招，随机应变罢了，但盼上天垂怜，令汉室不绝于此，便是万幸。

想到此处，姜维再次叹了口气，口中喃喃自语道："如果丞相尚在人世的话，他会如何做呢？"下意识的，他的手摸了摸怀中那件珍藏了多年的物什，那是诸葛亮临死之前留给他的。

"不到万不得已，切莫使用……"诸葛亮临死之言犹在耳畔萦绕。

姜维似乎有所醒悟，猛地站起身，来到书案边，取出一只绿色的锦囊，将那件物什装了进去，然后仔细收入怀中。做这些事的时候，他不住地在心中暗自祈祷："希望这只锦囊不要落入他人之手才好，尤其是钟会的手中，否则……"

"嚓！"

钟会擦亮了一只火褶，书房的一侧墙上立时多出了几道长长的影子。他将蜡烛点上，尖着嘴唇将火头吹熄，一股青烟从他的唇前飘过去，化做龙形袅袅上升，最后消散在了冰冷的空气之中。

"你们三位，来这边已经有几时了？"钟会将火褶丢在一旁，眯着眼审视面前的三人。"回主子，咱们上个月十一进驻到涪城，到今日，唔……我算算啊……也快有一个月了吧？"其中一人回答道。

钟会又问："这一个月来，你们对此处，可有什么掌握？"

一道瘦长的身影上前跨出一步，拱手道："回主子，咱们这十万大军，三成来自河洛，三成来自淮南，余下四成则是西凉兵。河洛兵跟随主子转战已久，忠诚可靠，可用之。淮南兵虽非主子麾下，但其对司马家尚无认同，可拢之。西凉兵久为司马家而战，其心志不易动摇，乃是咱们成事的巨大阻碍，当除之。"

"哦？"

钟会的嘴角忽然向上扯起一个优美的弧度，缓缓道："河洛之兵可用……淮南之兵可拢……西凉之兵当除之……钟偃，你这见解倒是一针见血啊，看不出来，你随我行军多年，倒练就独当一面的本事了。"

“多赖主子教诲。”

“从洛阳带来的那些弟兄们，如今情况如何？”

“已依照主子的吩咐，将弟兄们安插到了各个军营之中，或为主簿，或为司马，以进一步笼络军心。”

钟会点头赞许道：“很好！兵为将之本，得军心者方能一战，好！不过，现在时机尚未成熟，此事千万要小心谨慎，万勿使他人起疑……你回去传令各军，明日一早，咱们便往成都进发，要兄弟们多参与各军的指挥，广布人脉，以为将来举事做准备，听明白了吗？”

“末将明白。”

钟会轻拂衣袖，侧身子问另一个人道：“杨针，那件事情办得如何了？”独眼龙杨针上前一步，拱手道：“回主子的话，主子吩咐的事情已经办妥了，给卫瓘三百人，全部都是挑选过的，绝对万无一失。”

钟会笑道：“很好，只是那痨病鬼有没有说些不中听的话？”

“卫瓘倒是没有什么特别表示，午后便已率军南下了，看来是要在明晨之前阻止住邓艾军北返。”

钟会想了想，口中喃喃自语：“这痨病鬼倒是个急性子，片刻也不耽搁啊！只是可惜……”说着，似乎是想起了什么，说道，“杨针，你可介意为我走上一遭？”

“主子的意思是……”

“我要你尾随卫瓘去一趟成都，为的是以防万一……我总觉得事情没有那么简单。”

“以防万一？”

钟会站起身来，拢了拢长衫，将半张脸藏在黑暗之中，冷冷说道：“对，以防万一！你便在龙虎营中找一些好手一同前去，记住，别让那人活着离开，听明白了吗？”杨针略一思索，便已明白“那人”指的是谁，当下抱拳道：“明白，末将定会做得很干净。”

钟会满意地点点头。

他正要遣那三人离开，却听到一旁的匈奴左贤王刘信上前一步，大声道：“启禀主子，在下来这儿一月有余，还无任何建树，这等动刀动枪的事用不着杨将军出手，便给在下去办吧，包准妥贴。”钟会微笑道：“不，左贤王，这事还用不着你，眼下倒是有另外一件事，要你去办。”

刘信是个好勇斗狠之徒，几天不打架，骨头缝里便发痒，仿佛有无数只蚂蚁在爬一般，别提多难受了，巴不得能有个人让他动手揍一顿，酣畅淋漓地打上一场。可来到涪城这些日子，每日里只是吃吃喝喝，早就憋闷坏了，听闻有事可办不禁大为兴奋，赶忙道："主子，主子！是什么美差需要在下去办？敢情是要对付邓艾？还是要对付那痨病鬼？我一把就能把他们的脑袋给扒拉下来！"

谁知钟会却摇了摇头，只说了两个字："对内。"

天气渐渐转寒，已是入冬了。与其他地方不同，蜀地冬季并不寒冷，只是微有凉意而已。冬夜湿气升腾，星月尽隐在云层之后，浓雾之中，远山猿猴哀啼，伴着千年泯江的滚滚涛声，斯情斯景，令人仿佛再度置身于巴蜀上古之国，蚕丛、鱼凫、望帝、鳖灵等伟大帝王的英灵，依旧眷顾着这天府大地。

此时此刻，官道之上，一小队人马拨开沉重的夜雾，正向南疾行着。

"大哥，依你这么说来，钟会他……也起了反意？"

卫瓘坐在大车之内，喝了口汤药，咂巴咂巴嘴唇，叹息着道："咳……可不是嘛！钟会这小子，从小便十分聪明，我还记得曾有一次，文帝要钟繇携二子晋见，当时钟毓十七岁，钟会才十一岁，面见皇帝时，钟毓满面大汗，文帝便问：'卿面何以汗？'钟毓答道：'战战惶惶，汗出如浆'文帝笑了笑，又问钟会：'那卿又何以不汗？'钟会却答：'战战栗栗，汗不敢出。'咳……"

卫璜不禁大为感慨："若论钟会的机智聪敏，也算得上是难得了，只不过，如此头脑却不用于正途，实在是可惜了！"

卫瓘点头道："仲玉说得对极，若论机智，钟会在这世间倒是罕有匹敌。听说又有一次，钟繇白天睡觉，钟毓兄弟便趁机摸进父亲的房间，偷饮药酒，钟繇虽察觉，却假寐观察二子的行径，只见钟毓是拜而后饮，钟会却是，咳……却是饮而不拜。钟繇便起身，责怪二子偷酒，又问钟毓何以拜，钟毓答：'酒以成礼，不敢不拜'，钟繇又问钟会何以不拜，钟会却答：'偷本非礼，何以为拜'。世人便多以这两件事分别钟氏兄弟的高低，说钟毓年长，性格忠实敦厚，钟会年幼，性格机敏跳脱，咳……以他这般性格，必不愿久居于人下，但却怎么也没想到他竟是如此狼子野心！他伪造邓艾的上书，又称邓艾'结好蜀人，阴谋造反'，依我看来……那该是他自己的写照才是，咳……"

"大哥，如今钟会手握十万大军，又和姜维交好，倘若真的有变，必定天下大乱。大哥您何不马上出示主公手谕，就地擒之？"

卫瓘却摇了摇手，苦笑道："不，仲玉，事有轻重缓急，钟会虽有大军，但其军士来自各地，未必便肯随钟会造反，钟会如果真要起事，势必还得花些功夫掌控军队才行。至于姜维，更是深藏不露，葫芦里究竟卖的什么药，目前还不得而知，相信钟会也深知此点,所以更要谨慎,不到万事俱备不会出手。倒是,咳……倒是邓艾,洛阳诏书昨日才到,便听闻他今日便要班师,其行事既快且狠,若不能立即制止,必酿成大祸。举例言之,钟会便如常山之蛇,其牙虽毒,但若掐其七寸则无所作为。而邓艾却如那戈壁之狼,必斩其首,方能制服。咱们现在,便要先擒狼,咳……"

兄弟俩正闲聊间,车子忽然停住不前,帷幕被揭开,一名瘦小的士兵探头进来,说道:"启禀卫大人,前面已到了黄丘,离成都城不过五里远,此处有邓艾之前下的营寨,可稍做歇息。"

卫瓘点了点头,便在卫璜的搀扶下走下车来,刚一站定,一股冷风袭面,激得他又重重地咳嗽了几下,卫璜忙伸手要帮他锤背,却被他一把推开,说道:"咳……仲玉,先不要管我了,你快带人将这营寨重新整理一下,以迎钟会大军的到来。"

"钟会会领兵前来?"

卫瓘微微一笑:"按我的吩咐便是了。"

"是……那大哥你呢?"

卫瓘扶了扶被风吹歪的头冠,说道:"咳……我领着六个人进成都去。"卫璜不由得大惊失色,叫道:"六个人?大哥,邓艾拥兵万余人,仅凭六个人怎么能拿得下他?我看咱们还是全军杀进去较稳妥啊!"

卫瓘不禁仰天长笑,但那笑声旋即便被剧烈的咳嗽声给打断。只听他喘着粗气道:"咳、咳……呼……仲玉,你既然已经知道钟会要反,却还说出这等话,你以为钟会给我三百人擒邓艾是安着什么样的心?这三百人全都是精挑细选过的老弱残兵,根本不堪一击!钟会要我带着这支人马去擒邓艾,分明就是要借邓艾之手杀我,然后他便,咳……便可以打着邓艾'擅杀朝官'的名义,名正言顺地将邓艾拿下,独霸蜀中。这是钟会最擅长的'借刀杀人'之计,难道你还看不透吗?"

卫璜不禁打了个寒战,颤声道:"既然如此,那……那……咱们便该立刻上奏朝廷,否则这般腹背受敌,咱们势单力薄,只怕……"

卫瓘忙挥手止住他的话头。

这时就见一名卫家亲信牵了马匹过来,卫瓘翻身上马,笑道:"看来你读书脑子都读得呆了!现在都什么时候了,还要上奏朝廷?咳……你便放心留在这里便是,我早在邓艾身边埋好了伏子,你便等着瞧,便凭这六人,我也要擒下邓艾来!"

"可是……"

"不要再说了!"

转瞬间,卫璜一行七人已朝成都疾驰而去。

此时天地间一片黑暗，雾气正盛，高大巍峨的成都城在浓雾之中隐约可见，有如冥城一般，令人心悸。七人七骑很快便消失在了雾气之中，只有"得得"的马蹄声不断传来。

望着眼前的漫天大雾，卫瓘不知怎地，忽然觉得内心中没来由的一阵不安，仿佛即将有惊天动地的大事要发生似的……

距离成都城不到半里的地方，卫瓘生怕守城士兵听到马蹄声，便下马改为步行。七个人牵着马踏着夜色深一脚浅一脚地行进着，好不容易到了成都城下。卫瓘刻意避开北门（正门），循小道往西前进，穿过一小丛树林后，已到了成都西北。这一带被称为"相如邑"，据说是昔日大文豪司马相如的故居。几人渡过一条小溪，又来到了成都城墙边，数十丈的城墙矗立在黑暗之中，更加显得雄伟可畏。

此时正是寅时，天色仍暗，仅有零星犬吠之声自远处传来。卫瓘等人自紧闭的西北大门下走过，只见旁边一道小门半掩，一名武将全副盔甲直立在门前，似乎是在等候着他们的到来，其身后还跟着两名士兵。

那武将见到卫瓘等人，立刻上前躬身行礼，小声道："监军大人，久候了。"卫瓘略一欠身，"有劳将军了。"

"这边请。"

"请。"

卫瓘等人便随着那名武将进了城，随行士兵左右看了看，然后将那小门关上。黑暗之中，众人穿过几条狭窄的巷弄，来到一间小小的衙门里，那名武将率先上了殿，请卫瓘上座。此时衙门里空无一人，那武将做了个手势，士兵赶紧将门关上。

那武将道："卫大人远来劳顿，且先歇息。"

"咳……将军可收到了我的书函？"

那武将躬身道："已经收到。启禀大人，自进入成都以来，那邓艾的行迹便十分可疑，不但收受宦官黄皓大笔黄金贿赂，又与蜀国后主刘禅来往甚密，末将虽有疑惑，但始终不敢揭破，直到得知大人入蜀，并以密函告知，这才明白。多亏有大人点破，才知道邓艾的奸谋，现如今有大人前来主持大局，一切便都好办了。"

卫瓘微微点头，问道："此事可否保密？"那武将道："大人尽管放心就是了，末将谨慎小心，除了现在在这个衙门内的人之外，并无半分泄露。"卫瓘的心总算放了下来，长出了口气道："辛苦你了，师将军。"

那人赫然便是师纂。

师纂急忙上前一拜："谨遵大人吩咐。"

卫瓘示意其免礼，又咳嗽了一阵，这才从袖中取出一只竹筒，里头卷着一叠纸张。卫瓘将这些纸张摊在桌上，说道："师将军请看，这里有六道我手作的檄文，但只怕邓艾手下将领不信服，故尚需要你的背书。请你在每道檄文上盖上大印，然后交由我手下这六人分送往邓艾中军以外各营，要各将领速来此地听令。此事务必在卯时之前办妥，切勿怠慢。"

师纂大致看了下，随即便吩咐随行士兵将军印呈上来，在檄文上一一盖上了印章，又从怀中取出六枚军令，分发给卫瓘的六名随从："有此军令，便可在营中自由通行。不过，邓艾耳目众多，需小心谨慎，切勿败露了形迹。"

那六人领过檄文，一齐行礼称是，转身出了衙门。

待那六人走后，师纂赶紧走到卫瓘身旁，低声问："大人，此计……行得通吗？"

卫瓘一边咳嗽着，一边道："咳……你给我的书上写明了邓艾军中的情况，除了你和邓忠之外，便属，咳……便属牵弘、王颀、杨欣三人最受邓艾倚重，这三人久在陇右，对邓艾忠心耿耿，其各率一营属于中军，乃是邓艾的死士，难以撼动。其他各军将领，田续、马应、梁浩、张成，咳……周默、皇甫陵等虽为邓艾手下，但毕竟不是死党，据说田续与邓艾还颇有些过节，这等将领一觉睡醒，接到檄文，加上又有，咳……又有师将军的背书，无法细思之下必会从命，则邓艾之军十去七八，咱们只要在中军将领反应过来之前，先拿下邓艾，待钟司徒大军一到，便大事可定矣！咳……"

师纂见卫瓘面色苍白，说话有气无力，且咳嗽连连，一副病秧秧的样子，心头不禁惴惴，但事已至此，也只能静观其变了。

没过多久，便听到衙门外传来一阵脚步声，有人正朝这边走过来。

只听一个粗豪的声音大声道："他奶奶的！你们说太阳打西边出来都还比较可信，我跟了邓征西也有三年多了，打死我也不相信他会反……皇甫小子，我现在脑子有点乱，你说这倒底是怎么一回事？"

另一个较沉稳的声音道："老马，我自然是不会怀疑咱们都督对朝廷的忠诚，不过，据他们说朝廷已经派了个大官儿下来，而且檄文也都写了，还有师将军的背书，师将军说的总不会错吧？"

之前的声音道："你这小子太不醒事了，也不看个仔细，万一是有人冒老师的名呢！……拿来我再仔细看看……咦？还真是老师的印啊！我刚才没看清就赶过来了，这下子……唉呀！这该如何是好？不会是……有人伪造军印吧？"

说话间，衙门大门"吱呀"一声被推开，一高一矮两名将领大跨步走了进来。这两人都穿着便服,睡眼惺忪,头发散乱,显然是在睡梦中被人叫醒,便匆匆忙忙赶了过来。

那名身材高大的将领一见到师纂,便立即冲到他面前,大声道:"老师,原来你真的在这里,我还以为这印是别人伪造的呢!"师纂点了点头,说道:"的确是我的印章。"然后转身指着卫瓘道:"老马,这位便是朝廷派下来的监军卫瓘卫大人。卫大人,这位便是马应马将军了。"

马应上前草草行了个礼,随即大声道:"卫大人,我马应是个粗鲁武夫,有话便直说,不会弯弯绕。我不知道洛阳的那帮大官儿在想什么,我随邓大都督出生入死,好不容易才灭了蜀贼,现在上头却一道命令下来说邓大都督造反,这叫人怎么能心服?即使是师将军服了,我马应还是不服,倘若真要擒拿都督,我马应一定会反对到底!"

卫瓘虚弱地笑了笑,温言道:"咳……请马将军少安毋躁,先休息一下,稍待片刻,等其他几位将军来了再议。"那名较矮的年轻将领立刻上前一步道:"卫大人,末将皇甫陵,愿遵从大人吩咐。"

马应一听,一下子炸了,转过身跳着脚冲皇甫陵大吼:"皇甫小子!你他妈是个白眼儿狼!你对得起咱们都督吗?你这样不就是承认都督谋反了?是不是啊?你说啊!……看我非揍你个跪地求饶不可!"便要动手去扯皇甫陵的头发。师纂赶忙上前拉住马应,劝解道:"老马,冷静一些,万事好商量。"

"商量?商量个屁!有人在诬陷都督造反,还有什么可商量的?皇甫小子吃里扒外,该揍!"

皇甫陵却不为所动,表情冰冷地说道:"马将军,'吃里爬外'的罪名我可是担当不起。我对都督并没有半分怀疑,但大人是朝廷派下来的监军,不论如何,服从朝廷的命令总归是没错吧?"

"妈的!你这小子……看我回头再收拾你!"马应虽然嘴上不饶人,但已经没有之前那么冲动了。

便在此时,衙门口又走进来三名将领,分别是梁浩、周默、张成。

梁浩扫视全场,见卫瓘一身士大夫的打扮,知道是朝廷派来的大官,便立刻冲上前去,一把揪住卫瓘的领子,怒喝道:"你他妈的朝廷狗官,我们在这里拼刀拼枪,流血流汗,你们这帮鸟人在洛阳里大酒大肉,等事成了再给我们扣上一顶造反的帽子!妈的!我的妻小都还在洛阳,要是敢动他们一根汗毛,我这就要你这狗官抵命!"

师纂忙上前想将梁浩拉开,口中喝斥道:"梁将军不得无礼!这位是卫大人,朝廷的命官。"梁浩就是不放,张成和皇甫陵也上来帮忙,衙门内顿时变得一团乱糟。马应在一旁眉开眼笑,拍手道:"好啊! 好啊! 掐死这狗官再说!"

众人又撕巴了好一会儿,卫瓘这才挣脱出掌握,抚着被捏疼的喉咙,大声咳嗽着,好半天才透过气来。他挥了挥手,喘息道:"呼……咳、咳……梁将军,我想你是误会了,我这次前来,只,咳……只是为了邓艾一人而已,各位只要不抗命,便一律不涉,倘若能协助平乱,自然另有封赏,咳……将军说妻小在洛阳云云,实在是多虑了……"

梁浩听他这么一说,立时便静下来,瞪着卫瓘,问道:"此话可当真?"

卫瓘道:"咳……半点不假,半点不假啊,司马公要的人是邓艾,又怎么会殃及无辜呢?各位都是国家的栋梁,安心便是,安心便是,咳……"

梁浩这才点点头,似乎是松了一口气:"如此便好,刚睡醒,脑子有点乱,一看到檄文,还以为是上头要灭我全家呢!没事便好。"

"那么,梁将军是愿遵诏令了?"

梁浩犹豫了一下,躬身道:"遵命便是……只是刚才因为一时情急,对大人动了粗,还望大人莫怪才是。"

卫瓘笑道:"不知者不罪。"说着,又看向一旁的张成和周默,问道:"咳……那么这二位将军,意下如何?"周默看了一眼卫瓘,将目光投向师纂:"老师,都督真的要造反?"

"我仅是遵从上意而已。"

周默却是一拍胸脯,大声道:"师将军,我周默追随都督已有六年,只知道他为国杀敌,忠肝义胆,对朝廷从未有过半句怨言。现如今敌人灭了就说他要谋反,这算是怎么一回事?虽然卫大人是朝廷的官,派下来擒拿都督是朝廷的命令,但我周默就是不买这个账,你们又能拿我怎么样?"

师纂冷然道:"周将军,违抗朝廷的命令便视作与乱者同罪,轻者斩首,重者灭九族。你这样做,会有什么下场,还希望周将军三思啊。"周默不由得一阵冷笑:"斩首怎地?灭九族又怎地?都督待我恩重如山,我又怎能因为贪生怕死出卖他?"

卫瓘咳嗽了两声,转头问张成:"那么,张将军呢,阁下也是不愿从命?"张成生得面目黝黑,面皮上布满了横七竖八的伤痕,一望便知是一员悍将,只听他沉声道:"我不信都督会反。"言辞简洁明了。

马应在一旁插嘴道:"照啊!都督素来对朝廷忠心耿耿,更何况,现在成都之兵不过万人而已,能做些什么?我看朝廷一定是弄错了,或者是听信了小人的谗言,才误以为都督要造反。"

卫瓘起身下座,在衙门内来回走了几圈,缓缓道:"咳……我知道各位追随邓艾已久,对他素来信服,有此反应实在是正常不过。相信各位都知道他向来喜兵行险招,且为人智计多变,非寻常,咳……非寻常人所能料想。这回他要密谋造反,更是费尽了心思,你们又怎能看得出来?"说着,便将邓艾如何以上书诱司马昭往长安,如何趁班师回朝时发动兵变,如何与朝中某人合谋等事说了一回,却故意略去"贾充"的名字。诸将听他这么一说,立刻个个目瞪口呆,难以置信。

卫瓘看众人的表情,似乎已是信了五成,便趁热打铁道:"咳……司马公下了密令,由我带给钟会大人,咳……钟都督接令后,本要率大军直扑成都,但我怕因此闹得自相残杀,因此求钟都督让我先入成都,擒住邓艾。咳……诸位可得好好想想,不要站错了队,最后闹得身败名裂可就不值了。"

卫瓘一席话,说得有板有眼,诸将不禁面面相觑。他们追随邓艾已久,深知邓艾的行事作风,卫瓘所述之计策虽然匪夷所思,但的确像邓艾一贯的手法。原本就无意抗命的皇甫陵和梁浩立刻上前一步道:"既然如此,末将愿遵从监军的命令,擒拿反贼。"

嗓门儿最大的的马应,此时已是寂然无声,眼睛望着某处虚无,也不知道在想些什么。周默则双手抱头,来回踱着步子,似乎也是难以抉择。张成思考了许久,原本已是往前跨出一步,但是想了想,又收了回去。

"卫监军说得没错,邓艾确实要造反!"

一个声音自门外传来,众人急忙回头望去,只见田续甲胄整齐,大跨步走进衙门来,下拜道:"监军大人在上,末将田续愿为前锋,为皇上擒拿反贼!"

周默立刻指着田续,大声道:"田续!你胆敢说出这等话来,可有真凭实据?"马应也在一旁冷笑着应和:"田将军,我看你是因为在阴平小道上被都督断了一指,怀恨在心,才会如此说吧?"

田续却并不着恼,起身道:"田某敢这么说,自然是有所依据。诸位将军不妨仔细想想,师将军向来为军中支柱,为何不随军北返?不就因为他是司马公亲遣的行军司马,邓艾才要将他排除在外吗!班师北返本为大事,何以如此急躁?不就是邓艾那厮怕夜长梦多,想早日成事吗!而且,我之前已经找探子查问过了,陇右一带明明安定无事,邓艾却偏说羌乱复萌,要咱们于北返途中保持戒备,凡此种种,岂不正坐实了卫大人之言?邓艾将反,我不顺从王命,难道要跟叛贼一同作乱不成?诸位请听我一言,大义当前,可不能再犹疑了,免得最后弄得身败名裂,死无葬身之地!"

他这一番话合情入理,有依有据,说得众人均无从反驳。

语毕,田续上前一步,与皇甫陵、梁浩同列。张成一语不发,慢慢地走上前去,朝卫瓘行了个礼,然后退到了一旁。周默与马应对视了良久,最终只得叹了口气,上前向卫瓘行礼，与其他诸将并列。

卫瓘见状，知计谋已成，拍手大笑道："咳……很好，很好，这才是我大魏的忠臣！"说着，回到座上，拿起手上符节，下令道："列位将军既然心意已决，那便事不宜迟。列位且先行回各自营寨，约束本部士兵，倘若有争战，不得参与，便是大功一件。咳……师将军，便请你回营率一百人，随我去擒拿邓艾！"

师纂见事情进行顺利，之前的顾虑一扫而空，急忙躬身道："谨遵大人吩咐！"

风冷，天暗。蜀宫内死一般的寂静。这里不久之前还是灯火辉煌、莺歌燕舞、戒备森严，但此时却是说不出的清冷，令人有恍如隔世之感。但很快，这寂静便被一阵由远而近的脚步声所打破，那脚步声发自迴肠廊。下一刻，只见一条人影自廊内冲出来，朝着偏殿疾奔而去……

高手之间的棋局，胜败仅在半目之间，一个微不足道的疏忽，往往便是无从后悔的昏招。斗智也是如此——邓艾殚精竭智所设计出来的大计，几乎已过了八成，却因为一时松懈，眼看着就要陷入到万劫不复的境地。

但那仅仅只是"眼看"而已，最后一子落定之前，谁又能预知胜负？

师纂与卫瓘率领着百余人直趋蜀宫。此时天色微明，街市上尚无人迹，士兵皮靴踩在青石板上所发出"喀喀"之声，听起来格外刺耳。一大队士兵来到宫门前，戍卫士兵方才交接过，见领头的是师纂，慌忙迎上前来。

师纂问道："邓都督可还在宫内？"那士兵忙答道："启禀师将军，都督昨晚和邓小将军在偏殿内饮酒作乐，至今尚未出来。"

卫瓘闻言，笑着对师纂道："瞧瞧，邓艾这厮得意忘形了，自以为，咳……自以为大计已成，便卸了防备，实在是天助我也！"师纂点点头，对身后士兵下令道："第一队随我入宫，第二队守在宫门前，如果有任何人出宫，务必擒下，不得有失！"

"是！"

随后，卫瓘和师纂便率士兵奔入了宫门，一干人穿过午门校场，进入蜀宫正殿。倘若在平日，此时刘禅已在殿上主持早朝了，但此刻蜀国皇帝及一干文武重臣均被软禁于后宫，殿上空无一人。师纂等人转入迴肠廊，来到偏殿，只见殿门虚掩，并无半个卫兵守卫，想来都已被邓艾给遣散了。

师纂做了个手势，示意全军戒备，然后和卫瓘交换了下眼神。在卫瓘的示意下，他拔剑在手，大步向前，一脚踢开那扇虚掩的殿门，大喝道："大魏行军司马师纂，奉旨擒拿反贼邓艾、邓忠,逆者格杀勿论!兄弟们,给我上!"

"是!"

众军士得令,一声虎吼,同时拥入殿内,就见殿上放着两张长几,几上杯盘狼籍,十多只人头大小的酒坛子或躺或立地散布在周围,空气中弥漫着一股浓重的酒气,令人闻之欲呕。然而,令人惊讶的是,殿上并无半个人影——饮酒之人早已不知去向。

这便是邓艾的最后一步棋?

众军士见此情形,不禁面面相觑。

师纂和卫瓘随后步入大殿,见状不免大吃了一惊,尤其是师纂,霎时便觉得口干舌燥,一颗心仿佛要从嗓子眼儿里跳出来似的。只听他喃喃颤声道:"没……道理呀!这件事安排得这般隐秘,那厮怎能……怎能得知?莫非……莫非他真的有鬼神庇护?没道理呀,没道理……"他猛然想起和邓艾并肩作战时的情景,回忆起邓艾那神出鬼没的奇谋,背上便不由得出了一层冷汗。

卫瓘也是愣在了当场,隔了好半晌方才回过神来。他忽然低声问:"师将军,咳……随你接我入城的士兵有几人?"

师纂此刻已是心神大乱,哪里还记得这种事情,哑着嗓子道:"管他娘的有几个人,邓艾这厮心狠手辣,且智比鬼神,咱们秘密布置下的死局还是被他给破了,咱们斗不过他啊!斗不过啊……"

卫瓘却摇摇头,思索了片刻,猛然道:"我记得是两个人!咳……师将军,今日一早在城门边跟着你的士兵有两人,但是到了衙门里时,却只剩下一人!"师纂蓦地醒悟过来,回头道:"那是李君!他自请殿后,留守城门,难道那人是……"卫瓘点了点头:"现在想来,那个叫李君的应该便是邓艾在你身边暗伏的棋子。咳……邓艾疑你久矣,岂会毫无作为?是咱们低估了他!"

师纂闻言更是惊惶失措,双股颤栗:"倘若……倘若如此,那么邓艾早已走远,此刻他定已设下极可怕的计谋……吾命休矣!"

此刻卫瓘仍保持着冷静,见师纂这般模样,不禁暗暗叹了口气,心想:先前只道此人虽然无甚谋略,但战场杀敌却是把好手,算得上是个栋梁之材,本想在主公面前替他美言几句……没想到只是个懦夫而已,这样的人和邓艾相比,差着何止十万八千里!是我看走了眼。只是……现在这种情形,又该如何是好呢?

想到此处,卫瓘转身走近长几,只见几上翻倒着一只酒杯,酒水正顺着桌檐直注向地面。他又拿起翻倒的红烛,烛心柔软,尚有微温,显然是刚熄灭不久。卫瓘急忙转身对师纂道:"师将军,现在可不是惊慌的时候,咳……照这儿的情况看来,邓艾刚走不久，而且，咳……走得匆忙，现在追赶，还不算迟。"

师纂方寸已乱，闻言只是半信半疑，皱眉道："卫大人，即便邓艾走得不远，也难以擒他。这蜀宫如此之大，他只要找个隐蔽的宫室躲藏起来，咱们人手不足，不能搜遍整个蜀宫，他再伺机联络邓忠等人，明年的今日，便是咱们的祭日啊！"卫瓘的嘴角浮现出一抹笑容，缓缓道："何必搜遍整个蜀宫？依我所料，他只有一处可去。"

"何处？"

卫瓘轻咳了一声："中军。"

太阳初升，蜀宫东苑边墙，邓艾正脚步蹒跚，扶着墙壁缓慢地向前移动着。他身上未着盔甲，发髻散乱，双眼中布满了猩红的血丝，浑身上下散发着一股难闻的酒气，原本一代名将所拥有的霸气早已丧失殆尽，此刻的他，只不过是一个被宿醉折磨得头痛欲裂的酒鬼，挣扎着为自己寻找一线生机罢了。

邓艾一边行进，一边咒骂着自己。酒乃穿肠毒药，这道理人人都懂，但就是没人能克制得住，他为行军禁酒一年，没想到那欲望不但没有消减，反而如久蓄之水，一旦溃堤，则漫天盖地，势不可挡。洛阳送来的缥清酒为天下首屈一指的佳酿，但同时也是世间数一数二的烈酒，寻常人三碗必醉，五碗必倒，倘若能撑到七碗便是一等一的海量了。昨夜邓艾父子俩一口气喝干了十一坛缥清酒，其酒力可想而知。

邓艾痛苦地喘息着，回想起刚才的情景，仍不免心惊肉跳——他安插于师纂身边的棋子李君，忽然火急火燎地奔进偏殿，用力地摇醒他，语速极快地说了一大串话。朦胧中，他只听到"卫监军"、"师纂"、"谋反"等字眼儿，却丝毫不得其意。他想叫李君说得再清楚一些，但声带却像是被剪断了一般，挣扎了半天竟发不出半点声音。他最后听到的是"快逃"两个字，然后便被强行推出了门外。

门外冷风扑面，令他稍微清醒了一些。虽然他依旧弄不清楚到底发生了什么事，但在战场上磨炼出来的敏锐直觉告诉他，危机，正一步步朝着自己逼近。他知道此时此刻自己最需要的便是保护，而唯一安全的地方，就只有中军驻扎的丞相府了。

成都蜀宫是仿照长安未央宫的样式而建，论宏伟虽然不及中原故宫，但因蜀中地广人稀，其占地规模反倒要比长安宫要广大得多。东苑乃是供皇帝、太子等一干皇族练习骑射武技之用，单其边墙便长达三里，唯一一道出入门户开在边墙正中，俗称"出师门"，乃是一座高大得异乎寻常的门楼，外面正对着的便是丞相府了。昔日诸葛亮曾在此门向后主刘禅上出师表，因此而得名。

此刻，邓艾扶着墙艰难地前行着，冰寒的朝露浸透了他的衣衫，使他全身发颤。他已走出了好一段距离,出师门那高大的城楼于晨雾中已清晰可见。他很想走得再快一些,但每踏出一步,全身的关节便如万针齐扎,剧痛无比。这一路上,他不止一次地对天发誓:从此以后再不饮酒——如果能逃过此劫的话。

出师门越来越清晰了。邓艾深吸了口气,勉强稳定住思绪,心中不住地为自己打气:只不过十几丈的路途而已,捱过了便是海阔天空……只要我邓艾拿到军队,便是天大的乱子也无所畏惧……此时可千万莫要慌乱,千万莫要着急……然而他却没有发现,前面不远处的雾气之中,影影绰绰的出现了十几个人影。

他们是谁?

一个阴侧侧的声音忽然自雾气中飘出来:"麒麟入栏成牛畜,蟠龙落井类蛇鳗!想不到咱们堂堂的征西大将军,也有这般落魄的光景,啊?你们说是不是?哈哈哈……"紧跟着便是一阵轰笑。

邓艾大吃了一惊,急忙抬起头,只见十几个人影从雾气中缓缓浮现出来,当先一人一身皂衣,身材瘦长,是个独眼龙。此人面上带着一副似笑非笑的神情,充满了戏虐意味的独眼不住打量着他,正是刚才说话之人。

邓艾深吸了口气,稳住身形,哑着嗓子道:"你……你是何人?胆敢拦阻本都督的去路,还不快退开!"

那人拱手道:"在下杨针,乃是钟都督家门客。"

"呼……"邓艾重重地吐出一口气,强压着恐惧,问道,"可是钟会要你们来取我的性命?"杨针却摇了摇头,笑道:"非也,在下是为了另一个人而来,并非为了大将军。"

听他这么一说,邓艾心头略微一松:"既然如此,阁下何必挡我去路?"

杨针忽然阴险地一笑,缓缓道:"我家主子原本的意思,是要借阁下之手除掉那个人,我来这里只是为了以防万一,怕他狡猾多诈,阁下如果放了他,那便由我代为下手,断不能让他活着走出成都。可是万万没想到啊,都督您竟然如此不济,不但没能杀掉他,反而被他逼得如同丧家之犬!现在估计他已手握重兵,再去杀他已是来不及了,在下无可奈何,只好擅自做主,改取都督的首级,也好回去有个交代。"说罢,手一招,身后十余人奋力上前,将邓艾给团团围住。

邓艾心中叫苦不迭,却又无计可施,只得拼命站直身子,做出一副无所畏惧的神情,使对方不敢贸然出手,以此来拖延时间,待得那人一到,形势便可逆转。然而,此刻他的身体却如同灌满了铅,别说是直身,就连说话都十分吃力。无奈,只得嘶哑着叫道:"邓某人便是落魄,也比你们这些狗辈强上十倍、百倍!俗话说,'瘦死的骆驼比马大',哪个不要命的,尽管放马过来便是!"说着,身子一晃,竟险些摔倒。

"我说邓大都督，你可别忘了还有那么句话，'脱毛的凤凰不如鸡'，所以话可不能说得太满啊！"

杨针见邓艾一副摇摇欲坠的模样，仿佛轻轻推上一把都能把他撂翻在地，料想他如果不是身染恶疾，便是宿醉未醒，嘴角不由得勾起了一丝邪笑。不过他毕竟是经历过大风大浪之人，邓艾看起来虽然虚弱不堪，可焉知那不是诡计？他可不愿以身犯险，当下对一干武士喝道："主子有令，杀死邓艾者赏银五千，官升三等；生擒者，赏银一万，尊为龙虎营统领！何人愿去打头阵？"

钟会素来狼子野心，造反的事已是酝酿了许久，很早便开始广收门客，充实羽翼，并于府内设龙虎营，命杨针主持，广招武艺高强之士，供其衣食，以做爪牙。这回钟会将于蜀中起事，便一封信将龙虎营内的好手尽数招来，以备不时之用。

龙虎营武士大多是江湖上的亡命之徒，或因走投无路，或因贪图荣华富贵而投身钟会门下，平时除了习武喝酒外无事可做，此刻听到有升官发财的机会，都是大为兴奋，杨针话音刚落，就见一胖一瘦两名武士抢先出列，只听其中那胖子道："杨头儿，这老家伙醉得跟一滩烂泥似的，咱兄弟俩不用三招，就要他束手就擒，只是我们是兄弟二人，到时候咱们龙虎营可要设个副统领了！"

杨针微笑不语，双手交叉于胸前，退到了一旁。

胖瘦二人向邓艾步步逼近，那瘦子狞笑道："在下久闻邓征西的大名，今日一见，不胜欢喜，还请邓大都督多多赏脸才是！嘿嘿……你给我去死吧！"说着，便伸手向邓艾的手臂猛抓过去。

"鼠辈！"邓艾大喝一声，一拳朝那瘦子打过去，忽觉眼前一花，对方竟已闪到右侧，伸手扣住了自己肩头。他知道碰上了搏击好手，立刻沉肩卸去这一扣，紧接着一记肘锤向后撞去，硬是将对方逼开一步。待要追击，忽觉腰间一紧，竟已被胖子从身后牢牢抱住。他毕竟久经阵仗，虽惊不乱，当下一个弓身，让胖子无法施力，随即一记旋肘，正中对方面门。这一肘他用上了十成力道，胖子一声惨叫轰然倒地，就此不动了。

瘦子趁机一拳挥出，正中邓艾腹部，使其连连倒退，直到后背撞到墙上才止住。只见邓艾手捧腹部，大声呕吐着，似乎十分痛苦。瘦子见状狞笑了几声，从腰间抽出单刀，大步走过去，阴声道："我请都督赏脸，都督非但不领情，还伤我兄弟！既然如此，就请都督不要责怪在下冒……"话未说完，忽觉胸口一阵冰凉，低头一看，一柄匕首已经插在了自己的左胸，直没至柄。他连吭也没吭一声，俯面而倒。

这下事出突然，众武士同时"啊"了一声。

邓艾酒力未退，解决掉那一胖一瘦全凭着战场上杀敌时养成的直觉。激战过后，他以刀杵地，大口地喘着气，只盼让自己快些清醒，却见又有三名武士手持兵器同时朝自己扑来，齐声大喝："河北三不才，请都督指教！"

这三不才本为河北黑山贼余军，分别是不天、不地、不人，钟会以重金礼聘，不久前才将这三人招入到门下。三不才各有本事，不天招巧，惯使雁翎刀；不地力大，惯使流星锤；不人轻灵，惯使一对峨眉刺。这三人入钟会门下未久，急欲表现，见胖瘦二兄弟惨败，互相使了个眼色，便一齐向邓艾攻来。

邓艾见不天雁翎刀砍至，凶猛异常，不敢硬接，只得侧身闪过，忽觉面部风声疾劲，不地的流星锤已经近在眼前。邓艾势尽，已是避无可避，忙举刀一挡，只听"铛"的一声巨响，单刀已被硬生生震断。他后退数步，虎口被震得隐隐生疼，正待换口气，惊觉背后气流涌动，来不及细思，半截断刀往后颈一拦，"叮"的一声，不人右手峨嵋刺已击在刀面上。他反身一拳，将不人逼到一旁，却觉得左肩剧痛，终究还是挨了对方左手一刺。

邓艾原本一团迷乱，如今左肩中刺，剧痛之下反倒清醒了。他与这三不才各过了一招，已略知强弱，见不天持刀攻来，心念一闪，立刻举起断刀格开，正要反击，忽然脚下一绊，竟栽倒在不地的怀中。这一下来得是相当突然，不地正要举锤攻击，却已被邓艾挤住，使不出力气来，情急中大手一伸，扼住邓艾的咽喉，大笑道："大都督有何了不起？今天非捏死你不可！"说着，将邓艾举起，竟是要将其活活吊死。过去身为山贼之时，他自负力大无穷，常到山林中找熊较力，一双手也不知吊死过多少熊。然而邓艾毕竟不是熊，不地力道尚未发出，忽觉颈上一凉，半截断刀已划过脖子，硕大的一颗头颅"扑通"一声砸在地上，石板竟被砸得粉碎。

原来邓艾与三不才一交手，便知这大块头最好对付，料想其虽力大，却未必善于近身搏击，当下冒险跌入其怀中，诱其出手。果然他这一出手立刻便破绽百出，轻易便为邓艾所杀。邓艾"嘿嘿"一笑，将断刀丢下，拾起地上的流星锤，随意挥舞了两下，对余下二人勾了勾食指。

不天不人见兄弟惨死，立刻大吼一声，兵分左右朝邓艾扑来。邓艾粗眉一挑，扬起左腿，地上断刀"呼"地朝不天面门飞去。不天没料到还有这一招，情急之下朝左侧避开，哪成想如此便正中了圈套，邓艾流星锤自左而右扫来，正中不天的脑袋，结果被打了个得脑浆迸裂。虽杀死一人，锤势却并不停止，绕过邓艾身体朝后方砸去。不人见流星锤突然袭来，只得低身避过，谁知邓艾却一个转身，用流星锤铁链绞住了不人的脖子，双臂一较力，已将不人的颈椎绞断。

顷刻间邓艾连杀五人，只觉得浑身上下的骨骼快要散开似的，但此刻面前尚有杨针等十余名高手在,绝不能示弱。他解开铁链,俯身拾起雁翎刀,冷眼看着杨针及一干武士,嘴角露出一丝轻蔑的微笑,缓缓慢道:"钟会养你们这般脓包岂不是浪费钱粮?一起上来岂不爽快!也省得本都督麻烦。"

众人见邓艾举手投足间便解决了五人,虽然每一招都险到了极点,但实在是摸不透他究竟还有些什么本事,不由得纷纷朝杨针望去。杨针听邓艾说得自信,心下也不禁惴惴,但一眼瞥见他握流星锤的手正轻轻颤抖着,便知他已是强弩之末,不由得冷笑道:"邓大都督既然都这么说了,那我等只有遵命……来呀!一起上,把他碎尸万段!"

众武士得令,一拥而上。

原本邓艾是想用言语吓住对方,没想到适得其反。他叹了口气,知今日已不能侥幸。但要他束手待毙,却也是不能。他虽已是疲累至极,却仍鼓足气力,右手雁翎刀一架,挡住正面两名武士的兵刃,左手流星锤顺势扫出,将那二人打得头破血流。他向前踏了一步,忽然便感到左腿一麻,原来有一人使地堂刀,在他腿上划出了一道血口子。

"你找死!"

邓艾虽受伤,不但不惧,反而如野兽般越显狂野。只见流星锤急甩,砸在那使地堂刀之人的背上,"喀啦"一声,那人的背脊应声而断,眼见着是活不成了。邓艾心中不由得升起一腔豪气,拖着伤腿冲入人群,右手刀砍,左手锤打,十个倒给他杀了七个,剩下三个见他意态若狂,吓得心胆俱裂,躲闪到了一旁。

邓艾心中大喜,正要追击,忽觉身后风声飒然,心知杨针已然出手。他不敢怠慢,忙回身一架,一柄厚背砍山刀当头压下,迫得他连退数步。他强站稳身形,左手流星锤正要击出,谁知杨针先发制人,铁钳一般的手一把扣住了邓艾手腕,疼得他不得不松开流星锤,嘴上却不饶人:"大狗还有点本事!"随机雁翎刀疾攻而来。

"承让了。"

杨针一柄大刀劈开左右两路,刚柔并济,乃是极高明的刀法。他先是以柔劲封住邓艾的来势,再以刚劲直攻其面门,不过数个回合,便将邓艾逼得连连倒退。

邓艾不由得赞道:"刀势暗含阴阳之意,确实了得!"

"岂止如此?"杨针冷笑,忽然刀势吞吐,大刀竟如长剑一般,盘旋飞舞,直攻邓艾周身要害。邓艾力图反击,却觉得刀上的劲道变化无穷,时刚时柔,竟是难以捉摸。他虽身为武将,但所习者多为兵法韬略,即便是习武,也是战场上杀敌保命的手段,并不谙这等玄学武术,当下一声大喝,雁翎刀向杨针硬砍硬折,想以纯阳刚的招式破敌。

若换在平时,杨针遇到这般强攻必要退让,但此刻邓艾受酒力所扰,加上激战许久,腿上又受了伤,力道已是大不如前,其刀势外表虽凶猛,但威力却是不足。杨针看准机会,一招"小鬼推磨",大刀顺着雁翎刀画了个圈,将刀上力道牵引了出去。邓艾只觉得重心失衡,雁翎刀已然脱手,跟着一屁股跌坐在地。

杨针刀势一收,上前抓住邓艾的衣襟,冷笑道:"天意弄人,阁下身为三军统帅,何等的威风,如今却丧于我刀下……本想留个活口,但念及阁下的行事作风,还是杀之为妙,免生后患。邓大都督,这就上路吧!"说着,一刀往邓艾胸口刺去。

"当"的一声脆响,大刀划破了邓艾的衣衫,却刺不进胸膛。杨针不禁微微一愣,但邓艾又岂会给他一愣的时间?他一把扼住杨针的咽喉,伸手抓住其腰带,硬是将一副硕大的身躯举了起来,往墙上狠狠掼去。"嘭"的一声,杨针被撞得头昏眼花,鲜血直流。邓艾上前踏住他的右手,从怀中掏出一面破碎的银镜,喘着道:"没错……的确是天意弄人!"说罢,将杨针的脸往后一扳,举起银镜朝其喉头割去。

天意果真弄人,无论对邓艾或者杨针而言,杀人都是再寻常不过的事了,丧在二人手下的性命,没有一千也有八百,但今日天意使然,邓艾在怀中鬼使神差地藏了一面银镜,杨针便杀不了他。不过,邓艾同样也杀不了杨针。

就在这千钧一发之际,一条强壮的臂膀从后方伸过来,圈住邓艾的脖颈,硬是将他往后拖行了数步。邓艾一个回身,手上银镜朝那人脸上猛刺过去。那人侧头闪过,臂上一用力,已将邓艾甩了出去。邓艾挣扎着起身,立刻便有十余杆长枪从旁边伸过来,压住了他的肩头,逼得他不得不跪下。

"是你?"

"是我。"

那人朝邓艾走过来,正是师纂。

此刻,他的脸上浮现出一丝古怪的神情,那是胜利者面对失败者才有的神情。"邓大都督果然可怕,倘若我慢个片刻,只怕我这脑袋已被刺穿了。"说完,一阵冷笑。

邓艾闷哼了一声,沉声道:"我早料到是你……我待你一向不薄,你却忘恩负义,坏我大事!"师纂却摇了摇头,"都督早就疑我,何来的不薄?在我身边安插下眼线,倒是一步高棋啊!"说着,拍了拍手,身旁士兵将一颗人头掷到邓艾的面前,正是李君的首级。原来,李君催促邓艾逃走,自己却为其殿后,师纂等人从后面追赶,正巧遇着李君,便二话不说将其枭首。

邓艾对那首级看也不看,双眼仍是死死盯着师纂,咬牙道:"量你一人也无力擒我,背后定有筹谋者,要那人现身吧!"

"久违了,邓将军。咳……"随着一声咳嗽,卫瓘已从军中信步而出,来到邓艾面前,拱手道:"邓将军,上回在长安一别,咳……一别也有五年多不见了吧?经年不见,将军健壮如昔,好得很啊!"

邓艾愣了半晌,忽然仰头大笑:"哇哈哈哈……我还道是谁呢?之前听李君说'卫监军',便已怀疑,原来果真是你!"说着,双眼一翻,沉声道,"卫伯玉,我早知朝中那班酒囊饭袋,唯你有些本事,却没有好好提防,倒是我邓某人大意了。"

卫瓘笑道:"咳……都督过奖了,在下只是碰巧罢了。都督的计谋确实巧妙,先是诱司马公至长安,再逆料上意,使其下令召都督北归,顺路护送刘禅,只要都督一到长安,司马公便成为俎上之肉,任都督宰割了。咳……这一计,满朝文武竟无人能识,只差着一步,这天下,咳……这天下便是都督的了。"

邓艾冷笑道:"卫大人果然了得,但你可知,有一人欲率十万大军进汉中?"卫瓘闻言大吃了一惊,忙问:"是谁?"随即面上便现出恍然大悟的神情来,"原来是他。"邓艾点了点头,笑道:"正是此人。只怕大人千辛万苦擒了我这个废人,到头来还是护不住司马家的天下。"

谁知卫瓘轻蔑地一笑,缓缓道:"邓艾,你别想用这种话来唬弄人,咳……在下与那人共事已久,深知那人不过是个反复无常之辈而已,既无才,又无德,若无都督主导,其必不能成大事。咳……我只要将阁下被擒的消息放出去,我敢担保,不出三日便会风平浪静,你信不信?"

邓艾叹息道:"卫伯玉果然厉害,识人明确,决事果断,倘若邓某人真的败在阁下的手上,那也是无话可说了。"卫瓘不禁一愣,觉得对方似乎话里有话,忙问:"都督难道还有后招?"

邓艾脸上忽然露一丝诡异的笑容,令在场众人不寒而栗。只听他道:"邓某最后一子,还没落定,怎可轻易言败?"说着,抬头看了看天色,口中自言自语:"时间应该差不多了吧,那人也该出来相见了……"

话音未落,出师门外忽然传来"隆隆"的马蹄之声,千余名士兵全副武装奔进东苑,当先一名年轻将领虎盔银甲,手持一杆亮银枪,高声喝道:"汝等反贼,竟敢诬我父谋反?我看你们才是反贼!还不速速投降,否则格杀勿论!"说话之人正是邓忠。此刻他虽全身盔甲,但双眼依旧红肿,似乎仍未从宿醉中完全清醒过来。

原来,邓艾父子被李君摇醒,一同朝丞相府逃去,邓忠虽醉,但毕竟年岁尚轻,体力恢复得快,邓艾便吩咐他绕道改走北门,自己则独走东苑出师门,以吸引追兵。果不其然,杨针与师篡两班人马均于出师门前拦截,虽拿下了邓艾,却放走了邓忠。邓忠从北门回到丞相府,立刻调动中军人马,前来救邓艾。

这一下,情势逆转。

牵弘、王颀、杨欣三将各调动人马,将师纂和卫瓘的人马团团围住。牵弘乃是陇西太守,随邓艾征战十余年,为中军支柱,此刻见邓艾浑身血迹地跪在地上,不禁心如刀绞,扬鞭指着师纂骂道:"师纂狗贼!你竟敢犯上作乱,还不快快放了都督,如若不然,我便将你剁成肉泥喂狗!"

师纂心中着慌,忙拱手道:"牵将军,朝廷怀疑邓都督有不臣之心,要拿都督回京调查,这位便是朝廷派来的卫瓘卫监军,其他各营均已从命,牵将军擅自兴兵抗命,这可是夷九族的大罪啊!还望将军三思。"

杨欣在一旁厉声骂道:"放你娘的屁!都督军功盖世,受到朝廷嘉奖,何来不臣之心?你们无义之辈,才是真正的罪该万死!"

卫瓘忙向前两步,拱手道:"牵将军、王将军、杨将军,天子以谋反罪名要我拿邓都督,在下与他同朝多年,自然也是不信,咳……但我等臣子仅能奉命行事,诸位将军且先撤军,让在下好吃好喝押……哦不,护送邓都督回京复命,在下必在天子面前尽力为其辩解,力保忠臣免遭不白之冤,咳……"

那三将听卫瓘说得真诚,怒气稍平了一些,正待要进一步谈判时,却听邓忠一声大喝:"休听这厮胡言乱语!今日之事,乃是师纂欲独揽灭蜀之功,与朝官相互勾结,欲诬陷我父于不义,诸位先救了都督,再将师纂碎尸万段!"

中军将士本就因统帅被擒而愤愤不平,再经邓忠这么一鼓动,立刻战意昂扬,各挺兵器便要上前厮杀。士兵既动,将领们自然无法置身事外,只听牵弘大喝一声:"救都督!杀狗官!"已策马上前,马刀高举,便往卫瓘的头上砍去。

千钧一发之际,只听"嗖"的一声,一支羽箭自旁边射来,正中牵弘肩胛。牵弘闷哼了一声,翻身落马。就见一队骑兵自南面飞奔而来,为首年轻将领高声叫道:"有我在此,反贼休得猖狂!"却是胡渊。

原来,钟会大军于今晨抵达成都城外,正好碰到于黄丘驻守的人马。钟会获悉卫瓘只领着六名随从入成都,心中大喜,料想卫瓘此时定已被邓艾所杀,随即便命胡渊带小队人马为前锋,入城探查,钟会则亲自率领大军随后入成都擒拿邓艾。胡渊刚一进城,立刻便听说宫中有争乱,又听说丞相府中军尽出,知大事不妙,立即便率军往出师门而来,正好救了卫瓘一命。

邓忠见牵弘受伤落马,不禁大怒,策马直奔胡渊而来,大喝道:"敢伤我大将,便让我邓忠来会你!"胡渊挺枪迎战,毫无惧意,叫道:"你便是邓忠?小爷倒瞧瞧你的手段!"两人均为魏军年青一代将领的佼佼者,却是一个驻军陇右,一个镇守西凉,虽彼此闻名,却素未谋面。不成想初见便是两马交锋,一决生死的情势,二人都不敢大意,相隔十丈双双勒住马头,仔细打量着对方。

那边邓忠心道:久闻玄马营马快,这厮定会伏身,用"隼搏"刺我胸口,但我银枪比他的虎头枪要长上三寸,只要贴身近击,先刺他的咽喉,便能置他于死地。只要他一死,便能扭转当前的局面。

这边胡渊暗忖:久闻这厮骁勇善战,他仗着手上银枪长于我,必定用贴身近击先刺我的咽喉,但我的马约莫要比他的马快个二蹄,只要抢在他举枪前先用"隼搏"刺他的胸口,这厮便活不成了。

二人策略已定,各自策马举枪,朝对方奔去。这二人本为棋盘上受人摆布的棋子,此刻却摇身变成了对弈者,之前的心理交锋便是一局高名的对局。棋中有棋,局中有局,情势竟越发的莫测了。

此时朝阳被乌云遮挡,满天阴霾。两军将士高声吆喝,马蹄声疾如琵琶飞弦。二名小将只觉得心跳随着那马蹄之声不断地加剧,不由得杀意昂扬,血脉喷张,同时又是心念澄清,双耳不闻。有那么一瞬间,二人竟觉得全世界不过是两枚小小的枪尖……"砰"的一声,不知不觉间二骑已是错蹬而过。

胡渊勒住坐骑,扬起阵阵尘沙。只见他如同刚刚饮下一大碗烈酒似的,满面通红,大口地喘着粗气,脖颈旁已多了一道长长的血痕,险些便要割断颈脉。他急忙捂住伤口,回头瞧去,却见邓忠躺在地上痛苦地挣扎着,胸前护甲尽碎,右胸到肩胛处被划开一道伤口,深可见骨,但总算还不致于丧命。他手一招,立刻便有两名军士上前剥去邓忠的盔甲,取药止血,裹上棉布包扎妥当,然后用麻绳将他五花大绑,抬入阵中。

这一战,胜负已分。

所谓"失之毫厘,差之千里",邓忠与胡渊武艺本在伯仲之间,对战术之见识也几乎相同,当真公平对垒,胜负难料。然而,只因为邓忠宿醉未消,当喉那一刺竟偏了一寸,令邓艾原本所苦心设计的最后一步妙棋,也没有了用武之地。

也许,这就是所谓天意。

王颀、杨欣见邓忠被擒,不由得大惊失色,赶紧拍马来救,胡渊举枪一拦,将两人接下。只见他左挽一道银花,右点一条金龙,一柄虎头枪使得是神出鬼没,虽是以一敌二,却也应付自如。反观那二人,却是手忙脚乱。

便在此时,蜀宫内忽然传来一通锣响,大队魏兵如潮水一般源源不绝地涌出来。这些魏兵既快且静,不一会儿功夫便已占据了整个东苑,城楼上更是列满了弓箭手,箭拔弩张,随时可对苑内之人发动狙击。一名将官手持"帅"字旗,身着银甲,自大队中昂首步出，正是钟会的族弟钟偃。

钟偃走到中央，将大旗往地上一插，高声道："钟司徒大人奉旨擒拿反贼邓艾邓忠父子，其余人等速速弃械投降，既往不咎！"其余魏军一起以兵器杵地，齐声高喝："弃械投降！既往不咎——弃械投降！既往不咎——"声势十分惊人，闻者无不胆寒。

此时，忽听胡渊一声清啸，一记"凤点头"重重击在王颀的腋下，也不知打断了多少根肋骨，将他硬是掀下马来。杨欣见状大怒，双脚一夹马腹，自胡渊后方袭来。胡渊神色不变，调转马头，同样一夹马腹，腰间长剑顺势出鞘，一招"跃马击"疾如闪电，一剑刺穿了杨欣的右肩。杨欣惨号一声，连人带剑摔在地上，立刻便捅上来十几名魏军，如同对待邓忠一般，将二人卸甲、包扎、绑缚，擒入阵中。

五员大将或擒或伤，中军军士士气顿失，只听到"铿锵"之声不断，他们纷纷抛下兵器，双手高举，示意投降。钟偃大手一招，数千名魏军上前，或收兵器，或剥盔甲，或上绳缚，不一会儿功夫，已将这千名中军军士尽数拿下。

至此，棋势已尽，邓艾彻底败了。不过，他不是败给卫瓘和师纂，更不是败给了胡渊和钟偃，而是败给了运气，他已无话可说。

钟偃见处理完毕，便返身回到阵中，行礼道："主子，一切已处置妥当。"

只听到阵中"嘿嘿"一阵冷笑，钟会已策马出了大军。他首先来到卫瓘面前，笑道："久闻邓艾好行险兵，却想不到卫伯玉犹有过之。我给了你三百人，你竟然只率六人便直趋成都，若非我大军来得及时，恐怕便见不着阁下了。"

卫瓘上前拱手道："咳……为国除贼，死生早已置之度外。咳……这回没顺着司徒大人的意思，只能说是天命使然了。"

钟会眼里杀气一闪，看了看眼前这位白面书生，嘴角随即浮现出一丝冷笑："伯玉倒是客气了，你我皆为同僚，将来尚有许多合作机会，区区一次失策，又算得了什么呢？"

钟会这话说得相当歹毒，其意为：这回没将你整死，不要紧，将来有的是机会。饶是卫瓘智高人胆大，心中也是不由得一寒。他暗叫了声可惜，心道：此人心狠手辣，心思缜密，用得好，就是王佐之才；用不好，就是放在心窝里的一条毒蛇。如今，其毒蛇之形已显，可惜了他一身的才华！

钟会下了马，走到邓艾的面前，抚掌叹息道："邓将军，之前你我在汉中军议，你执意要率军偷渡阴平小道，而我则率军直攻剑阁，想不到这一别便是数月，但更让人想不到的是，再次会面竟是这般场景，实在是天意弄人啊！"

邓艾满面鲜血，有几滴已淌到嘴角处，被他伸舌舔进口中，眼睛却不瞧向钟会。只听他冷笑道："正是如此，天意弄人！智者枷锁缠身，愚者锦衣玉袍，人生何其讽刺也！"钟会也不恼火，只是微微一笑，揶揄道："阁下今日一败，便如此愤世嫉俗，气量也未免太狭窄了些。"

邓艾"呸"的一声，昂声道："我是败在了运气上，与你这鸟人何干？还轮不到你在这里说三道四！"钟会则摇了摇头，洋洋得意道："自古以来都是以成败论英雄，成王败寇，这是任谁都无法回避的铁律！今日即便我不说，将来青史之上，阁下也不过是个反复小人而已。而我，钟会，必将流芳万古，名震天下，这岂是你等凡夫俗子所能及的？"

"哇哈哈哈……"邓艾陡地爆出一阵轰笑，"就凭你这志大才疏之人，雏鸡犹想上枝头？倘若阁下真的如此想，那我便在洛阳天牢恭候大驾了！哈哈哈……"钟会勃然大怒，一巴掌甩在邓艾的脸上，厉声喝道："你便好好地在洛阳给我等着吧！等我回去便将你抽筋剥皮、凌迟处死！他妈的，给我拖出去！"

一声吆喝，数名魏军上前，将邓艾施了枷锁，向外拖去。

一路上，邓艾双膝着地，磨出两道长长的血痕，所过之处魏军将士纷纷向他唾弃，甚至暗地里捶他一拳，踢他一脚，仿佛能在这位征西大将军身上能占到点的便宜，便是什么了不起的成就似的。邓艾面对种种屈辱，始终大笑不止——唯有如此，他方能捍卫自己仅存的一丝尊严。

离开宫门时，邓艾的笑声嘎然而止，因为他看到了一个人，一个他既熟悉而又陌生的人。那人有着高大的身躯，和花白的须发，曾与他在数万大军之前，策马扬鞭，一决死战，也曾与他各坐于彼此的主帐之内，运筹帷幄，智决天下。而如今，却是在这样一种情形下再次碰面。此刻，那人正斜倚在宫门边，目视着远方。

姜维也看到了邓艾，但只是一眼，便将目光转向了别处。面对邓艾如此惨相，他竟有些不忍。虽为死敌，但多少次拼死搏杀下来，他竟对邓艾有了惺惺相惜之感。他觉得此人不应该落得如此下场，应该死在战场上，死在自己的手中。能与此人再度聚首于战场，决一雌雄，此生无憾！他在心里默默叹息着。

邓艾故意挺了挺腰板，用力站稳脚步，随着士兵平稳地走过姜维面前。冰冷的晨风轻轻掠过他的耳际，他侧耳倾听着，希望风中能传来什么声音。然而，除了纷乱的脚步声外，什么也没有。

姜维始终面无表情，眼睛注视着远方，不知在思考些什么。然后，他整了整衣衫，直起身子朝着皇宫的方向走去，自始至终没有朝邓艾望上一眼。

一瞬间，邓艾只觉得胸口沉闷，泫然欲泣。

相如邑位于成都西北方，乃是昔日大文豪司马相如的故居，并因此而得名。相如邑不过两条街道十字交叉，数十户人家分散而居，算不上什么大市镇，但却因为该邑正靠着岷江渡口，平日渡江之人多会来此地歇脚候船，因此相如邑虽小，但作坊、酒肆和食馆沿街林立，吆喝声、嬉闹声、谈笑声不绝于耳，颇为热闹。

相如邑西侧有一家酒楼，相传已有上百年的历史，门口迎风招展上白底金字绣着"凤求凰"三个大字，气派非凡，打的正是司马相如情挑卓文君的招牌。这家酒楼临近江畔，一楼泥地石桌，是给寻常挑夫苦力，或寻常百姓喝酒吃饭的地方；二楼却是雕梁画栋，清幽高雅，乃是商旅富甲、骚人墨客饮酒赏江之所在，墙上到处都是名士过客留下的诗句赋语，或赞江水雄伟，或悲己身不遇，人世冷暖兴衰，尽见于此。然而千载之下，岷江之水仍是滔滔，却并不为人世而有片刻逗留。

这日傍晚时分，酒客大部分都已经散去了，店小二忙正着收拾残羹冷肴，抹净桌椅。日头一落，整个酒楼顿时冷清了不少，唯独墙角一张方桌前仍坐着三个人，桌上杯盘狼籍，三人的面上都带了几分醉意。

三人中年岁较轻的那人身材生得矮小，却精壮结实，只听他高举酒杯，大声道："来！咱们再为与刘大哥团聚干上一杯！"

三人举杯相碰，同时仰头将酒水一饮而尽。

"嘶……好酒！"那矮小精壮汉子放下酒杯，说道，"刘大哥，你跟随着姜大将军驻守西北，这前前后后恐怕也有十年了吧？"

"嘿！何止啊，已经有十二年了！在凉州那个鬼地方，死人见得比活人还多！当初咱们相如邑一行十六人被派往西北，如今却只有我一个活着回来，爹娘跟兄弟姐妹们都已不在了,剩下我只身寡人,唉……再次回到成都,已是物是人非了!"那姓刘的汉子叹了口气,放下酒杯。此人大约有三十多岁的年纪,满面的虬髯胡茬,颇有些沧桑之感。

"我说刘大哥,怎么个物是人非法?我和张二哥不是都还在吗?如今兵慌马乱,咱们'相如邑三杰'俱在,这便是天大的福气啊!"那矮小精壮汉子替三人逐一斟上酒,轻声笑道。

刘大摇头道:"说句实在话,杨三,那时候我身在剑阁,一听说成都沦陷,第一个担心的就是你跟张二的安危。你们要知道,我姓刘的在这世上最亲的就只剩下你们二位了,要是二位再走了,那我可真的是孑然一身,孤独终老了,活着还有什么意思?"

"刘大哥言重了,我和杨三在成都,守着北门,只见到魏军进城,从头到尾连兵刃也没取出来过。他奶奶的!兵居然当成了这副熊样,至少也得杀几条魏狗解解恨,也算不白当这么多年的兵!"说话之人脸形狭长,嘴唇上蓄着两撇醒目的小黑胡,显然便是刘大口中所称的"张二"了。

"张二哥,话虽是这么说,但事已至此,也是无可奈何的事。当初邓艾兵临城下,我心中便想,我'金枪手'杨三在成都混了这么多年,以身手早该当个百夫长了,只是一直风平浪静,没有我显露手段的机会。如今魏贼来袭,总算有机会大展身手,嘿!谁知道我那金枪头才刚擦亮,朝廷就说要开城献降!这可是皇上的主意啊,又怪得了谁?"杨三一边说一边将杯中酒一饮而尽,然后又给自己斟了一杯。

张二低头不语,只顾喝闷酒。

刘大皱眉道:"这我倒要问问二位了,你们两个身为皇城虎骑尉,当时究竟是怎么样一番情景?我在剑阁关上,听说邓艾之军不过万人罢了,怎么朝廷就开城献降了?好没道理啊!"

陈三苦笑,"刘大哥,这你可就算是问错人了,我和张二哥虽身为虎骑尉,但当时我们二人都被调到北门守城去了,宫里的事儿哪轮得着咱们哥们儿知道?我倒是有听说魏军派出了说客……听说那说客还与黄皓那个狗阉人有所勾结,夜半进宫见皇上,第二日降书就下来了。也不知道是人家有本事,还是咱们太过于脓包,动动嘴皮子,就把咱们蜀国给灭了,真是岂有此理!"

张二叹了口气,说道:"我倒是有所听闻,说那邓艾在绵竹大破武侯之军后,朝中立刻便慌了手脚,有人提议迁都,有人提议投靠东吴……没想到后来皇上竟选择了献降,听说是要'识时务',早些降了才能封王封侯,享受荣华富贵……他妈的!"

听到这里,刘大用力一拍桌子,骂道:"我操他们姥姥!咱们当苦大兵的在前线流血流汗，成都皇城里的这些狗屁腐儒们在宫里头享福，三天两头下个军令要我们'勤勉作战'，我呸！勤勉他个屁！到头来不战而降的就是这帮混蛋！妈的，当咱们是什么了？"他越说越是愤怒，连干了三杯酒，眼珠变得通红。

杨三忙为刘大斟上酒，劝解道："刘大哥不要气恼，在上位者自古以来便是如此，什么爱民如子、泽被万民，到头来还不都是为着自己的权势富贵着想？为这样的人伤神费脑简直就是蠢才。说句心里话，这昏庸朝廷败了我还不觉得如何，只是可惜了北地王一条命，听说他力劝抗敌，皇上不听，北地王就和王妃奔赴宗庙祭告先帝，然后双双自刎而死。可怜了刘家最后一个人才，哪像他那个阿斗父亲……"

"嘘……小心被人听到。"张二连忙示意禁声。

陈三大嘴一撇，不屑道："他已经是个亡国之君了，还怕他怎地？"

刘大也应声道："说得对，如今蜀国已经亡了，还怕他怎地？今天我刘大也来说说那阿斗的不是。以前在军中常听说他如何的昏庸，倒也还不觉得怎样，今日这般不战而降，可真是试出了他的本性——胆小懦弱、贪图荣华，就算有诸葛丞相这样了不得的人物在，也还是扶不起来！"

张二听两人这么一说，便也不再顾及，愤然道："大好的河山，不是亡在了魏狗的铁蹄下，而是亡在阿斗手中！"说完，端起酒杯一饮而尽。

刘大重重地一顿酒杯，喝道："嘿！一想到那天的情形，我就激愤不已！我与你们说啊，降书到剑阁那日，大军军营差点没翻过来，剑阁一线明明守得好好的，怎么能就投降了？当时人人激愤，性子烈的就要拔剑自杀，还有人说索性反他娘的，管他什么皇帝老子，咱们自己和魏狗一决胜负。后来还是张将军稳住了局势，宣布遵从诏令，我们这才向钟会称降。听说，后来姜大将军还屈尊降贵，和钟会那厮结交，所以我等降兵才能吃肉喝酒，过得比魏兵还舒坦。"

张二忙问："你可见过钟会？"

"倒是远远地见过那么一次。"

"形貌如何？"

"呵呵，还不就是一副洛阳人的样子？白白净净，斯斯文文，唇红齿白，眉清目秀的，纯粹就是个小白脸儿，要不是他腰间挂着配剑，手中捏着令符，看起来倒便像是春香楼里的优伶！哈哈哈……"

杨三插言："呵呵，这可是张二哥喜欢的调调。"

张二立笑骂："妈的！胡说八道些什么？"作势要打杨三的头。

刘大忙举手拦住，"好了好了，都是自家兄弟，玩笑话而已，不必当真。那你们倒是说说那邓艾,可曾见过他?"

张二直起身子道:"见过那么一次,还挺真切,倒是一副西凉人的粗豪样貌,虽然年纪大了些,但两道眉毛倒竖,令人心生畏惧。"

刘大又问:"听说他阴谋造反,所以才被钟会拿下?"

张二摇头道:"这个我倒不清楚,不过邓艾这人嚣张得很,那天他当着大家面说:'诸位今天多亏是遇着我了,若是遇上吴汉之辈,早已殄灭矣!'嘿!你听听,吴汉是二百多年前的人了,还拿来说嘴?他还说:'姜伯约算是一世之雄,不过与我相比,也只不过是提壶小儿罢了',瞧给他狂的!"

刘大猛是一拍桌面,骂道:"妈的!这狗贼竟敢污蔑大将军!"

张二喝了口酒,缓缓说道:"那邓艾如此的嚣张,说他兴兵造反,倒也不奇怪了。"

杨三忽然道:"刘大哥,那邓艾再怎么嚣张,好歹有胆造反,哪像有人说降就降,成天与钟会腻在一起,出同车,入同席,也不知国家大义何在?"

刘大愣了一下,随即大怒道:"杨三,你可得把话说清楚,你在说谁?"

此时杨三已有了六七分醉意,声音不自觉地高了几度:"咱们在成都本来孤立无援,好不容易盼到大军回来了,带着大家伙再拼杀他一阵,谁知道大将军竟然和钟会连同一气,连你们也都被他收拾得服服贴贴的!亡国啦,汉室亡啦!"

刘大怒不可遏,大喝道:"杨三,你敢出言污辱大将军,我……我他妈和你拼了!"说着,摇摇晃晃地站起身来,向杨三扑了过去。

"我他妈还怕你不成?"杨三站起身迎了上去,一把扭住对方的手臂,两人便在桌旁扭打在了一起,撞得桌上酒水菜肴纷纷翻倒,几名店小二生怕殃及自身,都站得远远的不敢上前阻止。

"住手!你们给老子住手……妈的!你们两个都喝多了是不是?"张二忙上前将二人分开,劝解道:"我说杨三,你就少说几句成不成?大将军一生为国尽忠,又岂是你可以说三道四的?"

杨三抹去嘴角的血迹,人似乎清醒了一些,"呼……也罢,就算我的不是,刘大哥,说句良心话,我杨三也想为国尽忠,所以说话直了些,请你莫要见怪。"

刘大揉着红肿的鼻子,忿忿道:"如果不是念在兄弟多年的情份上,我今天就和你拼老命,呼……这一拳可够狠的,看来你小子这几年没少操练。"

"这还用说?"

两人相视大笑。

张二见两人言归于好,笑道:"是啦是啦,都是好兄弟,何必意气用事?小二!再来两壶白干！"

夜,深了。

转眼之间,蜀国亡国已有两个多月,邓艾被擒,也已是五天前的事了。这天清晨,成都忽然下起了绵绵细雨,初时雨滴如丝,绵绵密密,无声地落在成都城内那冰冷的石板路上,落在遍地枯黄的落叶之上,颇有些幽怀之意。午时过后,雨势逐渐转剧,街上来往穿梭的行人便纷纷回到家中避雨,商贩也都收摊,提早回家歇息,原本热闹的成都街头,瞬时间冷清了不少。

刘禅大步走进太虚阁,身上的那件貂裘沾满了水珠,显然是冒雨归来。黄皓原本正在室内打盹,听下人说主子回来了,赶紧整理了衣衫跑出去迎接,两人闲聊了几句,便一前一后走进正厅。

刘禅摘下头冠,脱下貂裘交于黄皓手中,黄皓拿着那貂裘来到门口,双手轻轻一抖,原本沾在上头的水珠纷纷抖落在地,貂裘竟是干燥依旧。这件貂裘乃是取自辽东雪貂,其毛皮有油脂附着,因此得以防水避寒。此种雪貂数量本少,加上其生性机灵,极难捕捉,这样一件六尺长的貂裘,可真是价值不菲了。

刘禅从怀中摸出一幅纸卷,"啪"地一声摔在几上,然后脱去靴子,在塌上盘膝坐了下来,口中喋喋不休。"陛下前去与钟会饮宴,不知如何?"黄皓见刘禅面色不善,知道他一定是受了什么鸟气,便恭谨地问道。

刘禅气不打一处来:"还能如何?磨刀洗俎,烧材煮水,将刘禅剥皮烹煮之宴而已,又会如何?"他一边说着,一边将檀香点上。袅袅香烟,缭绕了整座太虚阁。

"钟会竟敢对陛下不敬?"

"呵呵,何止不敬?如果我不是修养过人,只怕早就刎颈悬梁了!你看……"刘禅无奈地笑了笑,将纸卷在几上摊开来,只见上头的楷书端正而工整,一看便知乃是大师之作,书为'昏庸败国'四个大字。

"哼!钟会这厮简直就是辱人太甚!他以为自己是谁?"黄皓用力一跺脚,脸上一副忿忿不平的样子。

刘禅甩了甩手,熄去火褶,淡然道:"辱骂之言我倒是受得多了,早已不放在心上,倒是钟会这厮自命清高,妄尊自大,堂堂的一国之大将军,气量却是狭窄得出奇,实在是令人窃笑。"

"陛下有识人之明,所言甚是。"

刘禅取过耳杯,斟了些薄酿,继续道:"今天我刚一进大厅,便看到钟会高坐于上座,身着锦袍,头不抬,眼不动,只是随口道:'阿斗,我们在此已久候了'。嘿!即便是邓艾,也还称我为后主,那钟会却是直呼我小名,二人素养、德行高下立判。我只说了些顺耳的话,他便笑颜逐开,请我上座,命人为我添酒加菜,其态度虽殷,眉宇间却尽是戏弄之色,席间常道:'能坐于一国之君上座,在下不胜荣幸'、'这儿的酒菜,较之帝王家,的确是略逊了一筹'、'阁下投降之时,可有想过这般礼遇?'云云,我一开始自然恼怒,几次要拍桌离席,但转念一想,此人既然以羞辱一亡国之君为乐,便看出此人的气量之狭,如果我真的拍案而去,倒显得我小气,也就笑骂由他了。"

"陛下乃修仙人之道,自然是不会与此等凡夫俗子计较。"

刘禅叹了口气:"人生匆匆数十载而已,倘若所有事都去计较,又怎能计较得完?"说着,拿起耳杯端详,好一会儿才道:"酒过三巡后,我便大赞钟会用兵如神,又赞他玄学精湛,执中原士大夫之牛耳。这厮听了之后十分欢喜,便要与我切磋学问,我推说不敢,他却执意要与我辩难'才性四本论',我拗他不过,只好随口说了些'才性同异'之类的谬论,他十分惊异我竟知道洛阳玄学,一时兴起,便将'才性同'、'才性异'、'才性合'、'才性离'四论全说了一遍,又说要以其所著的《四本论》相赠,并约我择日再辩。这等玄学之说,我也仅是读书时匆匆览过而已,谁又会同那些洛阳人一般空嚼舌头?于是我赶紧将话题带开,改称他书法闻名天下,他大喜,赞我有眼光,便命人磨墨铺纸,想也不想,就为我题了这四个字,说天下除我之外,再无他人得受此字帖……嘿嘿,'昏庸败国',天底下除了我刘禅,又有谁当得起?"

黄皓站在一旁,不敢言语。

刘禅轻啜了口薄酿,继续道:"我听说昔日钟会拜访嵇康,欲与之一较义理高下,而嵇康却赤身于树下打铁,扬锤不辍,旁若无人。钟会须臾而去,嵇康便问:'何所闻而来?何所见而去?'钟会答道:'闻所闻而来,见所见而去。'呵!回答得倒是巧妙。自那之后,钟会便开始怨恨起嵇康来,称其负才乱群惑众,最终斩于洛阳东市,世人便以此称钟会量狭。我闻相人之术,先观形貌,后量其气度,一人如果气度窄浅,则无论其仁义、智识、德性,必为下之下品。今日我观钟会,虽形貌英朗、智识渊博,但却只知戏弄我这手无寸铁之人,单论气度一项,便远逊于邓士载,就更不要说我朝的姜伯约了!"

黄皓迎合道:"陛下的形貌、气度、仁义、智识、德行均是上上之品,又善相人之术,正是天下一品的人才,钟会那厮哪里能比得了?"他忽然顿了一下,问道:"陛下这回前去赴宴,可曾见到姜维?他……"

便在此时,窗外忽然划过一道闪电,跟着便是一声惊天动地的巨响,一记暴雷打在太虚阁的顶空,连屋顶上的瓦片也沙沙地震动了起来。黄皓吓得一缩脖子,赶紧闭上了嘴。

紧接着又是一个响雷。

刘禅却是神态如常,只是抬头看着屋顶,喃喃自语:"蜀谚有云,'天地寒,雷公怒',想不到时间过得竟然如此之快,眼看着已经入冬了……"隔了半晌才回过神来,说道:"在席上,我自是见到了姜伯约,而且见得很真切。惟有见到他,才让我感觉到自己是个无能的昏君啊!今日他便坐在钟会之侧,身穿淡青色长袍,须发灰白,似乎又苍老了不少,除了开席时与我微微颔首外,始终低头饮酒,未发一语。"

黄皓忙道:"那姜维也未免太无礼了,见到故主竟然不行礼,岂是为人臣的样子?"

刘禅却摇摇头,说道:"当时钟会写完这四个字后,显得十分得意,要我将纸卷举起,向席间众人展示,我心下无奈,只得依言照做……"

黄皓不由得大怒:"简直就是欺人太甚!"

刘禅没有理会他,继续道:"正当我要拿起那纸卷时,姜维忽然站起身,只见他满面通红,眼神浊乱,显然已是大醉。他大踏步走到我面前,一把将我推倒,喝道:'你这昏君,可还有脸见我?'说着,便揪住我的衣襟,怒喝道:'你可知这江山,是先帝、丞相、先贤们花了多少心血打拼下来的?是我和多少弟兄流着血所守卫的?我们一心为国,你却贪好逸乐、听信奸宦,将大好江山拱手送人,你怎么对得起先帝?怎么对得起丞相?送你'昏庸败国'四个字实在是太便宜你了,我今日便替天行道,为先帝斩杀你这不肖子孙、大汉国贼!'说着,便拔出配剑向我刺来,幸好被钟会拉开。"

听到姜维说"听信奸宦",黄皓的脸色立刻变了变,心里着实不爽,又听说姜维要行刺刘禅,眼珠一转,急忙拜伏道:"陛下,我早就说姜维那厮狂妄自大,有不臣之心,今日他这般逆乱行刺,也算是证明了臣所言非虚。"

刘禅叹了口气,说道:"'不臣之心'云云,那是旁人的造谣中伤,姜伯约忠义为国,这我比谁都清楚。只是,他心里有汉室、有蜀国、有先帝、有丞相,但又何曾有过朕?在他心里,我便是个刘氏的不肖子孙,是个昏君,是个扶不起的阿斗,是个国贼……可笑啊可笑,一国之君却成为国贼,讽刺之甚!"

黄皓忙道:"陛下,那姜维只不过是一介武夫而已,他说的话,您可千万别放在心上。"

刘禅仰天大笑:"姜维平日向来以冷静自持、饮酒斟酌,从未见到他醉过,今日他却如此酒醉失态,可见亡国之恨,使其不能自己……哈哈,恨兮怨兮,怨恨全归了我吧！是我降了邓艾，是我葬送了汉室的命脉，是我负了姜维，非姜维负我啊！今日钟会为何还要将姜维拉住？让他一剑刺死我这昏君便是了！"他越说越是激动，双手一挥，将几上酒壶掀翻，溅得一身的酒水。

黄皓大惊，急忙上前："陛下请息怒，陛下请息怒……臣为您抹干净。"说着，取出一条布巾，将刘禅外衣打开，抹去沾着的酒水。

刘禅心中郁闷，举杯一饮，但酒水早已饮尽，这一喝却是喝了个空，心中恼怒已是到了极点，当下也不管衣衫不整，一把将黄皓推开，迳自走下座位，拾起地上打翻的酒壶，对着壶嘴大口大口地灌了起来。

"陛下，这酒污了，别喝坏了身子！"黄皓赶紧跑上前来，将那酒壶夺了下来。

此时刘禅面上、须发上、内衣上都沾满了酒水，他呼吸急促，退到了一旁，喃喃自语："姜伯约说我贪图逸乐，不及他勤勉为国，嘿嘿，我的确是个贪爱逸乐之人，我爱美食、爱华服、爱琼音、爱玉酿、爱美人……我爱这世间一切美好的事物，我盼着蜀中的百姓都与我一般，能饮食温饱，享乐欢愉。独乐不如众乐，这难道是错的？自我亲政以来，减免的赋役不知有多少，便是盼望百姓能休养生息，勿为帝王所苦，难道这也是错的？难道要蜀中百姓都和丞相一般，夙夜匪懈，最终积劳成疾而死？或是像他姜维一样，离乡背景，整日以杀人度日？"

说到恨处，他又一把将酒壶夺了回来，狂饮了几口，凄然道："我投降邓艾，不光是为了保全我一家上下的性命安危，也是为了保全蜀地千万百姓的身家安危，如果姜维引军回到成都，蜀中百姓必被卷入战火之中，再无安宁之日。从来我自以为宽大，姜维却称我昏庸；我自以为仁慈，姜维却谓我无道，如今我为族人百姓而降敌，他骂我是国贼，我究竟是对？还是错？是对……还是错……"一时间，他竟神思恍惚，在厅上往来徘徊起来，数十年来君臣不谐的怨忿，纷纷涌上心头。

突然，有什么东西从他腰间掉落下来。

刘禅一愣，俯下身拾起来，那是一只巴掌大的锦囊，掂了掂，很轻。他探手从中摸出一块淡青色的布绸，边角不整，一看便知是从一件衣服上硬撕下来的——竟与姜维今日所穿的长袍同一颜色！

待刘禅看清后，胸口顿时如遭雷击，他猛地醒悟：今日姜维提剑要杀我，并非醉态，也非出于怨恨，而是护君之举。他借着酒劲儿装疯，令我免受钟会的羞辱，这布绸乃是他自长袍上撕下装入锦囊，趁当时推挤之际，暗塞入我腰带之中，正好刚才黄皓为我解开外衣，那锦囊也就掉落了下来。想到此处，他双手不禁微微颤抖起来，他深知姜维的为人，这布绸上所带来的讯息，必会令他今后寝食难安。

思索了良久，刘禅终于鼓足勇气，将那布绸摊开。

只见绸布上面写着几行小字，颜色暗红，乃是以筷子蘸着葡萄酒写上去的。上面写道："望陛下再忍数日之辱，锦囊之内有先帝和丞相临终之时所托付之物，有此物在，加上臣略施巧计，定能使社稷危而复安，日月幽而复明。届时，将有一人带着臣的另一只锦囊来见陛下，望陛下务必依照其中的计策行事，是否复国，将在此一举。臣，姜维。"

刘禅不禁好奇之心大起，忙伸手探入锦囊，将那件物什取了出来，一看，却是一柄精雕细琢的钥匙。他反复查看了一番，却看不出个所以然来。正思忖间，他忽然想起诸葛亮在世之时，朝中曾流传着一个说法……

"难道，这把钥匙是……"顷刻间，他的额头上已冒出了豆大的冷汗。

黄皓忙问："陛下，您这是怎么了？是不是哪里不舒服？"

刘禅长呼了口气，将那布绸连同钥匙塞入怀中，吩咐道："我没事……你去到后面为我再取些酒来。"

黄皓躬身退下了。

待黄皓走得远了，刘禅赶忙取出布绸又看了一遍，然后凝神细思了起来。不一会儿，外面传来黄皓的脚步声，他回过神来，急忙将布绸凑到烛火上点着，甩在地上，不一刻便化为了灰烬。

"咳……我已经睡了多久了？"卫瓘虚弱地问道。

"呼……大哥，真是吓死小弟了，您自从邓艾被押送往洛阳后，便昏昏醒醒，到现在已有五日了，总算是醒了过来。"卫瓘长出了口气，将兄长扶起，又在背后多添了一只枕头，好让他能坐得舒服些。

卫瓘闻言微微吃了一惊，说道："我只是觉得睡了一觉而已，想不到竟有五日之久！咳……我这身子，确实是不中用了。"

"其实也没什么大不了的，大夫说只是惊吓过度，又受了些风寒而已，没什么大碍，稍加调养便可。只是这一睡不起，着实把我给吓得不清。"

卫瓘道："咳……你请的这个大夫倒是很高明，知道我是受了惊吓。呵呵，能在邓士载面前安然若适者，恐怕天下少有。咳……"

卫瓘替兄长拢了拢被子，笑道："那大夫生得是又高又瘦，还是个独眼龙，活像个江湖豪客，哪知却是个医人的郎中，本事倒是不错……大哥，说句不恭敬的话，我原本以为你擒邓艾是游刃有余，没想到你竟然被吓得昏迷不醒！真是好笑。"

卫瓘脸上露出钦佩之色,正色道:"我现在终于明白了,为何那日师纂在偏殿中见不着邓艾时,竟然吓得惊惶失措、六神无主,我还道他是个胆小怕事的懦夫呢,实在没想到……幸好将他擒了,否则假以时日,天下必定落入此人之手!咳……我以前曾称他为狼,现在我却要说他是龙,其乘云而上天,不可罔、不可纶、不可矰,难知其行,即便他已入我罗网,将死者却是设网之人。那日出师门外的情势,当真是凶险到了极点,如果不是钟会大军早来一步,我与师纂等人已结伴赴黄泉了,如今回想起来仍是心有余悸。咳……"说着,不禁叹了口气,只不过不是为自己而叹,而是为了邓艾。

卫璜问道:"那邓艾既然如此可怕,为何不将他一刀斩了便算了,还要大费周章将他押回洛阳?成都和洛阳相隔千里远,囚车往返少说要三个月,路途遥远,岂不是容易生出乱子?"

卫瓘却摇了摇头,"哪里如你说的那般容易?起事者并不只有邓艾一人,还有贾充为内应,如果我将邓艾当场杀了,自然是免生枝节,但贾充这奸贼便得以逍遥法外。如今我将邓艾押解回洛阳,并密书一封由门客交给司马公,详述邓、贾二人的奸谋,有邓艾做个活人证,量那贾充再怎么奸巧,也是难逃一死。咳……"

"大哥想得果然比小弟周到。"

他们兄弟二人从小相依为命,感情十分要好。卫瓘生来就体弱多病,多亏了卫璜的悉心照料,而卫璜也素来佩服兄长足智多谋,对其言听计从,兄弟二人一主一辅,数十年来可谓搭配无间。

此时,房外雨声渐骤,电光雷鸣此起彼落,震人心魄。卫璜赶紧走到窗边,将窗户关上,口中喃喃自语:"这西蜀的天气当真怪异得紧,冬天竟然下雨打雷……日子过得真的好快……"

卫瓘轻笑了两声,自嘲道:"嘿!倒也多亏了雷公震怒,才将我从昏睡中唤醒,倘若再昏睡下去,只怕后果就不堪设想喽!"

"大哥是指钟会?"

卫瓘不置可否。卫璜便不再问,走到房间的一角,一只漆黑的药罐正在炉火上被煮得"波波"作响,白色的泡沫自罐口溢出,满室都是药材苦涩的味道。卫璜坐在小板凳上,将一枝干柴插入火炉中,掀开罐盖看了看那汤药煎煮的情况,一面道:"大哥昏睡之时,钟士季来探望过你。"

"咳……你一定是称我身体不好,将他拒之于门外了吧。"

"那是自然。知我者莫若兄!"

卫瓘笑道:"这又有何难猜?那钟会视我为眼中之钉,肉中之刺,如果真的来探我,咳……我又岂能清醒得过来?"

卫瓘正色道:"大哥放心,我按照你的吩咐,三日内寸步不离此屋,又令门客守住各处通道,钟会当真有胆子派人来行刺,也无可趁之机。"

卫瓘微微点头,又问:"那一件事办得如何了?"

卫瓘道:"小弟已派人回洛阳打探过了,贾充确实已经整顿兵马,望汉中而来。"

卫瓘不由得一声长叹:"唉……天下如弈,凡人如棋,我以为司马公派我入蜀,是要我,咳……是要我督促钟会,制伏邓艾,却不知司马公早就在怀疑钟会谋反,而布下大军以应对。他派我为监军,是算定钟会向来轻视我,见我为监军便会因此而松懈,是以我等无论死活,均非朝廷所关心之事。咳……说得再明白些,我不过是头硕鼠而已,引大蛇出洞饱食,捕蛇者再将其擒之罢了!"

卫瓘听了这话,不禁心中一寒,忙道:"大哥恐怕多虑了,大哥乃是主公的左膀右臂,怎么会……"卫瓘挥了挥手,令其收声,说道:"昔日韩信伐齐,郦生受烹,七国乱起,晁错腰斩,咳……与那些大人物相比,我又是何许人也?主公怎么会爱惜我这么一个痨病鬼的性命?"

楚汉争霸之时,韩信派遣郦食其游说齐王田广,田广被郦食其之言所打动,答应投降,没想到韩信见齐国战备松懈,当下引军伐齐,大破齐军,田广以为郦食其出卖了自己,便将郦食其煮而食之。

汉景帝时,政治家晁错善奇谋辩论,汉景帝大为折服,尊其为智囊,任御史大夫,十分器重。晁错认为当时诸刘封侯势大,必将危及中央,便上书景帝细数诸侯之罪,建议收爵削藩。诸侯闻讯均感大祸临头,便以吴王刘濞为首,以"诛晁错,清军侧"为名,起兵造反,史称"七国之乱"。景帝畏惧诸侯势大,便听从袁盎等一班大臣之言,于晁错上朝途中,腰斩于东市。

以上皆是前车之鉴。

所谓帝王之道,人贱如蚁。所谓忠义,究竟是圣人之道?又或只是上位者要人卖命的借口?只有身居上位者自己心知肚明了。

卫瓘没有言语,兄长所说的他并不是十分明白,也不想明白。他一向淡薄仕途,靠家世之便,这才谋得了一个秘书郎的文职,似这等险恶的权谋哲理,他还没有资格,也没有机会,更不愿去体会。

卫瓘沉默了一会儿,问道:"我昏睡这几日,钟会有何举动?"

卫瓘如实道:"并没有什么特别的举动,钟会将蜀国降军安置于成都城西,又调派二万魏军入城维持秩序,其余大军则驻于城外,一切如旧……哦对了,钟会另派遣胡渊将军率西凉军一万五千人前往汉中,说是加强防事,此外便没什么值得一提的了。"

卫瓘听后显得有些惊讶,咳嗽了一声,说道:"钟会派胡渊去防卫汉中?他难道不知道胡烈等西凉将领都是主公的心腹,乃是他谋反的绊脚石,该严加监视才是啊,怎会令胡渊握有军权呢?咳……钟会难道是糊涂了?"

卫璜笑道:"说不定钟会已经知晓大哥识破了他的计谋,因此打消了反意也说不定。"

卫瓘大笑道:"你这话未免太过于天真,钟会根本就没将我放在眼里,即便知道我识破了他的计谋,也只是会派人杀我而已,又怎么会因我而放弃?不过……他令胡渊驻守汉中,究竟是有何用意,这着实令人费解。咳……"

这时,药已煎好,卫璜盛了一碗汤药,端到卫瓘面前,温言道:"大哥,先将这碗药喝了吧,你现在得先将身子骨养好,就别太多虑了。"

卫瓘点点头,双手接过汤药,凑到嘴边,"咳……但愿是我多虑了,钟会气量虽不及邓艾,但是只有更加狡猾多诈,加上其手握重兵,身旁又有个姜伯约在,倘若真的起事……"正说着,突然皱起眉头,问卫璜道:"咳……这汤药的气味怎么不同了?不是从洛阳带来的药?"

卫璜忙道:"从洛阳带的药是医痨病的,大哥染上风寒,所以我另请那名大夫开了一帖治风寒的药方,味道自然是不同了。"

"咳……将那药帖拿来给我看看。"

卫璜被弄得一头雾水,赶紧道:"大哥,不过就是治风寒的大青龙汤而已,我查看过了,与医书上写得并无两样,又有什么好看的?"话虽如此,但卫璜仍是走到桌边,取来了药帖,递给卫瓘过目。

卫瓘接过那药帖,仔细看了看,只见帖子上写着:祛风寒,大青龙汤,麻黄六两去节,桂枝二两去皮,杏仁四十个去皮尖,生姜三两切,大枣十二枚劈,石膏加鸡子黄打碎,清水三碗,文火细煎半日。所列出的药单与张仲景所著《伤寒杂病论》中所记载的风寒疗法约略一致。

"这大夫是哪来的?"

"据说是前蜀国御医,来头可不小啊!"

"一定是钟会引见的吧?"

卫璜不禁大奇:"大哥果然厉害,一猜便中。那钟会三番两次前来探病,我派人以大哥病重为由,拒之于门外,昨日他又来了,见不得其门而入,似乎有些恼火,又说既然大哥得了如此重病,便该有名医助治,前蜀国御医正好便在宫内,可以请他为大哥诊治。"他顿了一下，看了看卫瓘，又接着道："我见大哥昏迷，本就觉得担心，又怕再拒绝钟会将引来麻烦，于是就……"

卫瓘怒道："你明明知道钟会要害我，却，咳……却又让他引介的大夫为我诊治，你岂不是糊涂？"

卫璜立刻惊惶起来，急忙道："大哥，我怎么会不知道钟会要害你？这药方虽是那大夫开的，药材却是我要门客到药店去抓的，每一味药我都用银针探过，必然无毒，药汤煎煮时，我也无时无刻不盯着，这……"

卫瓘挥了挥手，强压着胸中怒火，缓缓道："咳……仲玉，你从小便是读书不求甚解，却不知药方虽有'正效'，却也有'偏效'，正效虽可以治病救人，但不知偏效却可能伤身害命。这帖'大青龙汤'的确是治风寒的药方没错，风寒乃是因寒毒入体，积于皮下，因此用麻黄、桂枝、杏仁、大枣这等燥性药材活血，本是不错的。但是，咳……但是我身染痫病，本是肺肾阴伤，虚火过旺，如果再服下这帖燥性药材，不出三日必咳血而死！医书内的'大青龙汤'，本应再加入甘草一味，以调和其燥性，避免偏效，但这帖子里却故意略去，便是存心要害我的性命，咳……此乃钟士季的阴杀之计，到时他只要上报朝廷，说我在蜀地因水土不服，肺痨转剧而死，没人会怀疑，甚至连你也不会！"

卫璜立刻恍然大悟，不由得惊出一声冷汗。他赶紧端过那碗药，将汤药倒入痰盂里，说道："请大哥恕罪，小弟一时不察，险些便让钟会那厮奸计得逞，今后小弟一定加倍谨慎，务必不让这奸贼有机可趁。"

卫瓘似乎并没听到卫璜的话，只是一味地低头沉思，半晌，忽然抬起头道："仲玉，你立刻吩咐下去，咳……购齐白绸、麻布、棺材等物什，将大厅布置成灵堂的模样，然后发讣文给各军，便称监军卫瓘因肺痨过世，要诸军将领三日之后前来发丧。切记，一定要三日之后。"

卫璜一时无法会意，愣愣地看着卫瓘，问道："大哥，你又没中钟会的奸计，何必要发丧？"

卫瓘笑道："他既然要我死，我便将计就计死给他看。届时，钟会必来发丧，我再当着诸将的面公告主公手谕，当场将他擒杀，则大事定矣。咳……"

卫璜大喜："大哥果然妙计，我这便下去准备了。"说完，转身出了房门。

卫瓘在床上又躺了一会儿，在心中将每一个环节都盘算了一遍，只觉得此计堪称完美无瑕，没有半分破绽，即便钟会手握大军，可一进入到灵堂来，便成了瓮中之鳖，只要诸将见了主公手谕，那便大事……

手谕！

　　不知怎地，卫瓘内心中竟忽然闪过一丝不安，他扶着墙壁慢慢下了床，支撑着虚弱的身子来到房间的另一侧，那里摆放着一只巨大的竹囊，里头装着符节、用印、书册等一切要紧的事物。

　　卫瓘将手探入竹囊深处，轻轻扳动了一只小转钮，竹囊的底部立即打开了一格暗层，他伸手一摸，只觉得触手冰凉，白玉匣仍旧好端端地放在那里，这才略略放下心。他将白玉匣取出，平放在桌上，见匣上封条两端紧密，并没有被移动过的迹象。他不禁出了口气，暗笑自己多疑。他慢慢将封条揭开，打开玉匣。

　　这时，一道闪电自窗外一闪而过，电光映照得白玉更加精莹剔透，只见卫瓘双腿一软，竟然从椅子上跌坐到地上。此刻，他的脑海中猛然浮现出刚才卫璪说过的话："那大夫又高又瘦，还是个独眼龙，活像个江湖豪客，哪知却是个医人的郎中……"他忽然想起那日在出师门见过的那个人。

　　"必定是他！"

　　玉匣内，司马昭的手谕已不翼而飞。

笼络

　　成都,蜀国皇宫。

　　此时雷声隆隆,大雨滂沱,十几只杜鹃鸟栖息在屋檐下,抖去满身的雨水,哀哀啼着"不如归去"的故事。一只肥大丑陋的蟾蜍从草丛中蹦跳而出,昂头张目,嗅着冬天的气息。忽然,它张开巨口,长舌弹射而出,黏着草叶上一只飞虫,收入口中,大力地咀嚼着。这时,就见一条小孩手臂般粗细的青蛇忽然从岩缝中钻出来,箭矢一般射向蟾蜍,蟾蜍还没来得及发出哀鸣,便已被青蛇吞入到腹中……

　　蜀国已灭,但肃杀仍在。

　　钟会双臂支撑在回肠廊的栏杆上,眯眼看着这场弱肉强食的景象,眼角眉梢不住地抖动着。姜维站在他的身后,同样目睹了这一景象,但面上却丝毫没有表情,仿佛这是世间最正常不过的事。没错,在这乱世之中,弱肉强食的确是再正常不过的事。然而在这"正常"的表面下,却似乎隐藏着巨大的风暴。

　　两人就这么静默着。

　　良久……

　　"大哥,你可曾听过'闻雷落箸'的典故?"

　　"贤弟指的是……昭烈皇帝与魏武皇帝当年在丞相府内小亭中青梅煮酒,纵论天下英雄的事?"

　　"正是。"钟会点头道,"昔日昭烈皇帝刘备为吕布所逼,投奔了魏武皇帝曹操,一日,曹操忽然招刘备到府内煮酒赏梅,并论天下之英雄,刘备遍举袁绍、袁术、吕布、孙策、刘表等当代之强豪,曹操均不屑一顾,却说当世之英雄,唯有刘备与曹操而已。刘备闻言大惊失色,手中竹箸竟不慎掉落在地上,当时正好一声暴雷响起,刘备便推说是被雷声给吓着的,因此落箸于地……"

恰好此时一声雷响,轰隆之声绵密不绝。

钟会暂时住口,待那雷声尽了,这才继续道:"曹操与刘备都是心思缜密、城府极深之人,曹操称刘备乃是天下唯一可与自己比肩的英雄,乃是借机试探,如果刘备因此而沾沾自喜,那便表示他甘心臣服,无夺取天下之壮志。但倘若他因此而面露惊慌之色,那便表示他心中另有盘算,应该立刻除之。刘备自然是深知此中要害,闻言落箸,已经是露出了马脚,但他却立即称是被雷声所惊吓,不但将落箸之举一笔带过,更是假装怯懦无胆,不敌区区雷声。曹操因此对他放松了心防,令他带兵出征,纵虎归山。不得不说,这是曹操这辈子所犯下的最大一个错误。后世多称曹操奸巧机灵、阴险狡诈,但我却说刘备城府之深,更在曹操之上!大哥可有同感?"

姜维不知钟会旧事重提到底是何用意,当下淡淡一笑,说道:"我曾经听朝中宿老说过,昭烈皇帝性格虽深沉,且有统御之权谋,但他却待臣下以诚信,往往推心置腹,所以能令臣下誓死效忠。"

钟会却是沉吟未答,而是将手伸出廊外,任由雨水在掌心积成一个小水洼,少顷缓缓握紧拳头,看着水流自指缝间慢慢流淌出来。只听他幽幽道:"老子曰,'上善若水,水善利万物,而不争,处众人之所恶,故几于道'。水随容器而方圆,却不伤于刃,不攫于手……我是在想,那刘禅是否也有乃父之风?"

"贤弟的意思是……"

钟会猛地转过身,面色阴沉,深邃的双目死死盯着姜维的脸,许久才道:"刘禅因何而降邓艾,至今是个谜,不过也不是全无设想,邓艾军力不及,想来多半是凭借局势的巧妙,迫得刘禅不得不降。如今邓艾已被擒,我却不知……那刘禅是否仍甘为人臣?"

姜维一惊,一颗心顿时提到了嗓子眼儿上,同时,腹间竟开始隐隐作痛。他将右手悄悄地移至背后,握住了佩剑的剑柄,随时准备暴起发难。

谁知钟会却将目光投向了别处,继续道:"今日我设宴邀请刘禅,为的就是弄明白此点。我在宴席上对他大加折辱,实际上是想试探他的气度,如果他拔剑而起,那便证明他不过是一介凡夫俗子而已,争一时之荣辱,目光短浅。但今日他对我所施加的种种侮辱却是逆来顺受,即使是看到'昏庸败国'这四个字,也没有半分愠怒的神情,这是否意味着此人城府极深,与其父'闻雷落箸',有着异曲同功之妙呢?"

姜维长出了口气,缓缓松开握剑的右手,笑道:"贤弟也未免太高估了刘禅,此人不过是个吃喝玩乐、胸无大志、软弱无能的纨绔子弟而已,今日他受辱而不怒,本就是意料之中的事，只怕他当时还沾沾自喜，称自己修养过人，不与凡人一般见识呢！贤弟将他与昭烈皇帝相比，倒是有些不伦不类了。”

钟会忽然转过脸，阴柔地一笑："有大哥这句话便好，卸下了我心头这最后的一块大石头。"

看到钟会这副样子，姜维不由得一阵反胃，对其反感之心已到了无以复加的程度。他索性将头别向一旁，假装欣赏庭院中的假山，不再说话。

钟会盯着姜维看了许久，忽然大笑道："大哥现在一定是在想，钟会这厮难不成是患了失心疯了？竟为了一个软弱无能的刘阿斗，三日之内毫无行动，这哪里又是成大事之人？我说得对也不对？"

姜维转过脸，看着钟会，正色道："贤弟说得没错，你方才说的正是我此时心中所想。我以为眼下有三者为心腹大患，而刘禅并不在此列。"

"愿闻其详。"

姜维沉吟了片刻，扳着指头道："卫伯玉，为一患也；兵将不齐，为二患也；北军压境，为三患也。"

钟会听罢不由得哈哈笑道："想不到大哥对卫瓘如此忌惮，竟将之列为三患之首。"

姜维却道："邓艾所设下的计谋可谓巧妙到了颠毫，司马昭何等老辣，入其彀中而尚不自知，唯有卫瓘却能看穿他的计谋，而且能一举将之擒获，可见此人智勇兼备，行事果决，非常人所能及也。咱们原本想借邓艾之手将他除去，不料他却能以百人老弱之兵擒下了邓艾，其手段之高明，姜某是自叹不如啊！现在此人尚在人间，便如我肋中之刺，不先拔除，将来必有大害！"

钟会打着哈欠道："大哥跟随诸葛丞相多年，确实深悟其谨慎之三味，这点我倒是不及了。"说着，转过身去，缓缓朝正殿的方向走去。姜维紧随其后，约莫有一步之遥，只听钟会继续道："当初得知卫瓘为监军，虽然心里清楚他实际上是为我而来，但却并不以为这痨病鬼能有何作为，因此没有将他放在心上。现在我才知道，卫瓘只不过是个障眼法，是司马昭那只老狐狸手中的一步妙棋，故意让我松懈心防的幌子，等我惊觉……妈的！贾充大军已抵达关中……若不是邓艾那厮先露了口风，只怕后果不堪设想啊！"说到此处，他猛地定住身。

"多少人马？"

"共起河洛一带七镇大军，约莫有十万人的样子。"

姜维不禁冷笑："其势虽大，统兵者却是个庸才，并不足为惧。我以为，眼下还是以安内为先。"钟会会意地点点头，却并不答话，继续朝前走去。

姜维轻捻胡须，又道："我听说卫瓘现卧病在床，其门客将驿馆守得密不透风，滴水不露，贤弟几次前往均不得其门而入，想来此人必有所图谋，否则何以会如此防范？依我之见，此人卧病是假，拖延是真，贤弟这三天观望，只怕倒是正好遂了他的心愿了。"

钟会忽然停下脚步，转身道："大哥未免太看重了那痨病鬼，反而是看轻了我！我钟会一向是不达目的誓不罢休，上回要借邓艾之手杀了那痨病鬼没成，这回我却要他死得不明不白！"说着，从怀中取出一份绢书，递给姜维。姜维接过一看，立刻面露惊愕，忙又仔细观瞧，只见上面写道："敕命卫瓘为蜀中监军，节制镇西将军会，若有不轨之情事，生杀不奏，便宜行事。"书末盖上一枚小印，印文为"河内司马氏"。此印乃是司马家的家印，比之魏国皇帝的玉玺还要管用三分。

"这不是司马昭赐给卫瓘的手谕吗？贤弟却是从何得来？"

钟会微微一笑："大哥或许有所不知，钟家门人众多，奇人异士多不胜举，其中又以钟偃、杨针、刘信三人为最。钟偃乃是我族弟，性格沉稳，心思缜密，我教其兵法战术，为我练兵作战，将来可为领军的将帅；那杨针本是河北大盗，武艺出众，头脑灵活，尤其鸡鸣狗盗之术更是一绝，其异容、开锁、下药、窃盗等江湖伎俩无一不会、无一不精，我令他为刺客、为间者，凡见不得光的勾当，大多由他出马。"

姜维微微颔首："钟偃、杨针、刘信三人为最……贤弟既然对前两位推崇倍至，至于那位匈奴左贤王刘信，想来此人本领一定是非同寻常，他又有些何本事？"

钟会对姜维的问话置若惘闻，转过身继续朝正殿走去，只听他漫不经心地说道："这份手谕，便是杨针的杰作。卫瓘那厮虽然病倒，但却早有防备，我几次前往探病都被挡了下来，连门庭屋顶都有人守着，刺客自然是难以近身。我初时只怕卫瓘是在装病，趁机有所行动，打算派兵硬闯，但一连数日都不见动静，便料定卫瓘确实是卧床不起，而且病得不轻，难有作为。"

"想来该是如此。"

钟会忽然放慢了脚步，继续道："我知道卫瓘并未带医生入蜀，在此间得了重病，必定需要大夫诊治，便立刻对其门客谎称蜀国御医尚在宫内，可为卫监军看诊，门客一听果然满口答应——从这一点来看，卫瓘的确是重病卧床。然而虽然是答应，但也仅允许大夫一人进入而已，于是我便命杨针乔装成大夫，入内查看情势，倘若有可趁之机，便顺手取了那痨病鬼的性命。"

"卫瓘的病情到底如何？"

钟会脸上掠过一丝诡异、残忍的笑容，说道："杨针回报说那痨病鬼果真得了极重的风寒，气若游丝，昏迷不醒，但还一时死不了。卫瓘房内有一个与他容貌神似之人守着，料来便是他的兄弟卫璜卫仲玉了，那人片刻不离寝房，实在找不到下手的时机，杨针便开了一剂治风寒的大青龙帖，却故意略去甘草一味，倘若卫瓘当真服了此药，不出三日便要他虚火上升，疾咳而死。"

"果然是妙计，但不知这手谕……"

"我料想司马老狗必定给了卫瓘手谕，事前便叮嘱杨针务必将其找到。杨针一进房内，见桌案旁立有一只竹囊，便知要紧的物什全都在这囊内。据杨针描述说那竹囊高五尺二寸，内分三层，每层一尺五寸，三层相叠不过四尺五寸，有七寸之差便是暗匣，这种'囊内匣'的伎俩实在是寻常不过，对杨针来说丝毫不困难，他趁写药帖时引开卫瓘兄弟的注意，一手持笔，一手便窃得了那封手谕。哈哈，别说大哥你，就连我也是难以相信，单用一只左手，便能打开竹囊、开启暗匣、揭开封条、取出手谕，再将封条按原样贴回，还要令身旁之人不知不觉，杨针的手段确实高明至极啊！"

姜维听得毛骨悚然，暗忖：钟会身旁居然有如此能人异士，必须提早除之，否则将来定为祸害。脸上却是一副笑脸，拱手道："贤弟手下有如此之能人，何愁大事不成？那卫瓘此刻想必已魂归西天，难怪贤弟表现得如此从容不迫，倒是愚兄多虑了！"

谁知钟会脸色一沉，摇头道："开始时我倒是看轻了卫瓘，险些酿成大祸。所谓'一不过二'，这回我却不敢再大意了，那卫瓘久病成医，如果他清醒后见了那份药帖，必能看出破绽来，我这阴杀之计，只怕是不成的。"

姜维立刻收敛笑容："果真如此的话，那么贤弟有何打算？"

钟会笑道："大哥不该问我有何打算，而是应该去问那痨病鬼有何打算……如果换了我是卫瓘，此刻必会用假死之计，虚设灵堂，招齐诸将前来调喧，然后伺机将我擒住，便如同之前对付邓艾一般。"

姜维沉吟道："话是如此，但是现在手谕已落入到咱们手中，即使卫瓘当真擒了你，又能有何作为？他师出无名啊！"

钟会思索了片刻，取过那手谕又读了一遍，然后从怀中取出火褶，在那手谕的一角点起一道青焰，待那火焰缓缓爬满了整道手谕后，手一抖，将烧着的手谕丢入到院子里的水洼中，火苗与水相遇，发出"嗤"的一声。

只听他缓缓说道："不然，虽然没有手谕，但仍可一试。这批将领跟随我还不久，除了河洛一带兵将之外，其余对我均无太大的忠诚，一经挑动，便有可能与我为敌。诚如大哥所言，兵将不齐，实在是咱们的心腹之患啊！"

姜维点头道："没错，这实在是咱们起事的心腹大患。我已经注意很久了，听说西凉军以胡烈父子为首，素来忠于司马家，倘若知道贤弟将要造反起事，恐怕不但不从，反而会起而攻之。"

钟会点头道："大哥说得没错，不过钟偃早就已经提醒过我，'河洛军可用之，淮南军可拢之，西凉军当除之'，趁现在卫瓘尚在假死当中，咱们便先料理了此事，却不知大哥对此事有何高见？"

姜维拱手道："以我之见，斩草需除根，应该在成都西侧掘一大坑，将淮南西凉兵将一夜之间尽数坑杀，然后以河洛蜀中之兵起事，是为上计；诛尽淮南西凉将领，再将其军分成若干小股，由我等亲信带领，使之不能串联起事，是为中计；监禁诸将，逐一探询其心意，从者便活，不从者便斩，是为下计；倘若要想说服诸将军随咱们起事，那是万无可能之事，乃是下下之策了。"

钟会听罢不由得仰天大笑："想不到我所要做的，竟然是大哥谓之的下下之策，这倒是我的不智了。"

姜维经过数天"坐同席，出同车"的观察，深知钟会为人心胸狭窄、阴险毒辣，却偏偏要摆出一副宽厚豁达的仁者之貌，所以料定他必然会选择召抚这一"下下之策"，心中不由得一阵冷笑，但表面上却装出一副吃惊、错愕的表情，惊讶道："难不成……贤弟真要说服淮南、西凉诸将？如此不但旷日废时，更容易走漏了消息。现如今贾充大军压境，如果有将领与之里应外合，对咱们可是极为不利啊！我以为成大事者不能心慈手软，应当立刻诛尽逆者，如此则贾充不足虑，卫瓘自然就更不足虑了。"

这倒也是句实话，站在姜维的立场考虑，敌人数量越少，钟会越早起事，便对他的复国大计越发有利。

两人正说话间，已不知不觉来到了蜀宫正殿，殿门口守卫士兵向二人行礼，推开殿门让二人进去。此刻大殿内空无一人，只有台阶上巨大的龙壁，上面雕刻着的飞龙正张牙舞爪地迎接二人到来。

钟会将双手负在身后，缓缓步上台阶，抬头看着那龙壁，感慨道："古语有云，'以力服人者霸，以德服人者王'……以力服人者，兵戎相见，成王败寇，事所当然。但倘若能做到以德服人，那确实是圣人之道、王者之道，非常人所能及也，这便是世人口中所说的'正义'了。'正义'若在，军队便是'王者之师'，所到之处无不顺服，天下何愁不定？大哥以为如何？"

姜维站在钟会的身后，抬头望着那既熟悉，又陌生的龙壁，眼前不自觉地浮现出刘禅朝见文武百官时的情景，不由得一阵心潮起伏，随即却被钟会的一番话拉回到现实，一时间竟生出恍如隔世之感。

他沉默了半晌，皱眉道："话虽是不错，但也要看情势而定，以如今的情势，便是要走霸者之道。而且，所谓'圣人之道'、'王者之道'，那不过是霸者为了安抚天下，坐稳江山，往自己脸上贴金罢了，难不成贤弟当真以为凭借仁道便可得天下？"

钟会笑道："既然大哥不信这玩意儿，聪明如我者又怎会相信？自古以来自称'以德服人'者，大多是些无德之辈，所谓'王道'，只是权谋而已，大哥多虑了。"

"贤弟已定下了计策？"

"难道大哥不知我命胡渊率兵北上汉中之事？"

"我以为这是贤弟的分化之计。"

"当然不是。"

"那这究竟是……"

"不过是我所擅长之计而已。"

姜维皱着眉在大殿上缓缓踱步，直踱到第四回，这才舒展眉头，慨然叹道："原来如此，乃是'借刀杀人'、'一石二鸟'之计，贤弟果然高明，愚兄佩服！"

钟会微微一笑："大哥过奖了。"

又思索了片刻，姜维忽然道："既然胡渊之军已北行，那么……贤弟目前尚需要两个信差。"

钟会点头微笑："知我心者，莫若大哥！没错，的确需要两名信差，一名昨日已经动身，剩下的一名待我召集诸将之后，再启程也不迟。"

姜维再次发出感叹："贤弟果然不愧'子房'之誉，足智多谋不说，思虑也是周密到了极点，愚兄不知贤弟早已有了详尽安排，还在此处妄自操心，真是好笑。"姜维忽然口气一转，问道："却不知，贤弟可还有别的妙计？"

钟会笑了笑，转过身去，背对着姜维缓步走向龙壁，轻声道："没有了，我计已毕，再无保留。"他来到龙壁前，手指轻轻抚弄着龙须，此刻他并不愿面对姜维，他深知姜维的能耐，此时如果多说一句，哪怕多使个眼神，只怕那尚未说出来的计策，便会不知从哪儿泄露了出去。

梓潼南门前，千余名蛮族壮丁聚拢在一起，双手抱着头，或蹲，或坐，大队魏军军士和甲持剑，逐一加以查点，偶尔遇到不服从者，便将那人拳打脚踢一番才算了事。

将军王买乘马持枪，在城门前往来巡视，不时高声吆喝："他妈的！前面那几队动作要快些，叫你们盘查，查到现在却连个人数都没点出个名堂来，都是干什么吃的？

妈的！那个狗蛮子在干什么？对，说的就是你，还敢乱动？再动就把你脑袋砍去喂猪！"他身材矮胖，说话急促，每一句话的尾音均略微上扬，那是标准的淮南口音。

便在此时，只见一小队人马自西侧的丘陵缓缓转了出来，当先一面大旗，上头绣着一个斗大的"钟"字。王买瞧见了心中不禁打了个突，心想钟会竟会为了一次小小的动乱，大老远跑到梓潼来。待那队人马又走近了一些，他这才看清楚，领队的将领身材高瘦，全身戎甲，并不是钟会，而是钟会的族弟钟偃。

王买这才稍稍松了口气，忙整了整盔甲，策马上前，行礼道："钟将军，您不是在成都负责守卫吗？怎么会跑到这梓潼来了？难不成……难不成都督是不放心这儿的动乱，特派您来援助在下？"钟偃冷冷地看了王买一眼，随意回了个礼，面无表情道："在下是奉了都督之命，出成都办些要紧事，顺道过来看看这边的情况。"他也不勒马，一面说话，一面朝着梓潼关南门的方向一路行来。

王买见钟偃这般无礼，不免心中有气。在军中，王买虽非高级将领，但好歹也是个散骑将军，那钟偃却只是挂了个副指挥使的虚衔，没有实权。但顾及到他是钟会身边的亲信，实在得罪不起，王买只好在脸上艰难地堆起笑容，与之并肩而行。

行至梓潼关城下，钟偃看到聚在门前的蛮族人，便说道："嗯，王将军干得很不错啊！这里共有多少蛮子？"

"呃……一千三百一十七人。"王买随便报了个数字，要比实数多出不少。其实这里面有很深的学问，战场之上，杀敌、俘房人数报得越多，功劳便越大，所得到的赏银便越丰厚，也就是所谓的"人头钱"，所以虚报数字，已经是军队中不成文的规矩了。

钟偃虽算不得军中人士，跟随钟会已久，自然深知这其中的奥妙，却不说破，轻轻点了点头，说道："王将军确实是善于用兵啊，不费半日便平定了动乱，看来我到这边，实在是多此一举了。"

王买赶忙道："劳烦钟将军费心了，不过是些蛮子趁着时局未定，想到梓潼粮仓抢些米粮而已，成不了什么气候。庞将军今日一早得到了消息，便立刻派在下领军赶来，在下先是派两队骑兵来回冲杀了几趟，这些蛮子马上就溃不成军了，然后步兵合围，将几个蛮酋砍杀，其余的就只能弃械投降了。我军除了几名弟兄受些轻伤外，还未见伤亡。蛮子如此不堪一击，想必是慑于钟大都督和钟将军的威名。"他一面说，一面手脚比划，显然是对这场胜仗十分的得意。

"这样便好。"钟偃说了这四个字后便不再出声了，只是自顾自地绕着俘兵打起转来。王买跟在钟偃的身旁，只觉得浑身不自在，便试探着问："钟将军，您说您是奉了都督之命出城办事……不知所办何事？"

钟偃斜了王买一眼，沉声道："王将军难道不知，刺探军机者理当斩首？"王买只觉得背脊一阵发寒，汗毛便不由自主地竖了起来，整个人立刻缩了回去。却听钟偃缓缓说道："不过，王将军是自己人，告诉你也无妨，我是奉命将邓艾一众余军，押往成都城东的曹苑。邓艾虽然被擒，但他手下的那些人，也是轻视不得的。"

王买抹着冷汗陪笑道："钟将军说得对极，之前我与师纂等人有过数面之缘，听说那邓艾十分善于练兵，不论是什么样的老弱残兵，只要到了他的麾下练上那么一年半载，便都成了一等一的精兵了。这次他仅带了一万人直捣蜀中，势如破竹，那一定更是万中选一的精锐了。"

钟偃微微颔首："王将军所言不差，邓艾图谋不轨，已经伏法，但其手下的那些兵将却颇难处置，都督于是便命我将这一万人暂置于成都城东的曹苑，好吃好喝地供着，以安其心，等朝廷的命令下来再做处置。"

王买捋着胡须悠悠道："嗯，这一万人，说多不多，说少也不少，杀也不是，放也不是，放在城外也算是……眼不见为净。"

钟偃瞪了王买一眼，策马来到南门前，问道："王将军，这粮仓你可进去看过了？"

王买吃了一惊，慌忙答道："钟将军这是说的哪里话，在下岂敢擅自开启粮仓？那可是要杀头的！庞将军给的命令只是平定蛮乱，可没说进粮仓查看……将军您看，这门关得有多紧，我军可没人胆敢踏进去半步。"

钟偃那僵硬的脸上终于挤出了一丝笑容，温言道："王将军不妨将门打开，咱们二人一同进去瞧瞧如何？"王买一怔，不禁犹疑起来："这个……不妥吧？"

钟偃从怀中掏出一枚赤色军令，冷笑道："有钟都督的军令在，我说妥便妥。"

王买看到那枚赤色军令，脸上立刻呈现出恭敬之色，心中却道：你们钟家早已是家财万贯，却还来搞这样的把戏，也罢，不管怎么说，终归是也有我的一份。随即回身下令道："三队、四队且慢盘查，来将这门打开，快！"

"是！"军士立刻上前开启城门。

这梓潼关位于成都东面三十里处，乃是一座军事要塞，以防备蛮人而设，由于城墙坚厚，诸葛亮健在之时便于此地筑仓囤粮，以供成都之需，并于成都与梓潼间修筑了七丈驰道，以木牛流马运粮，不出一时便可到达成都。

随着"吱吱呀呀"一阵响动，城门洞开。王买与钟偃策马穿过南门，只见梓潼关内街道纵横复杂，两侧均是粮仓，大者三五层，小者二三层，层层叠起，令人眼花瞭乱。钟偃下马走进一间粮仓，从高木架上取下一只半人大小的麻袋，掏出小刀将袋口割开，露出里头晶莹剔透的白米，在阴影下闪闪发光。

王买跟在钟偃身后，眯缝着眼睛仔细观瞧，不由得发出一阵感叹："好米！真是好米啊！这种上等大米在中原本是少见，而且又生得如此漂亮，如果是在洛阳，我看……"他抬起头环顾着仓内几百几千袋的白米，那双绿豆般的眼里猛地射出两道精光，仿佛满仓堆积的不是白米，而是黄金珠宝一般。

钟偃直起身子，语气和缓地说道："这还只是梓潼关其中的一仓而已，王将军可知梓潼究竟藏有多少米粮？"

王买摇了摇头，他实在是不知道。

钟偃笑道："在下自蜀宫中找到一本簿册，上面记载着梓潼关内共有大仓五十一座，小仓九十二座，大仓藏米，小仓藏粟，另加甜薯、花生、山药等杂粮仓共有三十余座，贮粮三百一十二万石，足够蜀中三年之用。"

王买伸了伸舌头，惊叹道："巴蜀之地，果然是天府之国！如果蜀国没有投降，而是与咱们大魏对峙起来，岂不是……侥幸，当真是侥幸得很啊！"

钟偃缓缓踱出粮仓，淡淡地说道："王将军说得没错，如果蜀国当真和咱们大魏对峙起来，结局还尚不可定。你看咱们关中淮南一带那是三年一饥，五年一荒，百姓流离失所，而蜀中却凭一州之地，竟能存下这么多的粮食，可真够富庶的了。"王买点了下点，沉默了片刻，忽然问道："钟将军，这些粮米……不知都督的意思是……"

钟偃双手交叉于胸前，沉声道："都督没有什么特别的意思，只是因为蜀宫里的那些簿册均已老旧不堪，不知里头所记载的是否可靠，都督打算将梓潼粮仓的粮草重新清点一次，报上朝廷，再由朝中处置而已。"

"可是，这么多粮米，一时三刻恐不易点清啊！"

"这个当然，要想点清这些粮米，自然得加派些人手才是，而且得由亲信之人主持才行。"说着，钟偃抬起眼皮看了看王买，眼神中似有深意。王买被看得心头一喜，面上却是丝毫不露声色："钟将军，这点粮之人，需精细之人才行啊！"

钟偃点了点头，目光再次望向王买，面上露出淡淡的笑意。

王买难掩兴奋，忙问："谁人点粮？"谁知钟偃忽然面色一沉，冷然道："哼！王将军，我刚刚已经说过了，这点粮之事非一人可行，你如果以为可以独占此肥缺，那显然是你误会了。"

王买立刻一阵惶恐，赶忙道："哦不不不，在下岂敢，只是关心罢了，关心罢了，望钟将军不要误会。"心里却将钟偃的祖宗十八代用淮南土语问候了个遍。

钟偃却拍了拍王买的肩膀，皮笑肉不笑地说道："但是王将军，你这个误会倒也不算太离谱，我军入蜀的三军之中，西凉军已给胡渊带去守汉中了，河洛军又得负责成都的守卫之事，所以，这个嘛……"

王买那个气啊，心道：你们这些洛阳人花花肠就是多，一会儿这个一会儿那个，感情耍老子玩呢！心中却有些欢喜。

只听钟偃继续道："所以这点粮的工作嘛，都督打算交给你们淮南诸军来处理。中午我离开成都之时，军令已经发出，要庞会、田章、夏侯咸等将军，明日午时过后即率军前来，一方面是负责点粮，另一方面是加强守备，以免又有劫粮之事发生。"

王买忙拱手称谢道："都督如此器重咱们淮南军将，咱们自当尽力去办便是，以不负都督的厚望。"

钟偃却摇了摇头，说道："王将军，你还是没完全听懂我的话，淮南军大队人马明日午时过后才会开拔来梓潼，那之前呢？"

王买一怔，有些不知所措。

"呵呵，这便是我来此的真正目的。"钟偃说着，将那枚赤色军令交到王买手中，轻声道："都督的意思是，点粮这等大事应越快越好，派淮南大队人马前来，固然是人多好办事，但不免杂乱无章，如果在大军抵达之前，有人可以将这些粮草清理过，那点粮的工作便顺当得多了。王将军可否明白都督的苦心？"

"也就是说……我……"

钟偃点了点头道："没错，都督知道王将军驻守淮南之时，大多是负责处理粮务，因此打算让王将军担当此重任。从现在算起，王将军还有一天的时间来清理粮米，算起来已经是相当紧迫了。"王买虽然脑浆少了点，但毕竟在军中多年，见过些世面，自然知道钟偃话中含意，大喜过望之余不禁双膝一软，跪在地上磕了个响头，拱手道："谢都督委我以重任，末将必全力以赴，不负所托！"

王买大喜是有道理的，所谓点粮，那不过是个幌子，说白了，就是让他发笔大财。那粮草有三百一十二万石，点粮官非说只有一百五十万石，谁又能去逐一点过？余下的自然是进了点粮官的私仓。当然了，点粮官胆子再大，也不敢贪污那么多，充其量几千石而已。不过，就是那几千石，也已经算是了不得的一笔横财了。

钟偃忙伸手扶起王买，温言道："王将军，这跪是要跪的，但跪的是都督，在下可担当不起啊！"

王买起身道："想我王买无德无智，竟蒙都督如此厚爱，委我以重任，真不知要何年何月，才能报答都督的大恩大德啊！"说着，便要再跪。

钟偃一把扶住王买，笑道："都督一向豁达大度，求贤若渴，为结交豪杰，一掷千金也在所不惜，我们追随都督已久，对都督均是心悦诚服，都督有何吩咐，我们均是赴汤蹈火,也在所不辞。"王买大为感叹:"善养士者,气度恢宏,天下归心!听钟将军这么一说,我王买恨不得立刻奔赴都督帐下,听候都督的调遣。"

钟偃满意地点了点头,双手负在身后,朝座骑走去,说道:"我等身为武将,带兵作战倒是其次,最要紧的便是选对了路,跟对了人,倘若是误入歧途,即便是空有一身本事也无用武之地。你瞧那师纂、牵弘等人,哪个不是武勇之将?可惜他们跟错了主子,所以现在只能被软禁在曹苑中,生死未卜。"

王买心中一凛,忙道:"在下明白。"

钟偃忽然回过头来,嘴角挂着一丝笑容,轻声道:"都督既然授你点粮重任,王将军便该知恩图报,我想这点……王将军也应该明白。"

王买忙躬身行礼道:"这个当然,这个当然,都督对我有知遇之恩,在下自当尽力回报,万死不辞。"

钟偃十分满意,笑道:"倒是犯不着谈什么生死,不过是件小事罢了。"

"还请钟将军明示。"

此时钟偃已翻身上马,手持马鞭在空中挥舞了一下,发出"啪"的一声脆响:"此事目前尚未定案,等到定案之后自会知会王将军,届时还盼将军念着今日之事,多多相助了才是!"王买抹了抹额头上的冷汗,躬身道:"在下自当竭力报效都督。"

钟偃不再说话,一扬马鞭,带领着手下向关外驰去,留下王买一人,指手画脚,指挥军士前去搬粮。

姜维重重地咳嗽了两声，双手用力按着腹部，只觉得那来自腹腔内的巨痛一阵强似一阵。他喝了口温水润了润干燥的喉咙，又取过手巾抹了抹额头上渗出的冷汗，这才呼出一口大气来。他将沉重的身子倚在案上，耳中似乎掠过一阵"嗡嗡"之声。

老了，确实是老了，不过几日的操烦，身子竟有些撑不住了。想当年北伐曹魏之时，餐风露宿，万里行军，数日不眠不休乃是家常便饭，倦了便在马背上暂歇，见有敌人来袭，依旧是精神抖擞。然而最近数日，伴在钟会之侧虽是锦衣玉食，但那日夜提防、劳心费神的压力，只有比行军更沉、更重，也不知这残躯还能撑上几时？

"希望这一切，将在不久之后能够有个了结……"他轻轻叹息着。

他又喝了口温水，感觉那股温热的水流顺着他的咽喉、食道滑入到腹中，将自己内脏的轮廓渐渐勾勒了出来。腹痛稍稍减缓了一些，于是他便咬着牙站起身，走向墙边的那只木柜，伸手从木柜顶上取下一只狭长的木匣来。那木匣上积满了厚厚的灰尘，显然已有数年未曾动过了。他将木匣放在案上，轻轻地揭开了匣盖，只见里头乘着一柄五尺长剑，自剑柄至剑鞘均为墨绿色，鞘上以篆书刻了四个字：青釭无影。

姜维轻抚着剑身，缓缓合上双眼，脑海中立刻浮现出一段话来："伯约，放眼当今之世，能继承我道者惟你而已……我身为武将，只管冲锋陷阵，其余军政大事自有丞相来筹划。但你却不同，你为三军统帅，既要身先士卒，又要运筹帷幄，劳心劳力，将来复兴汉室的大业，就要仰赖于你。可惜我寿命已尽，不能再助你，惟有以此剑相授，盼多少能有些助益……不过老夫却要提醒你一句，青釭虽是锋利无比，但杀气过重，乃是不义之剑，非紧要关头断不可使用，望你用此剑之前，三思而后行……"

"大将军，你身子……是不是哪里不舒服？"张翼不知何时已走到了姜维的身后，轻轻拍着他的臂膀问道。

"呵!"姜维猛地回过神来,睁开双眼,看着张翼似笑非笑地说道:"舒服又如何?不舒服又如何?自陛下献降以来,我便什么都明白了,我姜某人身为蜀国大将军,进不能护国,退不能死难,早已是青史恶名之辈!就在刚才,我已经打定了主意,此番倘若不能复兴我国,便以身殉难……即便现在劳累些,又何足道哉?"

"进不能护国,退不能死难",这十个字吐字虽轻,但听在张翼、董厥耳中却如五雷轰顶一般振聋发聩,二人均把头低了下去,默不出声——那十个字不也正是他们自身的写照吗?

姜维将青釭剑从匣中取出,佩在腰际,低声问:"人手召集得如何了?"

张翼恭身道:"按照大将军的吩咐,已召集妥当,共一百一十三人,全都是百里挑一的好手。"

"是哪些人?"

"西北军八十四人,大多是大将军麾下的卫队,以帐下督刘大为首。"

姜维听了缓缓点了点头道:"嗯,那刘大追随我已多年,忠心与武艺均无可挑剔……你们是否找过成都军?"

张翼道:"找是找过了,就怕调动太多军士会引起魏狗的怀疑,所以董将军暗地里只找到了数十名虎骑军士而已。"

姜维不禁皱了皱眉:"成都内还有什么好手吗?"

蜀军内部一向分为两个派系,分别是"西北军"和"成都军","西北军"常驻于汉中西凉一带,由姜维亲自教练,留强去弱,乃是蜀军中的精锐,北伐的主力。"成都军"则留守蜀中,由辅国大将军董厥、右将军阎宇等人统领,负责维护蜀中治安,不但人数较少,素质更不及西北军精良,所以姜维一听调用了成都士兵,不免心存怀疑。

董厥原本站在一旁一言不发,听姜维这么一问,再见他面露疑惑,赶紧上前一步道:"成都军内多有能人,大将军只是不知道而已。大将军可曾听说过'双钩'张二、'金枪手'杨三之名?他们两个可以算得上是成都军中的佼佼者了。"姜维微微颔首道:"过去倒曾经听刘大提起过这二人,他们三人乃是同乡结义,刘大曾力劝我将此二人召入军中,无奈宫中不肯放人……此二人原居何职?"

"都是虎骑卫,掌管皇城的夜间守卫,但皇上出降之时二人均在北门守御。"

"武艺呢?"

"上上之选。"

"可是忠义之士?"

董厥立马拍着胸脯，昂声道："此二人心怀汉室，不甘于当魏奴，听说大将军要起事，都是大为兴奋。末将愿以性命担保，此二人忠诚可鉴！"

姜维却不言语，轻咳了一声，将双手负于身后，缓缓地踱了开去。

看到姜维脸上仍写满了怀疑，董厥不觉有些着恼，沉声道："大将军，你手下的西北军精锐忠诚，那自然是不在话下的了，我成都军虽有所不及，但也不是酒囊饭袋之辈，大将军设计复国，究竟是何计策，不让我等知道也就罢了，但是连动手也不让成都军参与，这未免……这未免也有点太瞧不起人了吧？"

姜维停住脚步，看着董厥道："我所设下的计谋，并非只有成都军不知，就连西北军也是无人知晓，董将军言重了。"

董厥大嘴一撇，讥讽道："哈！的确是无人知晓，我不知晓，张将军也不知晓，廖老将军如今重病在床，生死未卜，那就更别说了，下面的弟兄们同样也都闹不明白。我们只看到姜大将军每天与钟大都督坐同席，出同车，对人家是亦步亦趋，俯首帖耳，也不知道昔日对皇上有没有这样听话过……"

姜维猛地转身，沉声道："我姜某尽心为国，何惧流言？"董厥也不由得大怒："我等也是一心为国，忠心可鉴，为何大将军独厚西北亲兵？我等不知大计为何，也就罢了，现在又不许出战！姜维，你是不是还记恨昔日段谷之败，不愿用我成都之军？"

多年以前，姜维刚刚担任大将军一职，雄心勃勃，与率领成都军的镇西大将军胡济相约会师上邽，大举北伐，却不料那胡济失约不至，以致于姜维遭到邓艾的偷袭，大败于段谷，星散流离，死者甚众，姜维也自贬为后将军，行大将军事。从此军中便有了传言，说他对成都军心有怨隙，故老弱残兵尽归成都军，成都军出身的将领也不能升迁至高位。

守剑阁之时，大敌临城，蜀军尚能万众一心，拼死抗敌，却没想到今日复国大计将近，成都、西北军之间的心结，却在这个节骨眼儿上被挑了起来。姜维不由得痛心疾首，腹内疼痛更甚了。

他面色发黄，右手用力揉搓着腹间，哑着嗓子道："董将军，我不愿与你争口舌之辩，姜某只是就事论事罢了，西北军较之成都军精良，这是显而易见的，此次大计乃是生死一搏，姜某不愿有任何风险，所以疑人坚决不能用。"

董厥气得一拳击在木梁上，立刻便有无数灰尘、沙石自上面落下来，如同下了一场暴雨。只听他怒声道："大将军这是说的什么话？只用不疑之人岂能成功？想那昔日魏延勇猛，李严有才，丞相偏偏不用，却用了个不疑的马谡，到头来还不是败掉了大好良机？哼！所谓'疑人不用'，不过是无统御之能的借口罢了！"

姜维面色越来越难看,豆大的汗珠自额头上滚落下来。

张翼见事态不妙,刚要出言劝解,却被姜维挥手阻止道:"董将军,你身为军人,自然知道'军令如山,出而不还'的道理,我现在便以蜀国大将军的名义下令,不许成都军出战,你服还是不服?"

董厥大笑:"你早已经不是什么大将军了,不过是个私心自用的莽汉而已……唉!大汉亡矣,无能复哉!"

"也就是说,董将军是不服了?"

"自然不服。"

张翼赶紧道:"董厥!你竟敢对大将军不敬,休怪我张翼对你不客气!"说着,朝董厥连连使眼色。董厥似乎也知道自己的言语有些过分,当下收起讥讽的表情,正色道:"大将军,我董厥是个粗人,话不中听,还望大将军莫怪罪。我不是不服,只是大将军心中早有定计,却并不说于我等知晓,让人好不心焦,如今又出言贬低我成都军,我又怎能信服?"

谁知姜维的口气却是异常决绝:"计策此刻尚不能说破,到了实施之时自然便知,只是成都军万不能出战!"

董厥原本压下去的火气,再次被撩拨起来,高声叫道:"那我便不服!你又能把我怎地?"姜维"唰"地一声从腰间将长剑抽出来,横在胸前,喝道:"废话少说!阁下既然不服从大将军的军令,那便来试试这柄剑,胜了,便许成都军出战!"

一时间,剑拔弩张。

"那我便来试试!"

话音骤然响起,三人都是一愣,就见房门忽然被人从外面推开,一名短小精壮的青年手持一柄九尺金枪大跨步走了进来,来到姜维面前单膝跪下,昂声道:"小的便是虎骑尉杨三,愿一试大将军宝剑!"

三位将军见杨三不经召唤便闯了进来,都大吃了一惊,尤其是董厥,连连向杨三使眼色,示意他赶紧退出去,免得姜维一怒之下把他给砍了。谁知杨三不但不动,反而故意将脸转了过去,目光瞧向姜维。

只听姜维冷冷道:"杨三,你一直在门外偷听?"

杨三拜伏道:"是的。启禀大将军,董将军通知我等将行复国之大计,命我等前来大将军府待命,在下难忍兴奋,想听听大计详情,也好提前有个准备,便斗胆于门外窃听,还望大将军恕罪。"一席话说得不卑不亢,倒令在场的人刮目相看。

"既然是虎骑尉,便该知道窃闻军机者,罪当处斩,无可赦之!"

"小的在成都，久闻大将军是气度豁达之人，乃是天下第一名士，没想到今日一见，这才知道谣言误人。大将军杀我这个无名小卒不打紧，但轻蔑我成都军士，在国家危急存亡之时，却只知区分彼此、排除异己，又如何能称得上是天下名士？大将军如此量狭，又如何复兴我国？倘若不能复兴我国，小的身为虎骑尉，活在这世上又有何意义？不如大将军立刻便将我斩了，以正军法。"

杨三这一番话说得有守有攻，且正气凛然，就连张翼和董厥都不禁为之动容，不住地斜眼偷看姜维，生怕姜维一怒之下真的当场将他就地正法。谁知姜维非但不怒，反而大笑道："好一个杨三！董将军，你们成都军内果真是藏龙卧虎，一名小小的虎骑尉，临死之际，不但不惧，还能用激将之法，真是胆识过人啊！有趣，着实有趣！"

董厥"哼"了一声，退到一旁，并不言语。

姜维对杨三道："也罢，暂且饶你一命。军中无戏言，我之前既然已经说过了，只要胜得了我手上的这柄剑，便许你成都军出战。如果胜不了，就休怪我不客气了！杨三，你还不快叫还在门外偷听的那个人也进来，二人一起上来试试吧！"

便在此时，门外又走进来一名青年将官，生得高大英挺，腰间插了一对钩刺，来到姜维面前拜伏在地，高声道："小的虎骑尉张二，拜见大将军！"

姜维点了点头："你们二人便一同来试试……这样吧，再让你们一步，若能逼我拔出这柄剑，便许你二人出战，戴罪立功。若是不能，那便依军法处置，如何？"说着，将青釭剑插回剑鞘。

张二和杨三原本听说姜维有妙计复国，成都军或许能有幸参与其中，均大为兴奋，哪知刚才在门外却听姜维出言鄙视成都军，不禁越听越恼。张二终究是年长一些，性情稳重，耐住性子原地不动，杨三年轻气盛，哪里能够忍耐得住？率先夺门而入，想要与大将军理论。此刻二人见大将军肯给他们一线机会，不禁热血澎湃，跃跃欲试，二人相互对视了一眼，站起身来，往后退了数步，拉到了架式。

董厥走到二人身后，低声提醒道："成都军能否出战，便看你二人的本事了。他既然不出兵刃，又没说不许你们使用兵刃……非常之时，你们也不用顾及他的身份，用兵刃，一齐上！"说完，便与张翼一同退至墙角，凝神细观。

张二与杨三闻言均不禁皱眉，心中同时想到：这姜维年岁已大，而且不过是要逼那柄剑出鞘而已，何需用得着兵刃？且又何必一齐上？董将军也未免太小瞧了我们！

此时姜维已摘去头盔，卸下肩甲，昂首直立，将配剑横握在手。他虽已鬓发苍苍，胡须斑白，垂垂老矣，但往那里一站，气势却仍不减当年，一股凌厉的杀气瞬间从身上爆发了出来,令人望而生畏。

杨三最为急切,心中暗想:大将军年轻时百战无敌,但现在终究是老了,正所谓"拳怕少壮",我便先试试他的本事再说。当下一拍张二的肩头,示意其后退,然后一拱手:"请大将军指教!"便一个箭步纵身向前,拳头闪电般地朝姜维的胸口轰去。他这一击既猛又狠,原本设想即便打不中对方,也要将之逼退三步,至少是两步。哪知姜维不但不退,反而迎着拳头跨上一大步,左手一记勾拳挥出,后发而先至,正中杨三的腹部。

杨三被这一拳击得连续退了五步,这才站稳身形,肋间一阵巨疼。姜维这一击只用了三成力道,如果使满力气,杨三必定肋骨折断,昏死过去。明眼人一看便知,杨三与姜维相比,火候差得不是一星半点。

姜维横剑在手,大喝道:"还等什么?用兵刃一齐上!"

此时张二和杨三两人已经瞧明白了,单凭一人之力,远非对手,即便是两人一起上,也是毫无把握,必须智取。张二急忙向杨三使了个眼色,杨三会意,立刻又是一个箭步向姜维扑去,只见他距离姜维仅有一步之遥时,忽地转了开去,改袭姜维的右肋。而张二则躲在杨三的后面,无声无息地闪到了姜维的左侧,一出手便已扣住了姜维的肩头。

这种战法,便是当年诸葛亮为对付蛮人而发明的"搅杀之法"。蛮人战士多是力大勇猛之人,手中使一柄狼牙棒或开山刀,前后挥舞,寻常蜀兵沾到即死,碰到即亡,根本近不得身。无奈之下,他只得令蜀军三人为一组,枪兵在前,刀兵在后,先由枪兵格挡开对方攻击,再由刀兵上前将之砍杀。此时虽然只有二人,且没有兵器,但道理却是大同小异,威力仍然不容小视。

姜维微微颔首:"嗯,倒是能活用丞相的战法!"嘴上说着,右手剑鞘已击在张二的臂弯处,痛得张二不得不松开擒拿,并趁机右腿飞起踢向杨三。杨三欲晃身闪过,谁知对方剑鞘连续挥出,封住了他的退路,逼得他不得不挨着那一脚,从地上滚过,总算躲过了攻击。姜维笑道:"我早说过,用兵刃,一齐上,你二人难道还不明白?"

张二和杨三原本便知大将军年轻之时乃是有名的猛将,却没料到年纪虽然大了,但武艺仍是如此了得,知道不使兵刃是决计胜不了的。杨三闷哼了一声,取过金枪,会同手持双钩的张二,一左一右,缓步向姜维逼近。而姜维却不为所动,仍笑呵呵地看着二人,一副有恃无恐的样子。

忽然听杨三一声长啸,一柄金枪化做繁星万点,将姜维笼罩在其中。姜维却是不慌不忙,剑鞘左架右挡,守得是滴水不露、毫无破绽。张二见此情形,也加入到战局内,只见他右手长钩漫天乱舞，试图扰乱姜维的守势，左手短钩却是寻瑕抵隙，直朝着姜维身上的要害之处攻去。姜维不由得赞了一声"好"，脚下退了一步，剑鞘却是反守为攻，化成无数光影，自左右分别攻向二人。杨三横起金枪，接连挡下姜维左侧三记猛击，却觉得右肩头与人一碰，竟是张二往他这边靠来。原来二人左右分击姜维，姜维却自外侧反击二人，将他们逼得向中间靠拢，反而成了以一围二之势。二人一旦靠拢，原本左右分击的优势便丧失殆尽，反而互相掣肘，被姜维杀了个手忙脚乱，不过数个回合，二人便一个被击中后腰，一个被击中肩胛，双双败下阵来。

张翼在一旁由衷赞道："常山剑法，左曲右迴，果然名不虚传！"

姜维当年号称"文承诸葛，武承赵云"，他降蜀之后，不但跟随诸葛亮研习兵法、韬略，更随五虎上将之一的赵云修习武艺。赵云虽号称"万人敌"，但毕竟年纪已长，其子又皆为文官，正愁一身的武艺将失传，却正好遇见了姜维这个文武全能的奇才，当下便将自身武学倾囊相授。姜维跟随赵云习武三年，赵云便逝世，虽然未曾学全其所有武技，但光是这一套"常山剑法"，天下便已无人能与其争锋了。

姜维喝道："你们的结义兄弟刘大，单是凭他一人之力便能逼我出剑，你们二人却连平手都称不上，还敢再言出战？"其实他早已看出二人的武艺与刘大不分伯仲，只是顾及他的身份和年岁，不敢使力罢了，故出言激他们拼出全力。

张二与杨三都是精明之人，怎会不知姜维的苦心？二人对视了一眼，似乎是下定了某种决心。只听杨三一声长啸，枪头忽然幻化出一道金光，朝着姜维激射而去。再说姜维，见来势凌厉，忙举鞘欲挡，哪知对方这一刺却是虚招，枪尖在半途一转，反而刺向右肩。姜维急忙滑步避过，但张二双钩已埋伏在另一侧，同时朝姜维左臂刺去。姜维左手疾出，逼开了长钩，却没拦住短钩，手臂上立刻被划出了一道浅痕。他退开两步，笑道："很好，但不够，还有吗？"

二人并不答话，同样又是一齐攻上来，这回杨三的金枪却是朝着姜维的左肋直刺而来，同样是枪尖透出金光。姜维见这一刺疾而不厉，料想又是虚招，倘若右闪，恐怕又要中了圈套，当下便举剑横摆，望着枪身格去。刹那间，只觉得一股大力涌到，手腕竟被震麻，这才知道杨三这一击是使了十成的力道。姜维尚未回过神来，就见张二双钩已近身，急忙向前直击，张二似乎心有顾忌，随即往一旁避开。姜维正要给杨三再补上一击，哪知剑鞘却是挥之不动，定眼一瞧，原来剑鞘扣环已被张二的长钩给勾住了。

这便是张、杨二人自创的"声东击西"之战法，乃是战场杀敌的保命绝招。杨三虚实互换，先诱姜维出手格挡其一记重击，趁其手臂发麻之际，张二双勾虚退实进，窥得一个空隙，便将那剑给锁住了。

这一下张二与杨三再无顾忌。只见杨三挽起一朵枪花，朝着姜维的手臂上刺了过去，张二短钩挥舞，攻向姜维的大腿。此番乃是自家人比试，二人均未使出杀招，但刀剑无眼，倘若真使得实了，姜维也必受重伤。一旁的张翼与董厥不禁瞪大了眼睛，目光紧紧追随着那锐利的刃锋，只要姜维躲闪不及，便立即上前制止。

"唰！"

电光石火之间，众人就觉得眼前青光一闪，耳中听到若有似无的嗡鸣之声，紧接着便是"呛锵"之声响起，似乎有什么金属之物落地。张二、杨三兄弟二人呆立原地，不知发生了何事，只见张二手中双钩仅剩半截，杨三的金枪头在地上滚动着。姜维后退了两步，手上长剑兀自晃动不休，剑面光滑无痕，刃上隐隐透出一抹青光。

"青釭无影！"董厥顿时冒了一身冷汗。

姜维手中剑长约四尺七寸，刃薄如纸，挥动时隐隐泛出青光，故名"青釭"。此剑削铁如泥，与其他兵刃相交时不闻金铁交撞之声，兵折甲透而敌人犹不自知，故曰"无影"，合起来便是"青釭无影"。青釭剑和倚天剑本来都是曹操的私家珍藏，虽不能与"干将"、"莫邪"、"鱼肠"、"巨阙"等上古神器相比，但也算得上万中无一的极品了。据说，与这两柄剑所齐名的，还有一把紫电剑，却不知流落于何处。后来曹操将青釭剑赐给爱将夏侯恩，倚天剑则留为己用。夏侯恩自恃宝剑锋利，凡出兵便四处掳掠，嚣张跋扈，后于长坂坡一战被赵云所斩杀，青釭剑也就落入到赵云之手。赵云嫌此剑杀气过重，虽得宝刃，却不曾使用过，他临终之前将此剑托付于姜维，有世代传承之意。姜维听从赵云之言，将此剑封于匣中，几十年来未见其锋。

今日一见，果然锋利无比。

而如今青釭剑既已出鞘，这似乎也预示着姜维心意已决。果然，他还剑入鞘，高声道："左车骑将军张翼听令！"

张翼面容肃然，跨出一步，躬身道："末将在！"

姜维道："明日未时，你领本部军五十人守住皇宫偏殿后门，不使人进，不纵人出，违抗者格杀勿论！"

"末将领命！"

姜维又道："辅国大将军董厥听命！"

"末将在！"

"明日未时，你领本部军五十人守住皇宫偏殿正门，不使人进，不纵人出，违者格杀勿论！"

董厥心潮澎湃，当下一声虎吼："末将领命！"

姜维点了点头，将头转向一旁："虎骑尉张二、杨三听命！"

张二忙上前一步，躬身道："末将在！"回头却见杨三还愣在原地，赶紧回身拉了拉杨三的衣摆。杨三蓦地回过神来，忙上前躬身行礼："末将……末将在！"

姜维微微一笑，下令道："你二人明日未时与刘大领二十名好手，随我到偏殿甬道内静候，此乃事关国家兴亡，不得有误！"二人同声高喝："末将领命！"

吩咐完毕，姜维这才长出了口气，带着一身疲惫坐回到椅子上。他挥了挥手，示意众人退下。众人见他一脸倦意，知其忧国忧心，早已身心俱疲，不敢打扰，纷纷退了出去。唯独张翼一人站立不动，满面踌躇，似乎是有话要说，但又不知如何开口。

姜维见张翼不动，知他必有私密话要说，便笑了笑，问道："张将军似乎是有话要讲，此刻这间屋子里只剩下你我二人，但说无妨。"

张翼犹豫了片刻，终于开口道："明日便要施计，可大将军却绝口不提施的是什么计。既然是万全之策，为何不说与我等知晓？也好让我们心中有个底。"

谁知姜维却是一声长叹："唉……所谓计策，不过是最后一搏罢了，哪里能称得上万全之策？"

"可是……"

姜维挥了挥手，轻声道："虽非万全之策，但我敢保证这却是复国的唯一机会。这些日子以来，我与钟会来往甚密，就是想从他身上找出破绽，一举将其击溃。只是这厮口风严得很，心中所思从不吐露半点，实难下手。不过，最终我还是在他的身上找出了弱点……他的自大，便是最大的弱点。"

姜维的一番话，张翼似懂非懂，但见其心意已决，也就不再深问，拱手告辞而去。

偌大的房间里，只剩下姜维一人，他缓缓闭上眼睛，只觉得腹痛越发地剧烈。良久，等他再次睁开眼时，眼眶中已是蓄满了泪水。只听他喃喃自语："倘若明日不成，那么陛下，一切便全都看你的了，希望你不会再次令我失望……"

争锋

成都已经一连下了三天的大雨,直到这日清晨雨势方才歇缓,午后日头初现,照耀着满城的青砖灰瓦,发出刺目的光芒,天空中仍飘荡着淡淡的水气,一道虹桥横跨其中……这一切,把成都点缀得犹如仙境一般。皇城内的官道上,数十名魏军将领正朝着偏殿行去,这些将领依官阶的不同,有的乘马,有的步行,唯一相同的是,他们都身着白袍,头缠素带,一副赴丧时的装扮。

难道,成都的哪位达官显贵去世了?是卫瓘?不,不是他,此时的他仍好好地呆在驿馆里。那么会是谁呢?再看这些将领,虽说是去赴丧,但脸上却丝毫看不到哀凄的表情,反而有说有笑,好不轻松悠闲。

此时,只见荀恺从后方追赶上胡烈,笑道:"我说胡将军,听说令公子奉钟司徒的将令,率军前去守汉中了?啧啧,果然是虎父无犬子啊,高升指日可待,我这可要好好恭喜您了!"他面孔狭长,一绺长须垂到胸口,虽身为武将,却颇有些洛阳士人的清雅之风。

朝廷已下诏任命钟会为司徒,是以诸将不再称他都督,而是改口称其为司徒。

胡烈赶忙回礼道:"荀将军过奖了,那小子愣头愣脑,能有何作为?不过是承蒙司徒大人的赏识,给他个机会磨练磨练罢了,我这个当父亲的,也只能是焚香祝祷,盼这小子带兵过去,别出什么岔子便好,哪里还敢有什么奢望?"

荀恺却摇头:"胡将军过谦了,令公子才刚行过冠礼吧?想我行冠礼之时在哪儿?还在替宣公磨墨铺纸呢!小胡将军年纪轻轻便被委以重任,独当一面,率领大军镇守汉中,前途定是不可限量。"

"哪里,哪里!"

"胡将军不必过谦……"

二人有说有笑,不一刻便来到偏殿门口,守卫士兵行礼开门让二人进去。二人一进来,只见殿内诸将大都已到齐,或坐或站,正彼此窃窃私语。偏殿梁柱上挂满了白绸,正随风轻轻摆动着。殿阶上一面镶金玛瑙玲珑镜,上头罩着一套华绣凤凰仕女袍,前头摆着香案,清烟袅袅。正面墙上是一幅斗大的"奠"字,笔划工整有力,却又不乏飘逸,一望便知是出自名家之手,想来应该是钟会亲自写就的。

这灵堂虽是临时布置而成,却十分哀肃庄严,不失气派。

将军庞会本已在座上,见荀恺与胡烈并肩进来,忙挥手招呼他们过来坐。

荀恺便走到庞会身旁坐了下来,却听庞会悄声问道:"荀将军,你在洛阳待得久了,可曾与这位郭太后见过面?我是个大老粗,从军多年,对宫里的事不甚了解,只有为先帝发过丧,可还没为太后发过丧呢,也不知这位郭太后是个什么来头。"

荀恺不免失笑:"呵呵,我虽久居洛阳,却也无缘得见太后……说来惭愧,如果不是钟司徒说要发丧,我还不知郭太后晏驾的消息呢!"

庞会摇头道:"若荀将军说惭愧,那庞某岂不是应该以死谢罪了?不瞒你说,我可是直到今日方知有郭太后这号人物呢,不是罪该万死还是什么?"

"这也怪不得庞将军,你且附耳过来,跟你说啊,我曾听人说过……"

"咦!还有这等事?荀将军不会是在说笑吧?"

"是真是假可就不知道了,不过,所谓'无风不起浪'……"

胡烈坐在一旁听着二人窃窃私语,却并不言声。他深知官场险恶,党同伐异,排除异己,手段无所不用其极。正是因为深谙此道,他始终遵循着一条原则,那便是:可说可不说的话,从来不说。可做可不做的事,从来不做。所以对于这类关乎到深宫内苑的闲话,他向来都是敬而远之的。

便在此时,忽听得殿外有人高声报道:"钟司徒大人到——"偏殿大门再次开启,只见钟会身穿白袍,领着杨针、钟偓匆匆步入殿内。

将官纷纷起身相迎。王买也在座上,他朝着钟会等人望去,却与钟偓的目光碰了个正着,两道目光一触,王买心中不由得一凛,轻轻地向钟偓点了点头。

此时钟会已走上台阶,做了个手势请众人坐下。沉默了一会儿,他这才朗声说道:"各位将军,昨日洛阳流星快马来报,说郭太后于本月初九崩于惠阳宫,享寿六十有三。太后历经三少帝,宰辅朝政,母仪天下,虽是一介女流,明德犹在须眉之上,钟某以为,我等虽戎甲在外,闻及哀讯,仍当依礼发丧,以尽人臣之本分。"停了一会儿,见诸将并无什么反应,便又接着道:"如今蜀中局势未定,因此我等虽悲恸难抑,但丧礼仍以简约为妥。诸位且先饮酒祭拜，在下已作祭文一篇，为诸位诵之，以表我等哀思。"

众人听钟会这么一说，都是大大地松了一口气。盖古丧礼极其繁复，往往一行礼便是十天半月，这些武将打打杀杀惯了，最怕的便是这种繁文缛节，听说一切从简，均是打从心底里赞同。众人当下便饮了面前的丧酒，然后起身向北方拜了几拜，然后纷纷坐定，听钟会唱诵祭文。

钟会先是拔去发簪，令头发披散于肩头，然后朝北方跪下，高声唱道："大行皇太后骤逝，臣会哀痛五内，乃冒僭越之罪，作祭文一篇，文曰：'我皇之生，坤灵是辅，作合于魏，亦光圣武，笃生帝文，绍虞之绪，龙飞紫宸，奄有九土，详惟圣善，岐嶷秀出，德配姜嫄，不忝先哲，玄览万机，兼才备艺，汎纳容众，含垢藏疾……'"

钟会初时嗓音高亮，语调沉稳，但唱着唱着，就见他用袖子抹了把脸，眼睛忽然变得通红，竟跟兔儿一般，腔调也越来越哀凄。

"享国六十，殂落而崩，四海伤怀，擗踊拊心，若丧考妣，遏密八音，呜呼哀哉，万方不胜，德被海表，弥流魂精，去此昭昭，就彼冥冥，忽兮不见，超兮西征，既作下宫，不复故庭，爰缄伊铭。呜呼哀哉！"

待念完最后一句"呜呼哀哉"，只见他将祭文一丢，竟伏在台阶之上眼泪狂飙，声音凄惨无比，仿佛久盼夫归的深闺怨妇，等来的却是一纸休书一般。

台下诸将大都是老粗，大字不识得几个，如此"之乎者也，呜呼哀哉"一番，原本已是昏昏欲睡，却被钟会这突然之举给吓了一大跳。那位郭太后虽然身份尊贵，但却无实权，与文武百官更是谈不上有什么交情，钟会为太后发丧若是做做样子便也罢了，怎会如此悲恸？这着实令人费解。

钟会痛哭了好一会儿，这才站起身，向众人一拱手："诸位，恕我失态了。"说着，取过手巾擦干眼泪，重新将发髻盘好，说道："请诸位不要惊讶，昔年淮南之战后，郭太后曾召我入宫，细问战事经过，又赠宝剑一柄，以示嘉奖……我适才唱祭文之时，回忆起太后的恩情，便悲从中来，不能自抑，望诸位见谅，咳咳……"

他止不住地咳嗽起来，不由得肚里狂骂：他妈的！早知道川椒如此厉害，就少涂些在袖子上了……啊！辣死我了！

诸将听钟会这么一说，这才恍然大悟，都觉得他是个重义之人，但几位头脑较清醒，思路较敏捷的将领却心存疑惑：淮南之战时他只不过是司马昭帐下的一名小小参军，太后再怎么母仪天下，也不至于会招一名参军前去询问军事。不过疑惑归疑惑，这种话是万万不能说出口的。

待辣意稍减，钟会这才长出了口气，回到主位上坐定，叹息道："庄子云：'人生天地间,若白驹过隙,忽然而已。'此时此地,我回忆起太后召见我时,还是春秋鼎盛,没想到一晃眼十余年过去,太后竟已升天,光景流逝,当真是令人不胜唏嘘!"说罢,眼望众人,若有所思。

下面这些人大都是刀口舔血之人,闻听钟会感叹人生匆促,不免心有同感,纷纷低下头去,默然不语。

钟会似是看透了众人的心思,用哀绵的口吻道:"咱们这些做军人的,纵横沙场,只求一死,原是咱们的本分,倘若能遇到个好对手,大战他三百回合,即便最终不敌而败,马革裹尸,那也是人生一大乐事!但无奈好敌难寻,奸佞之辈却多如过江之鲫,也不知道有多少名将不是丧于沙场之上,却是死于宫闱权谋之下,也只能感叹造化弄人了!"

众人频频点头,大多数人甚至愤怒之情溢于言表。

这时钟会忽然起身,走到那面铜镜前连拜了三拜,然后举爵饮酒,高声叫道:"太后在天有灵,请保佑我等均能善尽此生,不死于此间!"说完,又是三拜。

众人也跟着拜了三拜。

钟会走回座位坐下来,神情却是颇为沮丧,只听他对阶下诸将道:"各位将军,丧礼已毕,只盼有太后保佑,能使诸位避过此难……这就请各自回营去吧!"他这番话说得没头没脑,不明究理,众人听到"避过此难"这四个字时,心中都不禁一阵慌乱,不探问出个究竟,哪里肯先行离去?

荀恺忍耐不住,率先起身发问:"司徒大人,您说'避过此难'是何意思?如今蜀贼已灭,剩下只不过是一些小寇而已,难道还有更强大的敌人威胁我军不成?"钟会看了他一眼,重重地叹了口气,说道:"敌人俱灭,这才是祸乱之始啊!"

众人一则好奇,一则心慌,好几人同时站起身来,七嘴八舌地嚷道:"司徒大人,您倒是说清楚啊,到底有何祸乱?"

"司徒大人,可是有蜀贼降军意图造反?"

"如今天下太平,又怎会有祸乱?还请司徒大人明言啊!"

钟会不由得苦笑道:"此话又怎能当众说出口?只怕我话还未说完,便先身首异处,一命呜呼了!"说着,目光从众人的脸上扫过。

将军田章起身大声说道:"都督尽管直说便是,倘若当真有哪个人敢加害于大人,咱们就算是拼了性命,也要保护大人周全!"将领们原本称钟会为司徒,此刻田章却又改口称其为都督。事情越发地诡异了。

"是啊!是啊!"

"咱们定会拼死保护都督周全。"

"还请都督明言！"

一时间，殿内催促之声此起彼伏。

钟会摆了摆手，要众人安静下来。只见他眉头紧锁，一副犹豫不决的表情。良久，他像是终于下定了决心似的长叹了口气，说道："唉……诸位皆是当世之良将，纵横沙场，无坚不摧。如今大敌已灭，诸位骁勇，又该如何安置呢？"

胡烈、荀恺等脑筋稍微灵活一些的将领听了钟会之言，心下不禁一震，已隐约猜到了什么。似庞会这等头脑简单的将领反应却是迟钝了些，只听庞会追问道："这又有何难？只需加官进爵，赐地封侯便是了，历来不都是如此吗？"

钟会不由得一阵冷笑："文仲灭吴，官至大夫，韩信克楚，爵进淮阴，历来确实皆是如此，但是他们两位后来的下场，想来诸位不会不知。"

意思已是再明白不过了，庞会唯有默然。

这时钟会忽然压低了嗓音，缓缓道："所谓'飞鸟尽，良弓藏，狡兔死，走狗烹'，这便是我所说的祸乱，相信诸位已是心中有数。"

阶下众人原本兀自喧闹不休，听了钟会之言，刹那间便都安静了下来，一时之间殿内一片静谧。"鸟尽弓藏，兔死狗烹"这八个字，便如枷锁一般，紧紧地锁住了这一帮将领的心思。

过了一会儿，胡烈开口道："都督，你说这鸟尽弓藏……可有形迹可循？"

钟会叹息道："诸位不妨仔细想一想，灭蜀之战，本当邓士载居首功，却没想到朝庭先是封他为太尉，隔天便称其行事擅专，图谋不轨，将他父子二人一并擒回洛阳。司马公疑心甚重，咱们这些人又怎能避得过去？"

荀恺大是惊讶："但是朝廷命都督发兵擒拿邓艾，显然是对大人十分器重，又怎会怀疑大人呢？"

钟会笑了笑，说道："这便是所谓的'驱虎吞羊'之计。上位者所在意的，不过是猛虎的利爪而已，又怎么在意猛虎本身？而如今邓艾这只肥羊已被擒，猎虎用的枪矛便早已准备妥当了，只是我等还浑然不知而已。"

"难道……司马公是想……"

"不会吧？"

"怎么不会？上位者历来如此……"

钟会见众人仍有疑惑，忙递了个眼神给杨针。杨针立刻跨步出列，向众人一抱拳，高声说道："日前洛阳驿马来报，称洛阳、许昌、荥阳、宛城、河内五镇共计十万大军向西开拔,想来大军此时已到了潼关,统兵者乃是贾充。"

荀恺闻此言不由得倒吸了口凉气,脸色瞬间煞白,口中喃喃自语:"这没道理呀!我贵为司马家的亲族,又是河洛统兵将领,这等调度我竟然事先不知?难道司马公他……当真要将咱们斩尽杀绝?"

其他见连荀恺都是一副惊慌失措的表情,不由得更加慌乱了。

诸将面上的复杂表情尽收于钟会眼底,他知道这些人心思已动,便站起身来,趁热打铁道:"诸位都应该知道,司马公向来待我不薄,本来他要卸我的权位,甚至取我的性命,我不该有半分怨言……然而,如果他当真忌我功高,派一使臣前来擒我便是了,何必还要动用大军?何必要牵连诸位?我每每念及此节,便觉心痛如绞,为何忠义之士总不能善终?苍天何其残忍啊!"说着,握拳轻捶心口,仰天长叹,一副痛心疾首的样子。

众人被他这么一鼓动,都是大为激愤,将军夏侯咸首先跳了出来,大声叫道:"钟司徒大人,呃……钟大都督,咱们这些人跟您作战也有一年多了,现在这般情形,您也为我等拿些主意出来才是,难不成我等便像那邓艾一般,被几个狱卒押解回京,惨死在那些狗屁朝官的手下?都督,您倒是说句话啊!"

将军李辅也站了出来,高声道:"是啊,都督,我等好不容易才灭了蜀贼,朝廷不但不封赏,反而另派大军前来围剿,这又是什么狗屁道理?我等大丈夫,即便是死,也要死得荣光些,怎么能死于奸邪小人之手?大都督,您一向足智多谋,这等危局,您可要想出些办法来啊!"

钟会双手负在身后,语重心长地说道:"俗话说,'天自无绝人之路',办法倒是有一个,但是……此路难行啊!钟某自忖无德无能带领诸位,还请诸位自己定夺才是。"

田章大叫:"我等心意已决,还请大都督指引!"

其余人等齐声应和。

钟会心中暗喜,但面上的表情却是比死了老娘还难看。只听他重重叹了口气,道:"既然诸位皆有此心,那我便不再隐瞒,"说着,从怀中取一道黄绸,向诸将展示:"诸位,这便是郭太后秘密交于我手的衣带诏,诏称司马昭挟持天子,擅专朝政,有阴谋篡逆之心,命我等起兵讨贼,靖君之侧,匡复大魏江山!"然后一顿,语气稍缓:"我日前接到此一密诏,心下矛盾难定,如今闻诸位之言,方知自己肩上挑的担子不轻……不过请诸位放心,正所谓众志成城,只要我等齐心协力,定能剿除司马昭,复兴我大魏!"他这一番话说得慷慨激昂,倒似起兵造反是众人的主意一般。

众人都不由得惊呼了一声。

钟会环顾诸将，又道："这江山，原本是大魏的江山，是武帝、文帝、明帝一刀一枪拼出来的，本该留传万世才是，却没想到司马氏忘恩负义，不念先帝的知遇之恩，反倒擅权乱政，意图窃国，司马昭擅自杀害皇帝髦，任意废立，实在是天理不容，罪大恶极！我钟氏世代累受先帝大恩，见司马氏猖獗，心痛不已，但形势不由人，为保身家性命，也只能虚与委蛇、屈居其下了。钟某日夜懊悔，想到大好魏家江山便将落入奸人之手，不禁嚎啕而泣，呜呼，呜呼！天道不彰，人间不靖，我区区一介文士，又如何能逆转此局？"

他竟越说越激动，身体剧烈地哆嗦了起来，头上发簪本是才刚插上，此刻却又被抖落到地。只见他不顾满头乱发，猛地扑倒在地，嘶叫道："皇上！如今这种情势，臣该如何是好啊！"说罢，脑门在地上一阵猛磕，"砰砰"之声不绝于耳，声势好不惊人。

整个偏殿顿时一片寂静，众人都毛骨悚然地看着他近于自残的举动。

少刻，他忽然起身，大叫道："如果司马昭多施善政，以德治天下，则我虽有志，却也不能夺其政。谁知今日司马昭倒行逆施，宠信奸佞，滥杀功臣，如此暴行，我等岂能继续忍受？我等岂能亲眼看着他毁了这大魏江山？孟子云'得道者多助，失道者寡助。寡助之至，亲戚叛之。多助之至，天下顺之'，我等将奉太后遗诏，发兵讨贼，匡正皇室。只要诸位能与在下齐心协力共讨司马贼，我敢保证，我等不但可享一世之荣华富贵，身后更能留名青史，流芳万世！"

说罢，猛地振臂一呼："打倒司马氏！"

诸将无不被他的滔滔之辩所折服，情绪变得十分激动，纷纷随着他高呼起来，一时之间，殿上"打倒司马氏"、"杀司马，复江山"之声不断，似乎起兵已是万事俱备。

到了这个地步，钟会总算是松了口气，悬在嗓子眼儿上的心终于落了地。至此，他也不用再做戏了，嘴角不自觉地扬起了一丝浅笑，举袖正要揩去额头上渗出的血迹，却忽然听到背后有人轻声道："可真是不简单……"他急忙转头看了看杨针与钟偃，二人均负手而立，双唇紧抿，不似开口之貌。

钟会心中虽疑惑，却并未往心里去——他还有更要紧的事。他忙命侍从取过一张白绢，朗声道："既然大家心意已决，那便请诸位在这绢上签名画押，以为今日之盟做一见证，倘若他日有人违背盟誓，作出损害我等利益之事，那便天理不容，人人得而诛之！"说罢，取过笔墨，率先在白绢上写下"洛阳钟会"四个字，又以拇指沾朱墨，在名字下盖上指印。完了，他又令侍从将白绢传下，让诸将各自签名。

一个声音忽然响起："诸位且慢！请听我一言。司马公待咱们向来不薄，咱们怎能说反就反？"

原来是胡烈,他原本一直站在一旁冷言旁观,见事态紧迫,赶紧出言喝止。"诸位且先冷静一下,眼下并无证据表明司马公有意加害我等,贾充领洛阳大军前来,或许是为攻吴做准备,咱们应该先弄清楚情况,再做打算也不迟,怎么能因一时的挑拨,便兴兵造反呢?那可是抄家灭族的重罪啊!"

　　他素来勇烈,为诸将所钦佩,此刻众人见他说得不卑不亢、正气凛然,都不由得略有迟疑,"打倒司马氏"的声浪便弱了下去。

　　胡烈此举早在钟会的算计之中,只听他冷笑道:"但是胡将军,你也没有证据说明朝廷无意加害我等啊?难不成你是要当个忠臣烈士,即使斧钺加身,还要叩头称谢皇恩浩荡不成?罢了,你如果要当傻瓜还请自便,但不要连累我等。"

　　胡烈忙上前一步,拱手道:"司徒大人,我胡烈并非愚忠之人,只是起兵靖君事关重大,不得不细察之。如果大人能拿出证据来,证明司马公确实有加害我等之意,那我胡某必誓死与之周旋到底!只是当下……不过是一份太后的遗诏,一则洛阳传来的消息,就要我等与司马公为敌,这实在是……实在是太草率了一些。"

　　另一名西凉将领句安也出列道:"司徒大人,在下也赞同胡将军之言,蜀贼方平,却又要重燃战火,如果没有确实的证据,怎能说服士兵出战?更何况,我等妻儿皆在洛阳,倘若轻易起事,不免会祸及族人,不可不慎啊!"

　　其余西凉将领听了二人之言,随即出声应和。他们原本便是征蜀大军的主力,西凉将领人数几乎占到在场将领的一半,这么一应和,原本要造反的声势立刻便被压制了过去,情势似乎已渐渐脱离了钟会的掌握。

　　钟会面上依然挂着冷笑:"这么说来,阁下是不赞成起事了?"

　　胡烈昂声道:"末将只是以为此事应当缓议,等查明事实后,再决定也不迟。"

　　钟会不由得仰天大笑:"哈哈哈……君岂不知,谋大事者,当速且密,今天既然多数将领已决意起事,又怎能再缓议?倘若事情泄露,我等皆死矣!西凉诸将既然不参与盟誓,那就休怪我无情了!"说着,拍了拍手,只听得脚步声不断,偏殿两侧迴廊内奔出百余名武士,个个身披盔甲,手持利刃,将殿上将领团团围住。

　　众人前来赴丧都不曾携带兵器,此时被亮晃晃的刀枪给指住,虽然各个都是久经沙场之人,也不免心惊肉跳。荀恺立刻叫了起来:"都督!又何必如此?大伙儿都是自己人不必动刀动枪……这一来,岂不坏了兄弟们的情谊?"

　　钟会坐回主位,朗声道:"在下这也是无奈之举,只怕有奸险小人,坏了我等的大事。这些武士都是我门下,我命他们前来待命,也是为了以防万一,诸位只要在白绢上签了名,盖上指印,我等便是金玉之盟,钟某可以性命保证诸位不会受到半点伤害,诸位，大可放心就是了。"

荀恺抹了把汗，脸上强挤出一丝笑容道："都督，您也太多虑了，咱们这些人追随都督已久，又怎会有奸险小人？要兴兵起事，乃是都督为了保全我等身家性命的被迫之举，我等应该感谢都督的大恩大德才是，又怎会泄密坏事？我荀恺愿追随都督，与都督共谋大事！"说罢，便取过笔来，在白绢上签了名，并盖了手印。河洛军的将领与钟会本就亲近，又见荀恺已签了名，心下便无怀疑。李辅拿笔在荀恺之后签名画押，其余数十名将领也纷纷上前依次签了。

钟会微微颔首，显得十分满意。等那些河洛军将领都签完了名，盖完了指印，他这才说道："各位既然有此心，钟某便对天发誓，必不辜负诸位之所托。诸位可先到城东解舍暂歇，养足了精神才能干大事。"

荀恺面上立刻露出诧异之色，忙问道："城东解舍？那我等在成都的军队……"话还没说完，一柄单刀已经抵住了他的背脊，吓得他赶紧闭上了嘴。钟会微微一笑，温言道："荀将军不必忧虑，河洛军暂时由钟偃将军率领，钟将军忠敏勤事，必会妥善照顾，你们便好好休息去吧。"

荀恺心底不由得一颤，暗暗叫苦不迭，却碍于眼下的形势，只得道："既然如此，那多谢都督，我等便先行退下了。"说罢，与一众河洛将领由边门离了偏殿。

钟会看着河洛军将领都已离去，回头看向庞会，问道："庞将军，你们淮南诸将意向如何？"

庞会向夏侯咸、田章等人望去，却见夏侯咸等人也正向他这边望过来，目光相碰，眼中尽是疑虑之色，显然是拿不定主意。这几人都与钟会关系不差，受钟会一番唆使，本已准备随其举事，但刚才听了胡烈之言，却又举棋不定起来。几名将领彼此之间窃窃私语，有人意欲上前一步，却被他人给拉了回去。

钟会默不作声，将手背向身后，朝钟偃打了个手势。钟偃会意，向台下望去，见王买站在一旁，搓着双手，眼神不时往台上飘来，早已在等待指示了。钟偃稍稍扬起下巴，王买随即大步出列，朗声道："诸位且听我一言，都督平时待咱们如何，相信诸位心中自有分晓，粮运为军中大事，都督尚且放心交给咱们，今日之事，都督又怎会欺骗我等？诸位啊，知恩不报者，与禽兽又有何异？"

所谓"吃人家嘴软，拿人家手短"，淮南诸将在梓潼点粮，都沾了不少好处，听王买这么一说，不禁一阵心虚，心想：即便不随钟会起事，倘若有朝一日他失手被擒，供出我等贪污粮米之事，也是难逃一死，倒不如随他起事罢了……可是，这毕竟是造反，是逆天行事，一旦签字画押便再也不能回头了……这可如何是好？

正当几人犹豫不决之时,王买已跨出一步,向钟会深深一揖,肃然道:"都督大恩,末将虽死难报。末将愿随都督起事,任都督使唤。"说罢,便在绢上签了名,按了指印。此举无异于燎原的星星之火,其余几位较重情义的将领,也跟着上去签了盟誓,剩下数人,或是随人举动,或是惧怕钟会的威势,陆续上前签了名。庞会一人站在原地,见势不可阻,只得轻叹了口气,跟着上前,在最后一行签了名。

待淮南诸将签完名,钟会不由得鼓掌大笑:"哈哈哈……诸位能识时务,我自然不会亏待了诸位……那么诸位也请先下去休息吧,梓潼的部队,我家部曲自会前往照料,诸位放心便是。"

武士得令,将淮南诸将给押了下去,同样送往城东解舍软禁。

突然之间,偏殿上少了许多人,只剩下数十名西凉将领依然矗立不动,以及外头围着的数十名武士,各个手中握着刀枪。只见胡烈眉头深深蹙起,眉宇间却是没有任何的恐惧或怀疑的神情。

钟会看着胡烈,半晌才道:"胡将军,现如今大多数将领赞同起事,阁下是否仍要坚持'缓议'之论,不在这绢上签名?"

胡烈高声道:"我胡烈自幼所学,忠义而已,司马公待我西凉军向来不薄,我等岂能轻言造反?不忠不义者,不能苟活于人世,都督若非要逼我反,那我只有以死明志了!"说着,往前踏了一步,昂首看着钟会。

其余诸将受其感染,也纷纷道:"自当孝忠司马公"、"岂可为乱臣贼子"、"宁可断头,不可变节"……外围武士立刻一涌而上,将他们团团围住,就等着钟会一声令下,便将其乱刀砍死。

谁知钟会却摇了摇头,示意不要动手。他轻轻抚弄着下颚三缕须然,微笑道:"君子以德服人,不以力夺志。我劝诸位随我起事,乃是一片好意,诸位既然不相信我,我又怎么会强人所难呢?"

"都督既然说不勉强,却还摆出这等阵仗,又是为何?"

钟会并不理会,继续侃侃而谈:"司马昭乃是豺狼之辈,薄情寡意,他派贾充率大军南来,欲将我等赶尽杀绝,以他的为人,这并不稀奇。我举兵起事,乃是为顾全兄弟们的性命,藉此除去国贼,同时也能留名青史。各位既然不信我,我自然不会为难各位,便请各位同样到解舍少歇,等待真相大白,钟某仍敞臂欢迎诸位效力。"

胡烈等人本已抱着必死之心,引颈就戮,却听钟会说只是将他们软禁,心下不禁大为疑惑,不知钟会葫芦里究竟卖的是什么药。但此刻利刃加身,也无法多问,只得随着钟会部曲离开了偏殿。

待西凉一干将领离开，钟会脸上笑容忽然收敛，露出鄙夷之色，回身对钟偡道："'河洛军可用，淮南军可拢，西凉军当除'，贤弟对诸军的判断，可谓明察秋毫啊！"

钟偡笑道："都督过奖了，这批西凉人自司马懿时代开始，便追随司马氏作战，为司马家三代效命，要说服其造反，恐怕不易，我以为应该听取姜维之言，将他们全数坑杀才是。"

钟会不置可否。

"都督可有顾虑？"

"非也。"

钟会笑道："贤弟不必着急，我早有计策，既要西凉军的命，也要西凉军的心。"说着，从怀中取出一张红色纸笺，提笔写下数行文字，盖上军印，向内折好，然后吩咐杨针取过白玉盒，将纸笺放入盒中，贴上封条，这才递给杨针。"你马上传令给丘建，命他即日北上，将此盒送到胡渊的手中，除胡渊之外，不许任何人开启此盒……军令送到之后，便令他留在汉中相助胡渊，不用回来了。"

杨针颇为不解："主子，既然此信如此重要，不如我亲自走一趟。"

"不行，你要盯着那痨病鬼，这事要丘建去便好了。"

杨针只得点头，带着白玉盒退出了偏殿。

待杨针走后，钟会又取过那张签满名的白绢，交到钟偡手中，吩咐道："你带着这张白绢去接收城内的军队，重新编制，各军统帅都要用自己人，如果有不服者便先监禁起来，切记，千万别让军队起骚动。"

钟偡接过白绢，谨慎地收入怀中，然后躬身道："属下必做得妥妥贴贴，不会让军队里有半点杂音出现。"钟会点点头："很好，待成都一带稳定下来后，再将盟誓送去梓潼，将在那儿的淮南军给收回来。呵呵，那些淮南人只是爱财，他们要多少，我就给他们多少，调动起来想必不会那么费力。"

钟偡点头称是。

钟会又吩咐道："最后一件事，用快马急令，命绵竹、涪关、葭萌三关戒严，除了我的命令外，不许放任何人通过。"

"连平民百姓都不许？"

"不许。"

"可是主子，这……"

钟会脸上忽然浮现出一丝阴险的笑容，说道："我要那人在什么都不知的情况下丧命，成都里任何一点消息，都不准传过去。"钟偡搔了搔头皮，立刻醒悟过来，忙拜伏道:"主子确实高明,在下定会做得漂漂亮亮,不叫主子失望。"说罢,便出了偏殿。

人去屋空,偌大的偏殿内就只剩下钟会一人。

钟会望着殿阶,发了一会儿愣,俯身拾起发簪,右手四指为梳,抚动长发,缓缓将发髻盘上。此时殿内无风,但他身后的那幅"奠"字,却正悄悄地摆动着,似乎有什么东西藏匿在后面……忽然,他的耳朵动了动,同时嘴角勾起了一丝弧度。

"大将军,您的这位义弟可真是不简单啊!"刘大听着满殿打倒司马氏的声浪起伏不断,忍不住轻轻赞叹了一声。

姜维斜倚在石墙上,在双唇前竖起食指,示意安静。他的双眼始终紧闭着,似乎是聆听偏殿的动静,又像是在思考着别的什么。

这是一条幽暗而狭长的甬道,从偏殿直通往后宫,当初刘禅时常在偏殿内与后妃们饮宴作乐,便修筑了这条甬道,方便后妃们通行。甬道口开在偏殿台阶的正后方,平时以屏风遮掩,此时那幅写有巨大"奠"字的白绢由墙上垂下来,正好将甬道遮挡得严严实实。

此刻,甬道内不见后妃们的云发锦衣,却藏了姜维、刘大、张二、杨三以及二十余名武艺高强的精壮武士,杀气弥漫了整条甬道。

这些人打一早便在这条甬道内守候了,冷眼静观偏殿内所发生的一切。他们看着诸将进殿,听钟会高唱祭文、痛哭流涕……目睹钟会策动诸将造反,然后威逼、利诱诸将签下生死盟誓……姜维自始至终都是面无表情,紧闭着双眼,斜倚在墙上,形同小憩。刘大则守在甬道口,不时探头窥探着殿内的局势,显得神态自若。张二、杨三以及其余武士则静立于黑暗中,手抚兵刃,如满张之弓,蓄势待发。

黑暗中,一切都仿佛停滞,似乎就连时间和空气也都静止不动了。众武士眼不能见,耳不能听,口中又不能出声,唯一能感觉到的,便是旁边之人传来的体热,以及自己胸口"扑通扑通"的心跳之声。

一切,似乎正朝着姜维所预想的方向发展。

良久,姜维忽然站起身子,猛地睁开双眼,压住嗓子急促道:"我这义弟确实是十分的了得,但越是了得之人,就越不懂得回首顾盼,自以为面前是阳关大道,却不知道身后已是千刃所指……诸位,动手!"

话音刚落,刘大、张二、杨三便"唰"地一声抽出兵刃,割破遮住甬道口的白绢,率领武士们急冲了出去。

此时钟会正从容淡定地呷着美酒,忽听到身后脚步声不断,忙停下动作。

这时就见从那幅"奠"字后方闪出数十名和甲武士,当先二人奔至他面前,两把雪亮的剑刃已指住了他的咽喉,其余武士则迅速守住偏殿的出口,令他呈瓮中捉鳖之势。

接着,就见姜维缓缓步出甬道,走到钟会面前。他先是环顾四处,见殿内并无魏军,这才转向钟会,拱手道:"贤弟,真是辛苦你了!"

钟会仍坐在座位上,面上竟无丝毫表情,缓缓道:"这,便是你的最后之计了?"

姜维点了点头:"没错,这便是我的最后之计,如不成功,便说明我蜀国气数已尽,我也就无话可说了。不过……我在后方已经隐藏了很久,贤弟的计谋,倒是令我大开眼界,不杀一将一卒,兵不血刃便收服了魏军诸将,我那日在迴肠廊内提出的上、中、下三策,倒是显得庸俗不堪了。"

钟会端过酒壶,为自己斟了杯酒,轻轻啜了一口,竟是没将张二、杨三的剑尖放在眼里。他轻轻放下酒杯,笑道:"大哥过谦了,大哥之计同样不俗,'螳螂捕蝉,黄雀在后',现在我身旁侍卫都遣了出去,只能任人宰割了。"

"贤弟言重了……我与贤弟有结义之盟,绝不会轻言杀人,我只想请贤弟前往寒舍暂歇,只要贤弟答应跟我合作,我便不会动你一根寒毛。"姜维言下之意,只要钟会说出半个不字,便立刻身首异处。

钟会大笑道:"妙计!真是妙计!我好不容易收服了各军将领,反而被你得利,接着你只要假传我的号令,便能掌控魏军,出兵北伐,确实是高明之计啊!"

姜维却摇了摇头,冷冷地说道:"贤弟错了,我不会假传军令北伐,我将先使魏军自相残杀,然后再由蜀军将余军全数歼灭,如此不费吹灰之力,便能灭尽入蜀之魏军,复兴汉室。我又何必冒'假传军令'的风险呢?"

"大哥从一开始便打定这主意了?"

姜维双手负在身后,缓缓说道:"我主刘禅向邓艾称降,全军上下皆心有不服,正巧遇着阁下野心勃勃,正是天赐良机,我便委曲求全,顺着阁下之意,借君之手除去了邓艾,本是要再唆使阁下杀尽魏军,可惜你不从我的计策……不过,这倒不妨碍我的复国大计,依现在局势来看,三日之后,蜀中便能重回我大汉之下了。"

钟会轻轻叹了口气:"也就是说,之前大哥所说'诸葛丞相资质平庸'云云,都是在麻痹我咯?"

"正是。"

"不过,有一点我想不通,刘禅如此昏庸,大哥还要为他拼死拼活?"

姜维正色道:"这便是贤弟的不是了,岂不闻'既为人臣,岂能不忠'的古语?我等君臣虽有歧见,但复兴汉室乃是天下大义之所在,不应为私怨所碍。"

钟会忍不住笑道:"看来大哥也是愚忠之人啊!"

"忠义乃圣人之道,岂容你这般奸邪小人污蔑?"

钟会却并不反驳,只是干笑了两声,然后举杯将酒水一饮而尽,又斟满了一杯,慢慢地饮着。

"钟都督,咱们该上路了。"刘大手持大刀站在钟会身后,不耐烦地叫道。

钟会轻轻摇晃着手上的酒杯,眼睛盯着那荡来漾去的酒水,突然道:"姜伯约,你可还记得,那日在迥肠廊内,我说我门下三士各有所长?"

姜维不由得心头一寒,忙环顾左右,见没什么动静,这才道:"你所说的是钟偃、杨针、刘信三人吧?没错,此三人都有着高超本领,可那又能怎么样?如今这三人均不在此间。"

钟会冷笑道:"我当时曾说,钟偃善于带兵,杨针擅于易容窃盗……我可曾说过左贤王刘信擅于什么?"

姜维摇了摇头。

"难道你不想知道?"

姜维脸色微变,待要说话,却听见刘大抢先道:"妈的!被俘之人还这么多废话,管他擅长什么,跟我等走就什么也不擅长了,快走!"说着,便去抓钟会的手臂。就见钟会手指忽然一松,酒杯掉落在地上,顿时摔了个粉碎。

"杀人!左贤王擅于杀人!"

钟会话音刚落,一件物什"呼"地一声忽然由偏殿后门外激射而来,直取刘大。刘大一惊,赶紧转身避过,那事物"咚"地一声砸在台阶上,顺着阶梯轻轻滚动着。只见那物什上生有毛发,有孔窍,还有汩汩流出的鲜血。

——竟是一颗人头!

"啊!是张将军!"张二和杨三同时惊呼了起来,赶忙奔了过去,拾起那颗首级。只见那人浓眉大目,面颊修长,满面的胡茬,正是蜀国左车骑将军张翼。

乍一见张翼的首级,杨三犹在惊愕之中,张二却已清醒,他一声清啸,长剑如电,已朝钟会当心刺去。只不过,这一刺虽疾,但仍是慢了少许,只见一只巨大的手掌忽然从旁边伸了过来,一把握住剑身,轻轻地一扭,"啪"的一声,长剑竟已被硬生生扭断。张二只觉得手腕巨震,向后连退了数步,这才定住身形。他一抬头,便看见匈奴左贤王刘信那铁塔般魁梧的身躯已矗立在钟会之侧。

刘信身材甚伟,手持一柄方天画戟,横眉怒目,脸上身上粘满了鲜血,如同魔王一般，令人望之生畏。只见他将握成拳头的手掌慢慢摊开，那折断的长剑已变成了无数碎片，纷纷扬扬落将下来，手掌竟没有丝毫的伤痕。

姜维不由得惊呼："原来这世上当真有刀枪不入的功夫！"

刘信拱手笑道："让大将军见笑了，在下可没这个能耐，只是皮糙肉厚些，寻常刀剑伤不了身而已。"

姜维心中稍定，暗道：原来如此，只能防寻常刀剑吗？这就不怕了。

这时钟会已取过了另一只酒杯，斟了些酒，缓缓问刘信："我给了你一百人，你却只有一人前来？"

刘信深施了一礼，回道："其余人等我都派往前门了，有另一批贼兵……人多碍事，我一人便能解决，请主子放心便是。"

钟会点了点头，将酒杯递给刘信："后头有多少蜀军？"

刘信接过酒杯，一饮而尽，抹了抹嘴，大笑道："只有数十人而已，全都是些脓包货，没几下便杀了个精光，呃……只有这个姓张的将领还算有点本事，和我过个一两招，不过，也顷刻间便被我给把头割了下来，嘿！真他妈不过瘾！"

姜维原本派了张翼与五十名好手守住后门，却不想竟被刘信一人屠杀殆尽，可见其武功之高强，手段之毒辣，实在已是到了匪夷所思的地步。

钟会回过头来看着姜维，手指轻扣着桌面，悠哉道："姜伯约，你说我曾错估了卫瓘，那是没错的，但是我可从来没错估了你……你满脑子都是'复兴汉室'的迂腐想法，又怎会甘心投降于我？即便投降于我，又怎会随我造反？数十年以忠义自诩之士，一夕沦为反复小人，不合常理至极，所以我一早便知阁下必有所图。"

姜维立于阶下，面色铁青，不发一语。原本散在偏殿上的武士们，此刻均聚集了过来，排列成两道人墙，护在他的面前。

钟会继续道："我既已知道你另有所图，所以在未入成都之时，便派了左贤王盯着你……当初，派卫瓘擒邓艾是你献的策，表面上你是要为我制造一个出兵的名义，实际上却是因为你对这两人心存忌惮，所以不只要除掉邓艾，杀死卫瓘也是阁下的目的之一，这我岂会不知？事后你屡次劝我杀尽魏军，只用蜀军北伐，明显是要架空我的实权，然后趁虚而入，这等不入流的伎俩，又如何能骗得倒我？难道你以为，你与张翼、董厥整日关在室内密谈，我会不知？难道你以为，你们私下招集人马，我会不知？难道你以为，那日在大宴之上，你和刘禅做的那场'忠臣怒斥昏君'的好戏，我看不出来？姜伯约啊姜伯约，你自诩聪明，倒是小看我钟会了！"

姜维只是静静听着，并不言声。

便在此时，偏殿正门被一把推开，一人跌了进来，倒卧在地上，正是负责看守前门的董厥。此时他手脚被缚，浑身上下血迹斑斑，倒在地上一动也不动，也不知是生是死。一队钟家部曲随后步入到殿内，为首之人向钟会、刘信拱手行礼，报道："启禀主子、左贤王，外头的蜀军已杀尽，剩这个贼将还没死透，他杀了咱们七个弟兄，挨了十几刀，昏死了过去，还请主子发落。"

刘信看向钟会，钟会做了个手势，示意由他来发号施令。

刘信便道："将此人留下，你们可以出去了。"

那部曲首领环顾四周，面露惊异之色："出去？可是这儿还有……"

刘信不由得暴出一阵怪笑："嗬嗬嗬……你们还有啥放不下心的？这儿有我便行了，你们都给我出去，将门看好了，如有人想跑，格杀勿论！"

那部曲首领自然是知道刘信有杀人的嗜好，也知道这个匈奴左贤王的能耐，当下拱手称是，退出偏殿，顺手关上了大门。

偏殿内又恢复了寂静。

双方你盯着我，我瞪着你，都是默不作声。

许久未出声的姜维忽然打破了沉默，哑着嗓子道："你以为你能杀得了我？"他站立在台阶之下，虽仍是昂然直立，但布满皱纹的面孔却显得异常苍白，右手轻抚着腹部，只觉得横膈之间再度隐隐作痛起来。

"我不会杀你的。"

钟会取过手巾擦了擦手，轻松说道："子曰：'以德报德，以直报怨'，我今日便以君子之道，还施于君子，请阁下到我府中盘桓数日，用阁下的名义签发军令，则十万蜀军便将供我所驱使，为我北伐助力。嘿！直说了吧，在拿下洛阳之前，你还死不得，我将会善待阁下，断不会使你损伤分毫，所以请你放心便是。"

"只怕阁下请不动老夫！"

"请不动？我早已为你准备了一间上房，如今岂能空手而归？左贤王，你便替钟某请客人去上房歇息吧！"

"遵命！"

刘信一声吆喝，大跨步朝姜维走来，笑道："姜大将军，在下听说你是常山赵子龙唯一的传人，当真是荣幸之至。据说那赵子龙武功盖世，当世无人匹敌，即便是关羽张飞，若论近身搏击，也不是其对手，想来想去，只有那号称'人中龙凤'的吕布可与之匹敌。我刘信自然想跟这样的高手过招，可惜他死得早，实在令人无可奈何，不过，上天有好生之德，如今他唯一的传人便站在我面前，我怎么可能轻易放过这样的机会呢？

真是令人欣喜啊！哇哈哈哈……"

姜维尚未答话，刘大护主心切，已先行一步挡在了刘信的面前，横刀在手，高声骂道："做你妈的春秋大梦！想与我们大将军较量？你这胡虏还不够看，有本事就先过我刘大这关再说！"

刘信定住脚步，上下打量着刘大，冷笑道："无名小卒，连蚂蚁都不如的人渣也敢在老子面前挡路？也好，今日横竖都要杀人，便先拿你热热身吧！"

刘大亲眼见着杨三的长剑被这位匈奴左贤王空手折断，进而碾成碎片，便知他的武功比自己不知高了多少，心下凛然。但对方的言语实在是太过于伤人，不由得勃然大怒，心里一横，怒喝道："龟儿子竟敢口出狂言？我便先宰了你，以祭张将军在天之灵，断！"一声暴喝，纵身而起，大刀朝着刘信的右肩斩落。

刘信见其来势凶猛，却也不敢怠慢，忙往旁边一让，避过了这一击。他正要举戟反击，却没想到刘大的刀已改劈向顶门，他来不及抵挡，只得向后退避，但对方的刀如影随行，闪电般的第三击又已砍向他的左臂。他慌忙侧身闪过，谁知对方第四击已经到了……偏殿之上，只见刘大一柄三十斤重的厚背大刀此起彼落，将刘信四周七尺之地尽数笼罩在刀光之下，刘信左闪右避，竟回不了几招。刘大这一手"环剁"刀法，讲究的便是快起快落，令敌人难以抵挡，虽说是刀术中十分常见的招势，但要像他这般起落如风，落刀精准，非数十年苦练不行。

不过，刘大虽占居了上风，但一连数十击都砍不着刘信，心下也不由得急躁起来，当下便出言激道："所谓长于杀人者也不过如此，还敢夸口？真是让人笑掉了大牙！"说着，又是一刀劈下。

刘信弯腰避过，不紧不慢道："你的刀法算是不错的了，我想再多看一些，所以缓些出手，只怕杀你杀得快了，便不过瘾了。"

刘大大怒，一刀又往刘信的面门砍去："胡虏还敢夸口！"

"就是夸口，你能怎地？别说我没提醒你，我可来真的了！"说着，刘信忽然退开一步，举起方天画戟，往大刀上格去。

刘大这一迎面砍击只用上了七成力道，尚留有三分后手，倘刘信再闪避，便断其退路，必定要他中刀。但这也只是刘大心中的打算而已，下一秒钟，只听"铛"的一声巨响，刀戟相碰，刘大只觉得眼前金星乱冒，虎口剧震，往后连退了数步这才定住，还来不及换口气，刘信一戟劈来，刘大只得鼓足全力举刀架挡，只觉得一股巨力排山倒海般涌来，大刀"呼"地脱手飞出。刘大双手满是鲜血，还没等他回过神来，眼前银光一闪，方天画戟已从上而下，将他劈成了两片。

刘信看着流满一地的鲜血内脏,眼睛里闪过一丝野兽般原始的光芒。他将戟刃伸到嘴边,伸出舌头将上头沾着的鲜血舔了个一干二净,然后咧着血红的大嘴哈哈大笑起来——那情景,着实令人毛骨悚然。

　　在众人恐怖的目光中,刘信冲姜维拱手道:"大将军的手下的确厉害,一介无名小卒,却能挡下我一戟,天下已不多见,也算是……"话未说完,忽觉脑后风声骤起,心知不妙,赶紧一个侧头,一枚金枪头已从他颊边掠过,相距不到寸许。

　　刘信冷笑一声:"看来活得不耐烦的人还真是不少!"说完,转身一戟扫去,却突觉后方又有人来袭,不由得狂性大发,叫道:"好啊!都统统上来吧,让老子杀个过瘾!哇哈哈哈……"当下往前一扑,双钩一长一短正好划过他的衣摆,却未伤及皮肉。

　　原本,张二与杨三在一旁观战,见刘大占了上风,心下甚喜,哪成想形势忽然逆转,二人在一旁还没来得及出手相助,刘大便已被劈成了两片。二人与刘大乃是结义之好,相隔十余年之后忽然重逢,本十分珍惜三人的团聚时刻,眼见着刘大惨死当场,二人激愤异常,也顾不得对方武艺高强,分别从左右袭来。

　　刘信连遭偷袭,心下也不禁大为愤怒,向旁退开数步,喝道:"无知鼠辈,竟敢偷袭本王,速速报上名来!"

　　杨三喝道:"胡虏何必知道爷爷们的姓名,只要知道是杀你之人便是了!"说罢,又是一枪刺去。刘信见这一枪来得迅疾,忙举戟欲挡。杨三知对手臂力强大,半途改道刺敌人右肋。刘信一个侧身避过,哪知张二双钩早已埋伏在侧,饶是他反应迅速,急急一个后跃,但还是被划出了一道血口子。

　　刘信轻伤,不怒反笑:"想不到蜀中还有能伤我之人!有趣,着实有趣!你们本事不错,我便再让你们一招,来,一起来陪爷爷玩玩!"

　　杨三嘴上不饶人:"再一招便要了你狗命!"说着,举枪轻飘飘地朝刘信的胸前刺来。他这一击看似是虚招,实际上却是用了十成力道,本意是要诱敌出手格挡,好震麻敌人手腕,再趁机杀之。但是眼前的刘信力大无穷,形势正好相反,他举戟一格,杨三只觉得双臂震得几乎麻痹,使出吃奶的劲,才使金枪不至于脱手,但已是狼狈不堪。

　　刘信回戟刺向从另一侧攻来的张二,张二一个虚退避开,趁刘信回身攻向杨三时,双钩悄悄一伸,已扣住了方天画戟的小枝。张二知道对手力大,恐不能维持太久,忙喝道:"三弟快攻!"

　　刘信一个挥戟却是挥不动,又见杨三一枪猛刺过来,方知是敌人的战术,不由得冷笑道:"不入流的把戏而已!"说着,也不用力夺戟,反倒将戟一放,接着双手齐出,已抓住了金枪的枪身。杨三见金枪被对方扣住,想用力回夺,却如蚂蚁撼树,竟然纹丝不动，刘信趁机将枪身一转，杨三只觉得掌心一烫，不由得稍稍松手，刘信趁势往前一送，那枪尾竟直接刺入杨三的胸口，从后背透了出来，眼见是活不了了。

张二本想抽回双钩相助，但双钩尚扣在戟上，那戟重达八十二斤，张二用尽力气竟无法移动分毫，只能眼睁睁地看着兄弟惨死。张二见刘信持枪向自己而来，吓得肝胆俱裂，也不等刘信出手，当下弃了双钩，一个矮身顺着台阶便滚了下去，只盼逃得越远越好。刘信冷笑了两声，也不追赶，看着张二堪堪滚到殿上，手中金枪忽地射出，只听"喀啦"一声，金枪正中张二的后脑，从口中透过，脑浆和着鲜血顺着枪身流下来，已被钉死在地上。

至此，相如邑三杰全部毙命，竟不能挡下左贤王五招。

一番争斗下来，刘信却是脸不红、心不跳。他拾起地上的方天画戟，拂了拂沾满血迹的衣袍，拾阶而下，缓缓走向护在姜维面前的武士们，脸上挂着残酷的笑容，狞笑道："原来这儿还有一些活人啊？干脆一个个乖乖地把脑袋伸过来，让老子一刀剁了，也省得老子费力，岂不痛快？"

众武士瞧见刘信杀人的手段，再加上他那野兽般狰狞的眼神和嘴角残留的血迹，不禁胆寒，刘信每下一阶，他们便后退一步，仿佛见了鬼一般。

这时，忽听姜维高声叫道："这厮虽有怪力，但激战许久，已是强弩之末，大伙儿一齐上，定能将他碎尸万段！国家兴亡在此一举，诸位何不努力向前！"

这批武士追随姜维已久，对大将军素来心服，简简单单的一席话，便已让众武士重拾士气。只听一名武士大声吼道："大将军说得没错，我们人多，还怕他怎地？兄弟们一起上了啊，宰了他，为死去的兄弟们报仇！杀啊——"说罢，便率先朝着刘信冲了过去，其余武士受到激励，也跟着攻了上来。

只是，有时士气并不能决定一切。

刘信见众人如潮水般涌来，嘴角浮现出一丝残忍的笑容，接着一戟刺去，正中当先那名武士的咽喉，然后顺手一甩，将尸体掷入到人群之中。接着他大步上前又是一挥戟，三名武士的首级立即飞了出去，三股血泉从脖腔内喷涌而出，尸体这才缓缓倒下去。余下武士大骇，纷纷后退。刘信见状一阵狂笑："哇哈哈哈……阵前退缩者，给我死！"然后挺戟杀入人群之中，长戟所到之处，带起一片血雨腥风，场面惨烈至极。

刘信杀得发了狂，他东砍一条臂膀，西断一条大腿，二十余名蜀军好手在他戟下便如初生婴儿一般，只能来回号哭逃蹿。刘信原本就有些心理变态，嗜杀成性，此刻更是激起了他的虐杀之心，只见他一戟刺出，正中一名武士的面门，他随手一转，将那武士的头颅整个绞碎，然后大步上前抓住其发髻，用力一提，头颅连着脊椎骨竟被硬生生地扯了出来。他又顺势一脚将一人踢翻，长戟插入其腹，一转，一带，肠脏洒了一地。等他回身又是一戟，却发现身后已无一人，原来二十余名武士，转眼间便被他杀得精光。

刘信用沾满鲜血的双手，拨了拨乱蓬蓬的头发，仰天大笑道："杀人如麻，不亦快哉！可惜我面前虽有一高手，却不能全力杀之。姜大将军，我看……"话没说完，忽然脸色大变——姜维不知何时竟已上了台阶，正朝着钟会一步步走去。

此时钟会左手仍拿着酒杯，见到姜维走过来，神色自若地说道："难道阁下要做最后一搏？"

"蛇无头不行，杀了你，魏军必乱。"姜维说着，又踏上一阶。

钟会怔了怔，忽然略有所领，笑道："真是佩服阁下，原来这才是你的最后一计！阁下竟让自己麾下将士去送死，好掩护你来靠近我，这可不像你的作风啊！想来，那些将士至死还尚不知道，自己竟已被大将军背叛，成了弃子。"

姜维双眼湿润，脸上却挂着笑意："与君朝夕相处，耳濡目染，这等'牺牲之计'，我倒也学了一些。其实这些日子以来，我已经想得很清楚了，要想彻底击倒你，就必须变得和你一样卑鄙。"他语气平静，显然是经过了深思熟虑。"既然一定要有人负起背叛之罪，那就由我来背负吧，既然你自称为'正义'，那就由我来担当'邪恶'，既然你要得到'天下'，那我便将'山河'倒悬！"

钟会不由得拍掌大笑："好个'将山河倒悬'，说得何等大气！以如今的形势来看，我似乎输定了……不过，咱们二人已结拜为兄弟，誓言同生共死，你杀了我，就是背了誓言，你难道不怕遭天谴吗？"

姜维正要答话，忽听背后一声大喝："勿伤我主！"转头一看，只见刘信已杀光了所有的武士，正快步奔过来。

姜维看着钟会，眼中杀气大盛，沉声喝道："誓言乃天命，遥不近身。我身为将帅，国命难违，只好取下我结义兄弟的首级，为我大汉尽忠……"话未尽，腰间青釭剑已然出鞘，无形无影，直往钟会头上斩去。他这一击是抱着必杀的决心，剑快招猛，再加上青釭剑的锐利，无论钟会如何架挡，也势必被劈成两半。

这一切，都在他的算计之内。只是，有一点算错了——青釭剑并非天下无双。

只听到"嗡"的一声龙吟般的轻响，姜维手中的青釭剑停在钟会额前三尺之处，竟无法再进一寸。定眼瞧去，只见钟会手持一柄宽刃长剑，硬是格下了姜维这一击。姜维从未想过有兵刃能挡得住青釭的剑锋，惊骇之下想要再出招，忽觉眼前一阵晕眩，竟不由自主地往后退开了一步。

这一退,便是万劫不复。

这一退,便是功败垂成。

此时刘信已从后面赶上,卸了姜维的兵刃,将他压倒在地。

钟会一笑起身,俯身将青釭剑拾起来,与自己手上的长剑交互欣赏,赞叹道:"'青釭无影,倚天凝神',曹孟德的两把佩剑分离四十余载,今日却能重逢,姜伯约,你说这是不是天意?"

"这……便是倚天剑?"姜维伏在地上,虚弱地问道。

"正是倚天剑。"

钟会端详着两柄剑,缓缓道:"青釭剑与倚天剑都是曹操的爱剑,青釭剑既然为赵云所夺,这倚天剑便成了曹家的传家之宝,历代帝王相传。甘露三年,曹髦召集宫内侍从,持倚天剑声讨司马昭,却被太子舍人成济刺杀于宫门前,倚天剑便被司马昭纳为己有。这回我奉命征蜀,司马昭知我武艺不及,便以此剑赐我,以做防身之用,没想到还真是派上了用场,这是天意啊!"

"然则……我为何忽然头晕?"

钟会在阶上来回踱着步子,脚步声回荡在空旷的偏殿里,"旧日曹孟德做'二剑论',试评此二剑,论云'青釭者,暗夜流光,倏忽而逝,似有若无,故兵折甲透而不自知,是谓无影;倚天者,倚循天道,恢恢浩浩,广而无伤,故不折敌兵,不透敌甲,却能凝神化心,是谓凝神。'世间传说凡持剑与倚天相交者,必受其金铁交撞之声干扰,短暂失神,故曰'倚天凝神',较之'青釭无影'自是更加神妙了。我初时还不信,今日一试,果然不虚!嘿,青釭剑刃轻薄锋锐,乃是肃杀之剑,倚天剑沉稳厚重,乃是君子之剑,杀者虽厉,却仍不敌君子之道。倚天剑在青釭剑之上,今日可证!"他一面说着,一面轻轻转动着倚天剑刃,那剑刃宽且厚,剑面上刻有水纹,随着剑身缓缓摆动着。

姜维无语。

钟会低头看着他,不禁冷笑:"今日倚天青釭首度交锋,不过一击,优劣便已分晓,正如你与我一般,阁下计已败,便是败得见底了。"

姜维怒目瞪视着钟会,哑着嗓子道:"既然已败,老夫但求一死而已!"

钟会却摆了摆手道:"我之前已经说过,会留阁下一命。从今之后,阁下便是我的提线木偶,供我指挥蜀军之用……更何况,你我好歹也是结义兄弟,你不守天命,我却不敢犯天,违背誓者,那可是大大的不祥啊!"说着,哈哈大笑了起来。

姜维与董厥一同被扛上一辆大车,送往丞相府。自邓艾被擒之后,丞相府就成了钟会的住所。

姜维倒在车内，脑海里一片空白，只觉得腹间疼痛转剧，心中之痛却是更加令人难以忍受。他重重地叹了一口气，却听见身旁一个虚弱的声音道："大……大将军，您……已尽力了，我等……计已……已败尽，如今……便是等死而已。"

姜维回身望去，见董厥已经清醒了过来，鲜血正从他的口鼻中不断地流出。他每说上一个字，脸上的肌肉便一阵抽搐，看着令人心惊不已。

姜维缓缓摇了摇头，轻声道："未必，我等尚有一线生机。"

董厥眼中微微一亮："您是说……还有后招？"刹那之间，姜维心潮奔涌，默然有顷，说道："我已尽力，再无后招，但求先帝、丞相在天之灵眷顾……一切便都看陛下的了。"

解惑

　　丘建策马来到城东，此时虽是冬季，但蜀中气候温和，加上刚刚下过雨，荒芜的土地上又长出了一层矮矮的绿草，竟使巴蜀大地有了回春之象，马上蹄下，尽是鲜嫩的草叶，泥土的香气融在雨后初晴的空气之中，令人闻之熏然。然而丘建却无心情欣赏这番美景，他的马蹄沉重，便如他此时心中所牵挂之事一般。

　　丘建的母亲原本为羌人，被当地一丘姓汉吏强掳为妾，这才有了丘建。他的生父视其母子为猪狗，常加以虐打，对丘建更是百般凌辱。丘建十三岁那年，偷了一柄匕首，趁其父熟睡之时将其杀死，然后携母连夜逃亡，但仍被巡兵逮捕，送交给当时的平房将军胡烈发落。胡烈欣赏丘建的胆识，遂赦其死罪，改判充军，纳入到自己的旗下。胡烈待丘建甚厚，不但供其母子衣食，又教丘建习武读书，让他随玄马营作战。丘建勤奋谨慎，胆大心细，在战场上屡立战功，不到二十岁，便已升至队长之职，备受重用。

　　后来，淮南诸葛诞叛乱，司马昭任命胡烈为荆州刺史，调其玄马营平乱，丘建于此战之中屡建奇功，司马昭特命晋见，事后更将丘建纳入到晋公府里，任命为行军司马，掌理行军调度。钟会本为司马昭手下的参军，与丘建数次共事，深知其能，此次伐蜀之役，特向司马昭请将丘建拨入其帐下，任其为帐下督，专司奇兵伐谋，机密递信等事。丘建忠敏于事，总能不负所托。

　　只是，自从刘禅投降以来，丘建这个帐下督便成了一个闲差，除了为钟会整理文稿，偶尔做些受降的工作之外，大多数时候都只能一人躲在帐内，看着外头的绵绵细雨，仿佛手脚也要发霉一般。直到今日午后，杨针带来钟会的口谕，要他即刻启程，将这只白玉盒送往汉中，之后便留守在汉中，襄助胡渊。杨针再三交代，这盒中所藏乃是机密军令，除了胡渊之外，不许第二人开启，违者灭其三族。

　　丘建闲散了许久，接到任务，本该兴奋才是，但他拿着那只贴上封条的白玉盒，心中却莫名其妙地涌起了一股强烈的不安。他整束完毕，备好坐骑上路，却没有往北走，反倒是先来到城东解舍。

　　"什么人？"解舍门外负责守卫的士兵一见有人靠近，立刻上前盘查，显然是奉了严令，对靠近解舍的人加强防卫。

　　"我是什么人，你难道不知道？"丘建脱下皮帽，淡淡地说道。

　　"哦！原来是丘将军。"那守卫是个见风使舵之人，知道丘建乃是钟会跟前的大红人，立刻便换上了另一张脸，用巴结的口气说道："恕小的眼拙，没能马上认出丘将军来，真是罪该万死！却不知……将军来解舍有何公干？"

　　"那些将军们都进来了？"

　　守卫陪笑道："是，是，刚刚才安顿好，一百多名将军，各个都是大有来头，可真是大阵仗啊！小的们好不容易才将一切打点好。"

　　"我想见见胡将军。"

　　"这个……"守卫立刻面露为难之色，支吾道，"丘将军，您要见……小的原本是不该阻拦的，不过……不过都督有严令，除非有他的军令在身，否则……否则一干人等一概不许入内会面。丘将军……不知您是否有都督的手令？"

　　丘建从怀中摸出一枚银锭，在守卫眼前晃了晃，笑道："这便是都督的军令。"那守卫的目光随着那锭银子不住地晃动，粗大的喉节上下蠕动着，迟疑了片刻，说道，"丘将军，这个……恐怕……哎呀，这哪里是军令啊？"

　　丘建又拿出另一枚银锭："如何？这该相当于都督的军令了吧？"守卫顿时眉开眼笑，忙不迭道："本来嘛……咱们都知道您是胡将军的旧部，见见故主，那也是讲义气，重情重义乃为人之本，丘将军倒是客气了，呵呵……"说着，把手伸了过去。丘建将银锭交到守卫手中，喝道："还不头前带路？"

　　"是！"

　　所谓"解舍"，便是供成都内史、守城卫兵夜间巡值的休息室，约有数十间通铺相连而成。丘建顺着长廊往内走，只见舍内光线阴暗，弥漫着一股无法形容的怪味，每间房门口均有侍卫守备，房内传来窃窃私语之声，似乎是被软禁的将领正在不停地发着牢骚。

　　丘建跟随着那名守卫穿过长廊，一直到底，来到一扇小门前，只见靠墙角落里堆着几篮腐烂的青菜、豆腐，还有几只用剩的酱缸，数十只硕大的老鼠原本正在享用大餐，一听见两人的脚步声，便惊得纷纷四处逃蹿开去。

那守卫轻声对丘建道："便是这儿了……请丘将军看着点时辰，久了小的可担待不起啊。"说完，便转身离去了。

丘建待那守卫的背影消失在转折处后，这才走近门边，只见一道沉重的铁锁将两扇木门牢牢地锁住，他透过门缝朝里头张望，依稀可以看到一座砖砌的炉灶，上头随意放置着锅碗瓢盆，一担枯柴堆在炉灶旁，却不见胡烈的身影。

"丘建，你来这里做什么？"

胡烈那低沉的嗓音忽然从门后透出来，竟然近在咫尺，着实将丘建吓了一大跳。他忙清了清喉咙，恭谨地说道："小子前来探望将军，不知将军无恙否？"

胡烈哈哈一笑，说道："何谓有恙？何谓无恙？被囚禁在这个厨房内，有吃有住，又何恙之有？"

丘建愣在当场，良久说不出话来。

还是胡烈先打破了僵局："你为何来这里？在钟会帐下不是很舒服吗……何必来这里。"语气中，道不尽的无奈和凄凉。

丘建忙道："小将要远行，特前来与将军拜别。"

胡烈笑道："我说小子，你远行也不止一回了，又何曾前来与我拜别？你这借口也太牵强了些……有什么话就直说吧，不必拐弯抹角。"

"小将去汉中。"

"找胡渊？"

"对，都督要我带个军令过去。"

"什么军令？"

"不知道，军令是用白玉盒封住的，只有胡小将军可以启封……小子只知是赤令，件急且密。"

胡烈思索了片刻，问道："你认为事有蹊跷？"

丘建沉默了好一会儿，张嘴要说些什么，却又收了回来。

胡烈又问："何时启程？"

"我已交接完事务，上缴了令牌，即刻就要启程了。"

"你当真不知道那军令的内容是什么？"

"小将确实不知。将军也应该知道，擅自开启白玉盒者，诛其三族，小将可没这个胆量。"

"呵呵呵……你怎么会没有胆量？如果没有胆量，又怎么敢来探我？"胡烈笑着说，随后却叹了口气，道："丘建啊，你从小便跟在我身边，我怎么会不知道你的个性？

旁人见你便是一介部曲,主上有令,无有不遵,但我却知道你心中尚存大义,能甄辨是非对错,这正是你的长处啊!"

丘建自怀中取出白玉盒,盒上的封条仍紧紧地贴着,他盯着那封条沉思了半晌,说道:"将军,小将实在是非常疑惑,因此来这里探望将军,盼将军能为我解惑。"胡烈又是一声叹息:"我现在身为阶下之囚,又如何能帮你解惑?目前局面纷乱之极,一切都只能看你自己的了。"

丘建赶忙道:"小将又有何能耐?"

"行大义者,天下无敌。你又何必妄自菲薄?"

丘建正要答话,却听到长廊那头传来急促的脚步声,想来应该是守卫去而复返,要催他离去了。丘建赶紧将白玉盒藏好,对胡烈道:"将军,时刻已十分急迫,小将便先告退了,将军的话,小将铭记于心。"

胡烈笑道:"那你将如何行事?"

丘建怔了怔,答不出话来。是啊,自己将如何行事呢?如果知道的话,也就不必来这里了。

此时那名守卫已朝他走了过来,远远地道:"丘将军,时候不早了,您请回吧。"

丘建点了点头,转身便要离去,突然听到胡烈那低沉的声音从门缝内飘出来:"小子,去找监军卫瓘,目前局势混乱不堪,只有他有本事破解。"

丘建似乎没有听到胡烈的话,便头也不回地转身离去了。

"咳……这样说来,是胡将军要你来找我的?"卫瓘端着一杯温水,倚在石枕上轻轻说道。

此时此刻,整间驿馆大厅内空荡荡的,只有一张短几摆在青石地板上,卫瓘与丘建二人隔着短几面对面而坐。

"正是,小将见事不明,还请大人指点迷津。"

"咳、咳……"卫瓘咳嗽着,用手指轻抚着面前贴着封条的白玉盒,缓缓道:"没想到我在这里病了几天,却不知外头已是翻天覆地,咳……我本想以假死之计擒住钟会,没料到这灵堂却给他先设了!咳……这厮奸险狡诈,我慢了一步,以至于几乎酿成大祸!"

丘建似懂非懂地点点头,问道:"那么大人,这事你怎么看?"卫瓘喝了口水,压了压剧烈的咳意,说道:"此事已经再明显不过了,咳……钟会意图造反,惟恐诸将不服,而阻碍他的好事,因此先逼着诸将签订盟誓,再夺其军权,将之监禁,咳……十万魏军便任由他指挥了。钟会自己都已言明，你又何必再问？"

"但都督称，此番不是造反，而是因为朝廷忌我等灭蜀之功，故发大军前来擒拿征蜀将领。再者说，郭太后发下衣带诏，命都督靖君侧，他兴兵伐昭，乃是大义之举啊！"

卫瓘听了不禁哈哈大笑起来："此等胡言，只能骗骗三岁小孩而已，又如何能信？咳……丘将军，我知道你是明理之人，便不妨与你言明，钟会打从蜀国灭亡的那一刻起，便已有意谋反，哦不，应该是从很久以前，便已有了反意，这一点从他广收门客便可看出端倪……"他便将事情原委从头到尾说了一回，包括钟会如何以伪书之计陷害邓艾，如何与姜维共谋，如何设计借邓艾之手杀自己不成，又如何开假药帖谋自己性命，如何窃取司马昭之手谕等等，直听得丘建瞠目结舌，半天说不出话来。

末了，卫瓘又道："咳……贾充率领十万大军那是不假的，但仅仅是为了钟会而来，怕他与蜀贼勾结，不涉旁人。钟会却移花接木，藉此来恐吓诸将，又假太后遗诏，意图谋反，实在是罪不可赦啊！咳……我原先还怕我乃一介病夫，制不住他，现在有了丘将军的相助，那是再好也不过了。"

听他这么一说，似乎已是胸有成竹，丘建这才稍稍安心，迟疑道："……只怕小将帮不上什么。"

卫瓘微微一笑："咳……丘将军不必过谦，你肯携带这只白玉盒前来见我，便已经是助我一臂之力了。钟会命胡渊率万余西凉精兵北上汉中，乃是极不寻常之事，此军令必定有诈，至于何诈，只能看过后才知。"

"可是……我却不能把盒子打开，那……"

"事情已经到了这步田地，丘将军又有何可惧？"

丘建忙拱手道："回大人，小的母亲早亡，又未娶妻室，所谓在这世上乃孑然一身，擅自开启白玉盒虽是诛三族之罪，但小子本就烂命一条，数年之前就该死了，又何所惧？只是食君之禄，忠君之事，钟都督再怎么说也是我的主子，我负其所托，岂不是变成了背信忘义的小人？"

卫瓘却摇了摇头，缓缓说道："将军只知小义，却不知大义。子曰：'君不义者，臣可以争于君；父不义者，子可以争于父。'咳……忠君孝父虽为三纲之首，但仍然不及天下大义，更何况钟会只是一介私主，不配称之为'君'，心怀天下苍生那才是大义所在啊！咳……丘将军，大义当前，便看你的一念之间了。"

丘建没有言语，眼珠左右转动着，似乎对卫瓘的这番话并不信服。

卫瓘自然明白，当下又道："咳……丘将军，称大义或许是太过于飘渺了，但你何不衡量天下之利？当今蜀国已灭，虽有东吴尚据于江东，但天下一统那是迟早的事，万世太平指日可待,然而钟会却为了一己之私,咳……欲兴兵造反,陷生灵于动荡,此可对天下有利?"他喘了口气,又道:"如果当今主上无道,兴兵造反乃是救天下于水火,可称之为正义之战,咳……如商汤诛桀,武王伐纣之道也。但当今之势,司马公贤明且仁,天下大治,钟会却以兵夺权,你能保证,咳……保证他的治绩在司马公之上?如若不能,那战争杀戮岂不成了实现他权势之欲的工具?你能说这便是天下之利?"

丘建默默思考着卫瓘的话,忆及钟会以往的所做所为,心中似乎已有了决定。却听卫瓘接着道:"丘将军,你愿冒险携这只白玉盒而来,足见你心中尚存是非,我才与你说了这么多,咳……否则,我大可命部曲先将你拿下,独自开启这白玉盒看了便是。病夫之言,盼君三思啊!咳……"

丘建忙拱手,正色道:"卫大人,小将原本不明'忠君'与'大义'之别,原以为'忠君'便是'大义',因此举棋不定。大人之言却如醍醐灌顶,令小将茅塞顿开,现在我已明白了,'忠君'只是忠于一人而已,乃是'小义',而'大义'却是着眼于天下之利,钟会之谋仅为一己之私,将残害天下无数生灵,小将愿遵从大人的吩咐,尽力协助大人便是。"

卫瓘长出了口气,笑道:"有丘将军之助,钟会又有何惧哉?"当下举起水杯,以水代酒,向丘建微微一敬,然后仰头将水一饮而尽。

丘建放下水杯,伸手将白玉盒的封条揭了下来,再将盒盖打开——此刻他的双手沉稳快速,显然已没有了任何疑惑。只见那只白玉盒内躺着一张赤色纸笺,向内折着。丘建将纸笺拿起,神色凝重地递给卫瓘。

卫瓘仔细看去,见那纸笺上仅聊聊数行字,乃是钟会亲笔。卫瓘朗声读道:"镇西将军钟会传玄马营校尉胡渊令:据探马回报,贾充与邓艾共谋造反,领大军十万东来,欲入蜀援艾,虽已上报洛阳,犹恐不及,现命将军胡渊兵发子午谷,直袭长安,以擒反贼,我当率大军从后接应。令毕。钟会。"

卫瓘读罢,将军令递回给丘建,由衷地感叹道:"若非有君,咳……钟会这借刀杀人之计,恐怕便要得逞了!"

丘建将那道军令又读了一遍,疑惑道:"大人,这个……命小胡将军出兵攻贾充,为何是借刀杀人之计?小的实在不明,还请大人指点。"

"咳……丘将军,你可知子午谷的地形?"

"知道一点,路狭且险,乃是一夫当关,万夫莫开之势。"

卫瓘重重点头:"正是!自蜀中兵发子午谷,虽十日便可抵达长安,但如果长安有备,在子午谷内设下伏兵,咳……即便是有百万大军,也注定要全军覆没……他这是要将胡渊送入死境啊！"

丘建不禁蹙眉："可是大人，你是说贾充已在子午内设下了埋伏，但贾充他又怎会知道……"

"贾充自然是知道，因为，咳……因为钟会早已给他送了信。"

听到此处，丘建不禁倒吸了口凉气，眼前立刻浮现出焦尸遍野的情景……猛然间，一个可怕的想法从他心底冒了出来。

此时卫瓘忽然站起身来，拂了拂衣袖，朗声道："咳……如此事情便更明显了，钟会谎称司马公嫉妒灭蜀之功，派贾充率领大军前来收服诸将，这番话诸将未必肯信，钟会便来个假戏真做，称贾充是邓艾的同党，命胡渊领西凉精锐攻之。咳……但却事先通知了贾充，使其于子午谷内设下埋伏，则胡渊之军必将全军覆没！咳……西凉兵本来忠于司马公，乃是钟会起事的阻碍，借贾充之手一举除之，不费钟会一兵一卒，他更可以此为证，称贾充确实是为收服蜀中诸军而来，诸将恐惧，必会齐心随钟会起事。胡烈等西凉将领，必是更加激愤，如此一来，除忠臣、收人心，钟会兵不血刃，不花废半分精力，却将十万魏军尽数收服，咳……逆贼反成义臣，何其高明啊！"

丘建却没有听进去，只是在心中反复琢磨着另外一件事。良久，他颤声道："这么说来，都督派我送信后留在汉中相助小胡将军，难道……是要连我也一并除掉？"

卫瓘目光低垂，没有说话。

丘建盯着那赤色军令愣了好一会儿，这才回过神来，说道："大人，现如今我等应如何处置才好？总不能任由他作乱吧？"

卫瓘轻咳了几声，说道："你刚才说，钟会命蜀中戒严，咳……为的就是要彻底切断成都与汉中之间的联络，除了手持白玉盒之人外，一律禁止通行。既然如此，为今之计，一切便只能靠你了，丘将军。咳……"

"卫大人吩咐便是，小将尽力去做。"

"好！"卫瓘点了点头，从柜子里取过一方宣纸，磨得了墨，快速提笔写成一封长信，并盖上官印，然后将信递给丘建，说道："丘将军，咳……我已将蜀中的一切情势写在这信中了，并要胡渊立即率兵回成都，以解救诸将、制钟会。咳……你将这封信交给胡渊，盼我这区区监军之名，能使他信服。至于这令件及白玉盒，暂时留在我这里好了。"

丘建将信收入怀中，迟疑道："但是没有白玉盒，恐怕我过不了关卡。"

卫瓘微微一笑，从身旁的竹囊中取出自己的白玉盒。那盒内原本装的是司马昭的手谕，但已被杨针窃去，此时盒内已空。卫瓘将信折好，放入玉盒中，重新贴上封条，交给丘建："你便带着这只白玉盒北上，我等内阁五臣的白玉盒均有些许之不同，我这只玉盒的右角雕着一只金鸡，钟会的那只右角雕了一尾鲤鱼，但这事只有我等知道，你拿着这盒通关，应不受刁难。咳……"

丘建站起身，双手接过卫瓘的白玉盒，却又不禁瞥了原先那只白玉盒与赤令一眼，正要说什么，却听卫瓘抢先说道："丘将军放心，这只玉盒与军令乃是钟会谋反的证据，我定会妥善保管，咳……来日好定钟会的罪。"

丘建心下恍然，忙行礼道："大人计算得如此缜密，何愁钟会不破？在下这便即刻前往汉中，五日之内，必与小胡将军率军赶来成都，还望大人多多保重才是。"

卫瓘将钟会的白玉盒连同赤令收入竹囊内，笑道："咳……我一病弱之人，钟会根本不会放在眼里，倒是丘将军可要一路小心，速速前往，切莫使钟会奸计得逞。"

丘建答应一声，与卫瓘拜别，转身离去了。望着他远去的背影，卫瓘不禁鼻头发酸，眼中流下两行清泪。

自始至终，二人都没有发觉，在大厅横梁之上，有一只眼睛，正默默地看着这一切。

秘密

"陛下……陛下啊！请听老臣一言，国家存亡在此一举……陛下啊，蜀国可不能就这么亡了啊！"

太虚阁内，刘禅高坐于主位，身上罩着一件雍容华贵的织锦长袍，手中端着琼浆玉液，冷冷地看着眼前这个痛哭之人。

此时屋外寂静无声，已是子夜时分了。

"陛下……张将军已经殉国，大将军与董将军都被监禁了起来，其余的将领……眼下咱们蜀国便只有陛下您了。陛下，大汉可不能这样说亡便亡了，一切都看您的了！"说到这里，那人已是泣不成声。

刘禅缓缓将手上的酒杯放下，轻叹了口气，低声道："既然大将军都无能为力，又何况我这个扶不起来的阿斗？唉，即便我有心复国，只怕是无德无智，成不了大事啊！"

"陛下可千万不要这么说，有心便好。"那人听刘禅的语气已不似先前一般决绝，似乎略有松动，赶忙道："只要陛下有复国之心便好，大将军早已留下锦囊一只，吩咐我，如果他出了事，便要我将这只锦囊交给陛下，陛下只要依照锦囊之计行事，必可复兴我国！"说着，忙从怀中摸出一只绿色的锦囊，颤抖着递到刘禅面前。

这只锦囊是用蜀锦织成的，上头用银线绣了一只繁花的图样，手工十分的精美，只是，青绿色的布料，却因为潮湿之故已略微有些褪色罢了。锦囊口以细麻绳束紧，还打了一个军结，这与钟会为白玉盒贴上封条是一个道理，乃是军事机密的象征，擅自打开此结者，夷三族。

眼前的这只锦囊，竟与之前姜维偷偷塞给刘禅的那只一模一样！

刘禅不由得想到：当初姜维为何不将两只锦囊一同交于我手，而是分别由两人来保管呢？难道……他对我也不信任？不对，一定是因为此事关乎着蜀国未来，太过于重大，倘若交于一人之手，反倒增加了其人的危险。而且，两只锦囊一旦落入敌手，复国之望便彻底断绝，如果分别由两人保管，即便其中一只被敌人得到，但另一只尚在，复国便还有了一线希望。

"可是……我该怎么办呢？"刘禅喃喃自语。他反复端详着那只锦囊，面上虽然平静如水，但内心深处却是巨浪滔天。思索了良久，他终于叹了口气，解开了军结，从锦囊中取出一张折了四折的白纸来，那纸张已多处皱损，但上面那一行行刚健而有力的字迹，仍然清晰可辨——的确是出自姜维的手笔。

刘禅将纸张凑进蜡烛，只见上头写道："罪臣姜维奏皇上钦鉴，奏曰：臣但盼此锦囊无开启之日，但所谓世事无常，陛下读到此函时，想来臣多半已遭到不测，复国之事，臣不能再献其力，唯有恳求陛下，盼陛下以大局为重，挺身而出，毋使大汉因此而亡。国亡之时，臣本该以死殉国，但我朝十万大军仍为全旅，粮草充足，可供大军三年之用，就此伏首于贼，臣怕黄泉之下无面目与先帝、丞相相见，所以甘冒毁誉，留下残躯一条，只求天命垂怜，能再兴我朝。臣深知魏军二帅不和，故挑拨钟会先收邓艾，再令钟会兴兵造反，魏军必将大乱，我军便可趁机坐收渔翁之利。臣反复思忖过，以为当下局势之浑沌，钟会与邓艾也都非泛泛之辈，臣之计虽可称妙，但惟恐稍有闪失，我朝复兴之机便会付诸东流，则臣便成了千古罪人。为以防万一，臣特草此函，藏于锦囊之内，暗交与廖老将军，如果臣计败露，则由陛下亲自开启此囊，以为备案……"

刘禅看到这里，忽然抬起头，将目光望向跪在下面之人——正是此前病得卧床不起，已是奄奄一息的廖化。此时的他形容枯槁，原本尚算健硕的身子已瘦得只剩下一副皮包骨头，显然是病情颇为严重，不像是伪装的。

他收回目光，继续阅读："昔日先帝建国之时，便已预料到今日之事，为防万一，特设褐狼烟之警。后来丞相将褐狼烟连同一批兵器铠甲藏于某间密室之内，并号令全军：'褐狼烟起，大军齐集'，不过，藏匿的地点乃是军中的最高机密，丞相为防止有人借此谋逆叛国，所以只令少数几人知晓，朝中大部分人虽只知其物，却不知其所在，其中也包括陛下在内。陛下启此锦囊之时，魏军内部定已陷于动荡，陛下可速取褐狼烟燃放，召集大军前来，陛下御驾统兵，趁魏军混乱之际将之一一击破。密室所藏兵甲虽不多，但足够装备数百精锐，可命其为前锋为大军开道，余下之人再沿途捡拾魏军兵甲武装自身，则蜀国可复矣！如今天下唯有臣知晓褐狼烟之所在，望陛下速速为之，切莫犹疑不决。"

刘禅深吸了口气，心道：果真如我所猜测的那样。

"臣侍奉陛下三十余载，深知陛下圣意。陛下推崇道家学说，宽厚仁爱，无为而治，不喜干戈，对臣北伐素有异见。臣久经戎马，自然深知战争之害，也愿从陛下之道，偃兵息鼓，享荣华太平。但如今天下三分，逆贼窃国，魏贼虎视蜀中，即便我等闭眼捂耳，也是无法自欺欺人。而如今蜀中已陷，万民受难，陛下切勿再崇尚无为治术，不能勇敢进取，令汉室永远灭亡，蜀中百姓则永为魏贼奴仆，这难道便是陛下所愿见到的？国家存亡在此一举，臣姜维涕泪纵横，再三叩首，望陛下念先帝开国之艰辛，勿使汉室就此灭亡。臣本布衣，躬耕于南阳……"

读罢，刘禅将目光投向窗外，黑暗之中，似乎看到了姜维那张苍老的面孔，双目中透出殷切的希望……心中不由得涌起无限感慨：原以为姜维不懂我之苦心，原来在满朝文武当中，只有他才真正了解我心中所想，倒是我不懂他了……只是，如果依他之言，燃起褐狼烟召集大军，成都城内势必生灵涂炭，血流成河……

他又将信反复看了两遍，始终默然不语。

廖化不由得焦急起来，忙不迭问道："陛下，大将军可有留下什么妙计？"

刘禅将那信递给廖化，廖化仔细看过后，大喜道："臣一早便知有褐狼烟在，只是不知藏在何处，这下便好了。陛下，大将军果然是料事如神，目前魏军诸将都给钟会监禁在城东解舍，几支主力军队又不在成都，即便是成都内的军队也是军心不稳，而我军则多安置在成都西面，约有六万之众，只要能召集大军前来，陛下一声令下，定能杀尽魏贼，我国便可复兴，大将军真是妙计！只是，到了这个节骨眼儿上，大将军还在打哑谜，不痛痛快快将密室的所在说出来，却偏偏说什么'臣本布衣，躬耕于南阳……'他乃西凉人士，怎么又跑到南阳去了？不过，想来陛下已经知道了密室之所在，那么就请陛下速去燃放褐狼烟，召大军齐集，把魏狗杀他个片甲不流！"说着，忽然大笑起来，一丝唾涎从他的嘴角处流淌而下，滴在他不住颤抖地手上。此时他身上只披着一件单衣，发髻散乱，意态若狂。

刘禅看着廖化这般模样，皱眉道："廖老将军，看来您确实病得不轻啊！"

廖化笑道："陛下，老夫已是行将就木之人，早该归天侍奉先帝和丞相去了，老天却要我苟活到现在，就是要我送这只锦囊给陛下，如果能亲眼目睹陛下复国，那老夫便即刻死了也无憾！陛下，还等什么？咱们这就动手吧！"

刘禅没有回应廖化，而是扯开了话题，问道："我听说投降之时，老将军大口呕血，昏迷不醒，怎么今日突然便康复了？姜维又是如何将锦囊交于你手的？"

廖化挥舞着颤抖的双手，大笑道："哈哈，这便是大将军神机妙算的地方。老夫听闻陛下献降的消息,当时确实是心痛如绞,呕血数碗,昏死过去,但不知怎地,很快便又恢复了清醒……这或许便是天意吧,当时大将军握着我的手起誓,必复兴汉室,我便恢复了神智,大将军发觉我已清醒,却不动声色,用手指在我手心上写了两个字:勿动。我虽不解其意,但知大将军乃是谨慎之人,便依言而行。当天深夜,大将军来到我处,吩咐我假装昏迷,还找来大夫诊治我得了重症,以瞒过他人。大将军说,他虽然取信于钟会,但钟会狡猾多疑,只怕事有变化,故要我装病在床,钟会若派人盯稍,至多也只监视他与张翼、董厥三人而已,绝对不会去顾及一个将死之人。大将军在入成都之前将这只锦囊交给了我,称他一旦出事便立刻将锦囊亲手交给陛下。老夫知道大将军昨日率兵去拿钟会,但彻夜等候都没有消息,反倒是今早钟会称大将军之命,令蜀军向北开拔,我派人打探过,才知大将军已被钟会所擒,因此赶紧入宫前来见陛下。想来,这一切早已在大将军的计算之内。"啰里啰嗦说了这一番话,原本就虚弱不堪的廖化,更加气喘吁吁。

刘禅微微颔首,感慨道:"大将军行事谨慎,用计必留退路,这倒是他的长处了。"

廖化喘着粗气,拱手道:"呼……正是如此。陛下,既然大将军已有了对策,那咱们便依计而行吧。藏匿褐狼烟的所在究竟在何处?想来陛下已经知晓,咱们这便去燃放,倘若迟了,只怕大军就要被钟会调走,到时召不到军,便复不了国了!"

刘禅端起杯子,喝了一口酒,淡淡地说道:"廖老将军,既然觉得计好,那便由你依计而行吧。"

廖化不禁一愣,踌躇道:"陛下,老夫何德何能,如何能够……"

"如何不能?廖老将军从军这么多年,乃是我朝宿将,由廖老将军来起事,岂不比我更为合适?"

廖化急得双手乱挥,叫道:"陛下!您说得太过了,老夫原先只不过是一介草寇而已,承蒙关将军不弃收于帐下,赖着狗运好,才好死不死地到了今日……旁人都知道我当这右将军只是因为活得比别人久罢了,并非老夫有何真才实学,眼下要举兵起事,还是该由陛下亲自出马才是,陛下跟随丞相学习兵法,又有许多将领领教过陛下武艺,只是陛下久居宫中,深藏不露罢了。"

刘禅一笑起身:"廖老将军也太抬举我了,我久居宫中,整日只近酒色,什么兵法武艺,早就忘光了。"

廖化感觉刘禅的语气不对味,似乎对复国并不热衷,连忙跪下道:"陛下,忘光了也不打紧,只要放了褐狼烟,召集大军前来,军队里尚有将领在,陛下只要下令,魏狗一定不是咱们的对手……陛下,那褐狼烟究竟藏在何处?"

刘禅走到廖化面前，将他搀起，扶他在一旁坐了，轻声道："廖老将军，那褐狼烟便在出师门内，你难道不知？"

"出师门？"

刘禅点头道："正是，大将军所谓的'臣本布衣，躬耕于南阳……'，乃是诸葛丞相在《出师表》中的自陈。廖老将军难道就不觉得奇怪，出师门不过是一座偏门而已，却为何修得如此高大，宛如一座城门？昔日我曾听丞相说过，建出师门时，于门内另筑有三道暗层，下层藏着金锣、战鼓、大旗等指挥之物，中层藏了几百件兵刃铠甲，上层却是个小烽火台。我当时便觉得奇怪，出师门内为何修筑暗层，这也罢了，可是为何还要修筑烽火台呢？现在想来，丞相这般安排大有道理，出师门靠近皇城，乃是成都的中心位置，旁边便是东苑，适合大军聚集，褐狼烟藏在烽火台内，燃烟之人不仅能号召全军，还能以出师门为据点，指挥军队……"

说到此处，他不禁高声赞道："要说到神机妙算，钟会邓艾之流不过是小儿，姜维也只是略学了些皮毛而已，天下又有谁能与丞相争锋？"

廖化这才恍然大悟，频频点头："陛下，既然丞相已准备得如此周全，咱们这便加紧行事，大将军府内约莫还有百来人，可以护送陛下去出师门，门内既藏有兵甲，在大军齐集之前，我等当可力保出师门不失。"

"大军齐集之后，又该如何呢？"

廖化立刻挺起胸膛，朗声道："还能如何？出师门便在丞相府之侧，钟会便住在那里，只要陛下燃放褐狼烟，大军齐集，我等便先拿下丞相府，如果能将钟会那厮拿住最好，即便拿不住，也可救大将军出来，然后便由大将军指挥，杀尽魏贼，岂不妙哉！"说这番话时，他神色豪壮，眼露精光，似乎又恢复了以往驰骋疆场时的风采。

此时刘禅目光低垂，面容冷淡，只听他轻声道："杀尽魏贼？廖老将军的意思，便是要在成都城内开战了？不行，我绝不同意。"

廖化没料到刘禅在如此紧要关头，竟会说出这样的话来，情急之下声音不禁提高了几度，叫道："陛下！此刻可不是妇人之仁的时候，如果我等不杀尽魏贼，成都百姓的性命便悬于魏人的利刃之下，永不得安乐！"

"不得安乐？成都过去难道便安乐？"

廖化一愣，不知如何回答。

刘禅又道："之前蜀中百姓赋税沉重，几乎每家每户都有一名男丁被征召入伍，你能说这便是安乐？魏人来了之后，不掠不扰，市上交易一切如常，民心稳定，你能说这便不是安乐？"

廖化这回可是真的急了，挣扎着站了起来，嘶声道："陛下！难道你所贪图的，就只是一时的安乐而已？这国家于你难道就没有别的什么意义？你想一想，你不为国主，百姓不为子民，天下归于贼，今后他们是生是死，便全掌握在魏帝一人之手，你只能俯首，只能看着蜀中百姓受苦受难，这难道就是陛下所盼望的？与其之后懊悔，倒不如抓住眼前的良机，振兵兴汉，这才是王者之道啊！"

刘禅面上表情变得沉重起来，缓缓说道："将来之事，又有谁能预知？如果听从了姜维之计，我眼中所看到的，便是数万名忠心耿耿，但身无盔甲、手无寸铁的士兵，前扑后继地涌向出师门，魏军会沿途劫杀，他们只能染着血一个接一个地倒下去，从城西到出师门的街道上，将堆满了浴血的尸首……这些士兵虽然忠义，但也傻得可以，他们只记得已死之人所下的命令，明知是死路一条，也要往狼烟飘起的地方奔去，最终能披上盔甲拿起兵器的，只有十之三四而已。"

不知何时，他的眼眶内已浮起了一层淡淡的水雾。

他叹了口气，语气忽然变得急促起来："然后便是火光与兵刃，从锦官城一路往北烧杀到阳城，容华楼将被夷为平地，三圣观将被烧尽，妇人的嚎哭将响彻天际，男子的尸首将使锦江断流，士兵皮靴下所踩踏的，是来不及逃走的婴孩，肝脑途地，我所钟爱的天府成都，将沦为人间炼狱……"他痛苦地摇了摇头，声音越发地凄厉："再然后呢？如果不能顺利诛尽魏军，蜀中必将兵祸连绵，百姓之苦只有更甚……而这一切所为的，只不过是一个汉室的虚名而已！廖老将军，与其为了那个虚名，我宁愿守住眼下的太平安乐，你说，这，难道有错吗？"

廖化被刘禅一席话说得气冲头顶，偏偏又无力反驳，愣怔了好一会儿，忽然向前跪爬了几步，声色俱厉道："刘禅！枉你身为一国之君，竟说出这等荒唐之言……你投降邓艾，那是情势所逼，也就罢了，眼下好不容易才有了一个大好的复国良机，你却沉溺于一时的安乐，不思进取！你可知道，大将军费了多少的苦心，甚至牺牲了一世清誉，为的就是要恢复你这皇帝之位，光复咱们汉室，这便是世间所说的大义！而你，却贪生惧死、贪图逸乐，你这样做难道对得住先帝与丞相？对得起大将军的一片苦心？"

刘禅怒道："哼！贪生惧死？那一日邓艾剑锋便指在我的咽喉之上，我可因惧死而降？我能以我血明志，但我却不愿以他人之血渲染所谓的'大义'！你们以复兴汉室为名，妄动干戈，杀人如麻，这便是大义了？其实你们想要的，只是清史留名而已，所谓'大义'，只不过是为自己找的借口罢了！也好，既然你们贪图虚名，那便由你们动手，别想指望我来参与，千古骂名便由我来背负吧！"

廖化气得全身发抖，他大步上前一把扯开刘禅胸前衣襟，怒喝道："刘禅，你可还记得这道伤疤？"

只见刘禅右肩处一道极深的伤疤，从肩头一直延伸到胸口，那伤疤虽已愈合已久，但仍然可以看出当时受伤颇为严重。

"当然记得，这是我父亲摔的。"

"没错！那一年长坂坡一战，先帝为挽救天下颓势，不得已抛妻弃子独走江夏，多亏了赵云将军保护当时尚在襁褓中的陛下，七进曹军，血染征袍，令曹贼闻风丧胆，那是何等的英雄气概？先帝见陛下无恙，赵将军却伤痕累累，便将陛下掷之于地，怒道'为汝孺子，几损我一员大将！'陛下撞着地上的尖石，胸前划开了一道口子，险些要了小命，陛下可还记得？"

刘禅沉默不语。

廖化又道："当时我等孤军一旅，连个扎营之处都没有，只能往来逃窜，仰人鼻息，但是即便是如此，先帝与丞相依然不屈，他二人坚守大义，这才造就了后来天下三分之局面！"他喘了口气，继续道："陛下，你可还记得，那年我军进军汉中，大败曹军的威风？当时你随军见习，要我教授你武艺，你说你要像赵将军那样，成为勇冠三军的大将，那时你是如此的意气风发，可如今却……"

刘禅挥手打断廖化，冷冷道："当时我年少气盛，现在人老了，心中所顾虑的事也多了，有些太久之前的事，我早已经忘了。"

廖化怒极反笑，上前一把锁住刘禅的咽喉，嘶叫道："我人也老了，比你老得多，为何有些事却忘不掉？你可还记得，张飞将军单骑独守长坂桥，一声虎吼吓死敌将的豪壮？你可还记得，关羽将军水淹七军、力斩庞德的威风？你可还记得，黄忠将军大战定军山，一刀斩夏侯的武勇？你可还记得，丞相七擒蛮王孟获的巧智……"他每说上一句"你可还记得"，手上力道便多加上一分。刘禅只觉得廖化的脸越贴越近，呼吸也越来越困难，眼前不由得金星乱冒。只听廖化嘶哑着嗓子叫道："你可还记得我蜀国昔日的荣光？我蜀国的血泪？……不，你不记得了，你已经全都忘了，忘得一干二净，我要让你清醒过来，教你怎么做一个好皇帝！"

刘禅忽然感到廖化手上劲力暴涨，只见其皮肤下仿佛有无数只蚯蚓在蠕动，一张老脸扭曲变形，十分狰狞恐怖，显然已是失去了理智，真的是要置自己于死地。他不禁大骇，用力想扳开对方的手指，却是徒劳，无奈之下，只得一手抓住廖化的后衣襟，往后硬扯，然后右肘顺势挥出，正中对方颧骨。

廖化闷哼了一声，仰头便倒。

此时刘禅似乎也失去了理智，一下扑到廖化身上，吼叫道："廖老将军，我的武艺是从你那里学的，这手肘击也是你教我的，怎么样？当时你说我手脚笨拙，有气没力，但现在你却被我击倒了……廖化，你真的老了，你和那些蜀国昔日的荣景一般，都已经过时了……"说着，又是一拳重重地击打在廖化的面颊上，顿时鲜血飞溅，然而廖化却无半点反应，显然已是晕死了过去。

太虚阁内一片寂静。

良久，刘禅站起身来，重重地喘了几口粗气。他摇摇晃晃走回到自己的座位，端起几上酒杯，待要一饮而尽，谁知手却颤抖个不停，无论怎么努力也始终无法将酒杯送到口边。"妈的！"他怒骂了一声，用尽全力将酒杯砸在墙上，"哗啦"一阵脆响，酒杯裂成无数的碎片散落在地上。

他颓然坐倒。

他的手上还沾着廖化的鲜血，有几滴滑落在几上，发出"哒哒"几声轻响。

他忽然觉得好累，好像世间万物全都压在他一人身上似的。从小到大，他还从未感到如此无力过。

自己将何去何从？

他不知道，也不想知道。

或许这一切，便是身为刘氏子弟的宿命吧。这又能怪得了谁呢？谁让他姓刘？谁让他身上的血管中流淌着刘家皇室的血液，而偏偏又生在这样一个动荡不安的年代？复兴汉室的枷锁，牢牢地锁着他，始终令他喘不过气来。此时此刻，他多想躺在一张香软的床上好好的睡上一觉，忘记自己姓刘，忘记自己的使命。他多么羡慕据守于江水边的孙家，以江东为国，而不是天下。哦不，最好自己不是生在帝王之家，而是生为一介草民……然而，这可能吗？

答案是：不可能。

没错，他的确想当个好皇帝，当个仁慈英明的好皇帝，但在汉室之名前，他永远是个昏君，这是他无法改变，也无力改变的事实。

想到这里，刘禅忽然起身，扶着墙壁慢慢地向前走着。跨过倒在地上的廖化时，他险些跌倒，不过他片刻没有停留，而是朝门口继续走去。他知道这一切尚未了结，姜维并不是个轻易放弃的人，只要那线希望还在，他便会毫不犹豫地去做，甚至是不择手段，甚至是牺牲掉所有人的性命，这便是姜维的可怕之处。

——他深知这一点。

走到门口处，刘禅忽然停住，高声唤来黄皓，吩咐道："将这老家伙抬进内廷休息，给他找个大夫看病，但可别让他乱跑，也别让他与旁人说话，明白吗？"

"陛下放心就是，奴才必定做得安稳妥当。"

"你去取个灯笼给我，先点上了，我得出去走走。"

"陛下，夜深了，您还要上哪去？"

"出师门。"

脱壳

巴蜀的冬季最是反复无常,昨日还是一派晴暖的温和天气,今朝却已是遍地的白霜。一只鹭鸶鼓动着翅膀,落在田埂间,伸长尖喙,搜寻着田边水道里的游鱼,忽然一下马蹄声响起,惊破了这清晨的宁静,那只鹭鸶受到惊吓,赶紧鼓翅飞去。下一刻,一匹黑色骏马出现在了视野里。

"驾——"

丘建口中大声吆喝着,挥舞着马鞭自田间疾驰而过。寒风扑面,他的身上却只裹着一件单薄的黑色布衣,但额头上已是渗满了汗水。他举袖抹去遮住眼睛的汗滴,呼出一口白气,奋力加了一鞭。清晨的朝阳下,骑士骏马像一朵乌云,带着长长的嘶鸣,箭一般向东而去,掠过空旷的原野和滔滔的河流。

直到此时,他已经奔了整整一天一夜,绵竹关那高大的城楼,从远方的薄雾中已缓缓浮现。从远处看,这座城楼相当宏伟,在朝阳的照射下,城楼就像是一只洪荒巨兽。随着坐下骏马飞驰,渐渐可见背向阳光的东门箭楼上有青衣甲士在游动,猎猎招展的蓝色大旗上大书一个白色的"魏"字。

一个时辰之后,丘建已站在了绵竹关下。

他勒住马匹举目观瞧,只见关前带甲军士往来巡视,戒备森严,但是原本应该置于关门前的木栅却已被搬到了一旁,有两道清析的足印留在满地的白霜上,显然是有人刚来此不久。还未容他细思,城头士兵已高声喊问:"过关者何人?"

"都督使者,速开关放行!"丘建朗声回答,已是来到了城门前。

一名守卫已策马来到他面前,脸上堆满了笑容,殷勤道:"呦!这不是丘建丘将军吗?在下靖边校尉范应,奉都督之命镇守绵竹,早就盼着将军大驾光临了。将军远来辛苦,快请入关内少歇。"

丘建觉得事情有些不对头,周遭的气氛竟十分诡异,但是仔细观察了一下,却又没发现任何的不妥之处,于是喘了口气,从怀中取出白玉盒道:"谢过范校尉,不过,我奉都督之命传令汉中,时间紧迫,哪里有时间歇息?请尽速放我过关便是了。"

范应拱手道:"那是当然,那是当然……丘将军可是主子,呃……是都督身边的大红人,有急命在身,小的可不敢耽搁了将军。"说着,回身高声下令:"你们也都听到了,丘将军要入关,还不快些开启关门!"

远远的有人应喝了一声,关门"吱吱呀呀"地徐徐开启。

丘建随着范应进入到绵竹关内,只见关内来往士卒皆和甲带刃,看到丘建走过,全都停下脚步,双眼直盯着他瞧。丘建被他们瞧得浑身不自在,却又不便发作。只听范应在一旁陪笑道:"小的刚刚从洛阳调来上任,早就听闻丘将军的大名,只是无缘得见,听说丘将军智勇双全,屡建奇功,小的着实佩服得紧啊!"

丘建微微一笑:"我只不过区区一介帐下督而已,哪有什么奇功可立?范校尉所闻,恐怕是讹传了。"

"哦不不不,咱们大伙都知道将军虽然身无轩冕,做的却是比那些将领更重要的机密要务,要是没有丘将军在,胡烈早被烧死在白水寨了,这等功劳,岂不了得!"

丘建微一皱眉,喝问道:"都督派我出兵一事,只有都督帐下几名亲卫知晓,阁下又是何处听闻此事?"

范应一愣,面色不由得一变,结结巴巴道:"这个……我是……我也是听旁人说起的……"突然话锋一转,指着前面道:"丘将军快看,北门到了。"

丘建心里虽存着疑惑,但事态紧急,不容他多想。他遁着范应手指的方向望去,果然已到了北门,心下稍定。他"呵呵"一笑,对范应拱手道:"既然如此,那在下便先告辞了,多谢将军引领。"

范应连忙回礼:"丘将军不必客气……将军过关,小的不能善待,十分惭愧,今朝露寒,将军不妨先饮一杯温酒,再赶路不迟。"丘建心下有异,不愿在此多做停留,忙推辞道:"在下有命在身,须急速将军令送往汉中,不便多耽搁。"说着,便要走。

谁知范应一把扯住丘建的衣袖,笑道:"丘将军也未免太见外了吧?不过是一杯温酒而已,将军马上饮了便可,不会耽搁行程的……小的以后也不知何年何月才能再次见到将军,今日对饮一杯,将军切勿推却啊!"说话之时,已有一名士兵捧着木盘走了过来,盘上承着一只酒壶,两只酒杯。

范应提起酒壶将两只杯子斟满,然后端起其中一只,对丘建道:"丘将军,小的敬你一杯,祝你一路顺风!"

丘建见范应举着酒杯,眼睛只顾望着自己,想来自己如不饮下此杯,便不会痛痛快快放行,无奈也只得端起酒杯:"多谢范校尉赐酒。"

"将军不必客气。"

"请。"

"请。"

二人举杯互敬,同时将酒杯凑到嘴边,仰头待饮。

丘建领军作战虽谈不上有多少智谋,却因为出身卑贱,少时曾做过一些偷鸡摸狗的勾当,所以生性倒比旁人机敏一些。范应与他素未谋面,态度却如此殷勤,又是相送,又是敬酒,看在丘建眼中早觉得有异。他双眼紧盯着范应,只见他将酒杯凑到嘴边,却不马上饮下,反而是斜着眼看着丘建的酒杯。

丘建心中立刻明白一二,当下手一松,任凭酒杯掉落在地上摔了个粉碎,赶忙躬身道:"奔波了这么长的时间,人困马乏,连酒杯都拿不住,让范校尉见笑了。"

范应立刻放下酒杯,怒声道:"我好心请你饮酒,你却砸烂我的酒杯,这算是怎么一回事?明显是不给我面子嘛!"

丘建不由得一阵冷笑:"我只是奉令过关,你却在酒中下毒害我,这又算是怎么一回事?"

范应不禁脸色大变,右手迅速搭上剑柄,却忽然觉得脖颈上一凉,丘建的马刀已经挥出,将他的首级给割了下来。

由于事出突然,在一旁的军士都先是一愣怔,随后大声呐喊,抽出兵刃,一齐向丘建扑了上来。丘建心知事态严重,不敢多作停留,赶紧调转马头,望着关门驰去,却见一名骑兵手持长枪,大声吆喝着,迎面冲杀了过来。丘建将马刀交到左手,右手一扯缰绳,避开劈面一击,然后马刀疾挥,将那士兵斩落于马下。

他不敢片刻停留,双脚用力一夹马腹,冲开前头堵截的众士兵,便要从关门奔出去,哪知他跨下坐骑忽然一蹶,将他给硬生生地掀下马来。原来,门前早就安置了两道绊马索,专门伺候如他这般纵马闯关之人。

丘建身经百战,应变迅速,在地上一个懒驴打滚,躲过从四面八方向他招呼过来的刀枪,随即站稳身形,马刀连续挥出,砍翻了身旁的几名士兵,却见更多士兵挺枪舞刀,朝他攻了过来。他急忙跳上城边高台,高声喝道:"我有钟都督的白玉盒为令,擅杀使者之人,夷其三族,还不退下!"

"管他什么白玉盒,给我冲啊!"

"杀了他给范校尉报仇!"

"杀啊——"

众军士不为所动,迅速朝丘建围拢了过来。

"都给我住手!"

一个高亮的声音喝住了士兵们的进攻,他们一听那声音便徐徐散开。随后,那声音从人群内再一次响起:"丘建,我可待你不薄啊!"

丘建心头大震,颤声道:"是你?"

"对,正是我。"

只见钟会策马从后方缓缓走了出来,他头戴纶巾,身披鹤氅,显得雍容华贵、气宇不凡,只听他沉声道:"丘建,我原本认定你是个人才,想好好地栽培你,想不到你却吃里扒外,辜负了我对你的信任!"

丘建喘着粗气道:"不……都督……在下始终对都督,呼……忠心耿耿,依……依令行事。"

钟会忽然仰天大笑起来,那笑声中充满了嘲弄、讽刺之意。良久,他止住笑声道:"丘建,你是个不善于说谎之人,我与你相处近一年,又怎会不知你是什么样的人?"

"都督,我……"

钟会叹了口气,喃喃道:"所谓'画虎画皮难画骨,知人知面不知心',我本以为你是个忠义之士,便以大事委托于你,想不到你却串通外人,陷我于不利……若非我早就派人在那痨病鬼的府内盯着,只怕此刻,我已是陷于万劫不复了!"

丘建的一颗心立刻跌入冰冷的谷底,心知再也瞒不过去了,当下也不再找藉口,把心一横,大声道:"钟会!你意图不轨,阴谋造反,还设计害死小胡将军与西凉兵将,我丘建虽称不上顶天立地,却也不能为虎做伥,乱臣贼子,人人得而诛之!"

钟会轻抚着下颚,冷笑道:"怎么?那痨病鬼跟你说了通歪道理,你便信以为真了?可惜可叹啊!你本来有机会在我门下一路高升,成为一人之下万人之上的贤臣名将,但你却背主作窃,反要害我,可惜啊可惜!"

"我丘建岂是贪图荣华富贵之辈?胡将军曾经告诉我,行大义者天下无敌!我宁可舍生取义,也不愿随你而求荣!"

钟会摇了摇头,一脸的不屑:"行大义者便天下无敌了吗?也罢,既然你执意如此,我也没办法可想,我本来以为你是个唯命是从的奴才,如今却发现,你却是个无药可救的傻瓜!你不配成为王侯将相,只配当一介枯骨,丧在绵竹关下。"说罢,手一招,原本已退开的士兵,立刻又朝丘建蜂拥而上。

丘建一声大喝："要杀我？却也没那么容易！"话音落下，忽然一抬手，将手中的马刀奋力掷出，正中关门旁一道拉紧的粗大绳索——这是他经过仔细盘算之后，所找到的唯一逃生之路。

只见那绳索一断，门上千斤闸门立刻缓缓落下。邱建忙又从怀中抽出短刀，砍翻了几名近身的士兵，然后回身将短刀在城墙的空隙中一插，翻身而起，双脚再用力一蹬，他那矮小的身躯竟如离弦的箭矢一般，从众士兵的头顶上飞了过去，正好落在关门之内。他闪过两记攻击，一个打滚，从千斤闸底下数尺的空隙中穿过，紧接着便听到"砰"的一声巨响，那千斤闸已然落下，将他与钟会等人隔开。

这一系列动作全部都在电光石火之间完成，丘建的身手可想而知。

丘建一站定，便大笑道："钟士季，你自负天纵奇才，却杀不了我这个矮子，又有何好夸口的？"

"你当真以为能逃得掉？"

钟会立在闸门之后，面无表情，声音冰冷得如同此时的天气。

丘建正色道："这个自然，等他们重启千斤闸，好歹要花个一天半天，到时我早已到了汉中，请小胡将军领兵来杀你了。"

钟会不由得暴出一阵怪笑："呵呵呵……丘建啊丘建，我确实欣赏你，你的确也算得上是个人才，但是你却有个很大的弱点，那就是太过于自负！你难道不知，我门下还有许多比你高明的人在吗？"

丘建不禁一愣，忽觉脑后刀风袭来，赶紧一个俯身，一柄单刀已从他后脑扫过，割去了几缕发丝。他闪身一刀回击，却见那人高瘦独眼，正是杨针。

"原来是你这独眼鬼？"

杨针也不答话，侧身避开丘建的来势，又一刀劈向对方胸口。丘建后退一步，反击杨针右腿……二人便你来我往斗了起来。

杨针原本奉命监视卫瓘，当他得知卫瓘与丘建共谋后，立刻向钟会回报。钟会知事态严重，当下便命刘信留守成都，自己与杨针快马北上追击丘建，恰好将丘建阻截于绵竹关内。刚才丘建掷马刀砍断千斤闸的吊绳，所有士兵尚不解其意，只有杨针是个老江湖，在丘建之前便趁乱先钻过了千斤闸，在关外守候。这一切都被钟会看在眼里，所以他并不惊慌。

此刻二人各挺兵刃，你来我往，杨针刀招变化无穷，丘建却是短小机敏，两人斗了十余个回合，竟然不分上下。又过了数十招，杨针刀势忽然转变，大开大阖，走的尽是阳刚一路，明显是欺负丘建的刀短。丘建自然清楚敌强我弱，只见他忽地上前一轮猛攻,然后短刀脱手,直往杨针面上射去,打算趁杨针闪避之际,矮身从旁边蹿过去。万没想到的是,杨针早就料到了此节,只见他嘴一张,咬住了那柄激射而来的短刀,然后手中单刀一送,将丘建又逼回了千斤闸边。

一切都快如闪电。

丘建待要再次攻上去,忽觉喉咙一紧,钟会竟从千斤闸的空隙间伸出手臂,硬生生将他给扼住。丘建想要回身反击,但时机已过,杨针的单刀毫不留情,已从他的腹部刺入,将他牢牢地钉在了闸门之上。丘建低头看着自己被穿透的身体,脸上露出一副不可置信的表情来。

这时,钟会将脸贴在闸门上,在丘建的耳边轻声道:"你虽无情,但我却不能无意,如果答应随我起事,便可饶你不死。"

丘建面上露出微笑,嘴角淌血,一字一顿道:"卫……大……人……恕……我……不……能……完……成……使……命……"

钟会重重地"哼"了一声,松开紧扼的手臂,从腰间抽出青釭剑一挥,青光到处,闸门铁条与丘建的首级同声而断。

钟会看着那无头的尸体缓缓瘫软下去,嘴角竟稍微抽动了一下,也不知道他是在叹息丘建之死,还是对丘建临死之时那一番话嗤之以鼻。接着,他俯身从丘建怀中取出那只白玉盒,打开盒盖,将卫瓘所书的信函读了一遍,冷笑道:"这痨病鬼不自量力,竟敢与我做对,简直荒谬!"他将那封信函撕了个粉碎,任纸屑随风飘散,然后将白玉盒往墙上一砸,一声脆响过后,白玉盒已碎成粉末。"哼!即便是我不杀他,等回了洛阳,他拿不出白玉盒,司马老鬼也会杀了他!"

他转身隔着闸门对杨针道:"原先那军令呢?"

杨针急忙从怀中取出另一只白玉盒,恭敬地呈上:"卫瓘那厮将都督的白玉盒藏在竹囊之内,命人严加看管,不过这可难不倒我,我既然能偷他一次,就能偷第二次,这痨病鬼号称谨慎,我看也不过如此。"

钟会接过白玉盒,见右角处刻着一尾鲤鱼,确实是他的那只,便问道:"你没有擅自开启过这盒子吧?"

杨针立刻拜伏在地,高声道:"擅启白玉盒者,夷其三族,小的就算有天大的胆子,也不敢擅自开启。"

钟会满意地点点头:"很好!"然后打开白玉盒,只见那反折的赤令仍然好端端地躺在盒内。他重新将白玉盒盖上,贴上封条,递给杨针:"限你一日之内,将此令送到胡渊手中,要他依令行事,倘若他敢违抗,便直接动手取了他性命。"

"属下遵命，不过，卫瓘那儿……"

已经走出几步的钟会停住脚步，缓缓转过身来瞧着杨针，脸上带着高深莫测的笑容："至于那痨病鬼，便不劳你操心了，我自有办法令他不得好死！"

三日后，成都驿馆。

"伯玉卧病这许多天，反倒是胖了些，真是难得啊。"钟会手托着下巴，侧头斜瞧着眼前之人说道。他话虽然说得好听，但语调中却充满了讽刺之意。

卫瓘"呵呵"一笑道："托司徒大人的福，最近已好得多了。"钟会也是一笑："常听人说有北人南来，因水土不服客死异乡，伯玉能痊愈，也多亏了上天的庇佑了。"

"托司徒大人的福，在下久病成医，调理病体本就略知一二，这回患了风寒，喝上些姜汤，多歇息几日，也就没事了。"

钟会忽然问道："我曾命前蜀国御医来为伯玉诊治，可有效果？"

卫瓘轻笑着点了点头，缓缓道："有效，确实非常有效，那处方切中病理，温寒适中，十分高明。只可惜他药未到，我病已除，稍嫌可惜了些。对了，那处方我仍收着，士季若是不嫌弃，不妨拿回去参考参考。"

"呵呵，伯玉还是那么喜欢开玩笑，我又没病，要那份处方何用？"

"当然是大有用处，士季图谋大事，日夜操烦不休，只怕很快便要病倒了，何不及早准备？"

只见钟会脸上一道凶煞之气一闪即逝，随即堆起笑脸道："哈，伯玉若是有闲心，不如多为自己考虑考虑。那日你出马擒拿邓艾，凶险到了极点，此次又得了重病，差点就性命不保，好不容易痊愈。阁下以为世事真的就如此平顺，每次都能逢凶化吉？"

卫瓘面容一肃，沉声道："我缠绵病榻已久，是生是死早就不挂怀于心，吉凶之事，倒与我无关了。"

钟会不禁冷笑："伯玉倒是豁达得很，却不知你的那些手下们，是否也与他们的主子一般想法？"

此时，驿馆大厅之内，上百名魏军环室站立，各个长刀出鞘，刃上鲜血一滴一滴地落在青石地板上，数十名卫家部曲，或死或伤地倒在魏军的面前，辗转呻吟。钟会与卫瓘坐在正厅中央，只见卫瓘身上穿着一件厚重的绵袄，头上戴着皮帽，身子轻微地颤抖着，似乎仍觉得寒冷。钟会倒是一副轻松自若的神色，像只猫儿般瞧着自己爪下的猎物。

卫瓘环视倒卧于地的卫家门人，脸上多了一丝痛苦的神情，轻声叹道："唉，士季下手也未免狠了些。"

钟会却摇了摇头:"这也是迫不得已,如果不下狠手,又如何能见得着咱们的卫大人?您这一病便是这许多日,可教人好生焦急啊!"

"人已经见到了,都督这就请回吧!"

"不忙。"钟会站起身来,从身后士兵手中接过一只木匣,笑呵呵地对卫瓘道:"在下造访贵府,怎敢空手而来,特献上薄礼一份,还请伯玉笑纳。"说着,便将木匣放在了卫瓘的面前。

"这是何物?"卫瓘迟疑了一会儿,这才伸手揭开木匣,只见里面承着的竟是一颗首级,面容已成灰青之色。卫瓘一惊,向后退了几步,颤声道:"这……这是……"

"这是丘建的人头,难道你不认得了?三日前阁下对他说了一番大道理,如今却不认得?"钟会说完,冷眼盯着卫瓘。

卫瓘僵在那儿,双唇颤抖个不停,一时间竟无法言语。

钟会又道:"这都是因为阁下之故!丘建原本是我北伐大将之一,却听信了你的谣言,如今落了个身首异处的下场,可惜啊可惜!"他摇头感叹了一阵,继续道:"俗话说'人心难测',我以前还不以为然,现在却不由得不信。我待丘建向来不薄,以为他忠诚可恃,没想到……对了,说来当真好笑,那日我在绵竹关将他给拦下,他口中还左一句卫大人、右一句卫大人,嘿!伯玉确实了得,三言两语便将我的人给挖了过去,我对伯玉,可得要另眼相看了!"

卫瓘并不答话,双眼空洞地望着前方的虚无之处。良久,他像是忽然想起了什么,慌忙跑到竹囊前,打开囊底部暗匣,伸手一摸,里头已是空空如也。

钟会站起身来,缓缓走上前去,轻声道:"不用找了,既然我知道你与丘建密谋,又怎会让我的白玉盒躺在你的竹囊里?那只白玉盒我早就派杨针送去汉中了,现在邓忠之军恐怕已进入子午谷,再过几日,就要成为贾充大军刀下的亡魂……我倒是想知道,伯玉还有什么妙计阻我北伐?"

卫瓘立刻面如死灰,重重地喘着气,伏在竹囊之前,一句话也说不出来。

钟会叹了口气,上前一步,轻轻拍了拍卫瓘的肩头,温言道:"伯玉应该知道,我是个爱才之人,我杀丘建,实在是迫不得已,心下感到十分懊悔,不愿再多伤性命。伯玉身负大才,我素来景仰,如伯玉这般人才,屈居于那司马老鬼之下,岂不是可惜了?不如助我起事,等待事成后,你我二人共享天下,岂不痛快?"

听了钟会之言,卫瓘反倒稍稍镇定了些,沉声道:"我乃忠臣烈士,又怎会与你这等乱臣贼子同流合污?我奉劝士季还是及早收手,以免酿成大错,到时追悔莫及啊！"说罢,轻轻咳嗽了一声。

钟会又将身子向前凑了凑,张口待要说什么,却突然收住口,紧皱倾身,双眼死死盯着卫瓘,足足有一盏茶之久。猛然间,他一把扯住卫瓘的衣襟,厉声喝道:"妈的！你不是卫伯玉……你是何人,竟敢骗我？"

只见"卫瓘"挣扎着将扯落于地的皮帽拾起,重新戴上,喘息道:"我……我便是卫瓘卫伯玉……"

钟会大怒,将那人用力向一旁甩了出去。

"砰"地一声,那人背脊撞上墙壁,跌坐在地上。他右手不住地抚着后颈,大口地喘着粗气道:"士季真乃……真乃喜怒无常之人,呼……"

钟会抽出腰间青釭剑,大步上前,左手扼住那人的咽喉,右手剑锋指住其下颚,咬牙切齿道:"还敢诳骗于我？那卫瓘痨病严重,每说上一句话便要咳嗽不止,而你却是中气充沛,语气顺畅,从刚才说话起,始终未闻咳声,如果不是你轻咳一声提醒了我……妈的！还真要着了你的道儿。说！你究竟是何人？"

那人望着青釭剑锋,嘴角竟泛起了一丝笑意,缓缓说道:"我乃大魏秘书郎,卫璪卫仲玉是也！都督是位高权重之人,我这等卑微下人,你自然是不认得的。"

钟会一惊:"你便是卫瓘的兄弟？"

"不错,卫瓘是我兄长。"

钟会若有所悟道:"原来如此……那日杨针曾提醒过我,我却几乎忘了……"

卫璪与卫瓘虽然容貌相似,但毕竟细微处有所不同。卫瓘久病,面颊削瘦,身体儒弱,卫璪却是丰腴红润,壮健了许多。但此刻他故意穿了件厚袄,又用皮帽遮住大半个脸颊,加之室内光线昏暗,两人的确不易区分。钟会与卫瓘共事已久,若是平心静气地看上几眼,自然能立即看出破绽来,但此刻他志得意满,只想着如何整治眼前之人,反倒是给卫璪三流的乔装本事给瞒了过去。

钟会深吸一口气,青釭剑微进,挑破了卫璪的皮肤,哑着嗓子问道:"卫伯玉如今去了什么地方？"

"我大哥死了,昨日病死的。"

钟会不怒反笑:"呵呵呵……病死了？你这谎未免扯得太不高明了,倘若卫伯玉病死,你又何必扮他？说！他究竟在哪里？"

"又何必我说,算算时辰,你也该见到他了。"卫璪咬紧牙龈说道,嘴角仍旧带着一丝嘲讽般的轻笑。

"也该见到他了？"

　　钟会手上的青釭剑向后缩了缩,不住地颤动着。一瞬间,他的心中掠过数十种情况,却依旧猜不透卫瓘究竟去了何处。他重重地"哼"了一声,还剑入鞘,紧接着一巴掌抽在卫璜的脸上,转身大声吩咐:"将这厮给我绑回去严刑拷打,一得知那痨病鬼的所在,便立即向我通报……其余人等,给我满城搜索,日落之前,务必找到那家伙!"

　　就在此时,远处忽然传来阵阵擂鼓之声,此乃敌袭示警。不一会儿,就见一名轻装士兵疾奔进厅内,单膝跪在钟会的面前,高声报道:"启禀大都督,城北忽有大军来袭,人数万余,我城外卫队已尽数被消灭。"

　　钟会闻言大吃了一惊,忙问:"是何人的军队?"

　　"暂时不明。"

　　"再探!"

　　那士兵刚一出去,紧接着又有一名士兵奔了进来,跪报道:"启禀大都督,敌军约有一万五千余人,此时已在黄丘下寨,钟偃将军已封闭城北四门,调军防守,盼都督火速前往主持大局。"

　　"可知何人的军队?"

　　"暂时不明。"

　　钟会气得一跺脚,喝道:"废物!还不速速再探……"话未说完,忽然听到卫璜在他身后发出一阵大笑。他猛地转身,怒喝道:"此刻你命悬一线,又有何好笑的?"

　　卫璜收敛笑容,喘息道:"我……我刚才说你将与我大哥……大哥也该相见了,想不到这就来了,可真是分毫不差啊!"

　　仿佛五雷轰顶一般,钟会的脸上骤然变色,口中喃喃自语:"莫非是……这不可能啊!"

　　"报——"此时第三名士兵又奔进厅内,跪报道:"启禀大都督,敌军前来挑战,打的是玄马营胡渊与监军卫瓘的旗号。"

　　钟会此刻心中总算是明白过来了,却听到卫璜在一旁讥笑道:"怎么样?钟大都督,你自以为天纵奇才,机关算尽,但算来算去却还是逃不出我大哥的手掌心!"钟会不由得恼羞成怒,又是一巴掌甩在卫璜的脸上,咬牙切齿道:"跑不出他的手掌心吗?我便要让他痛不欲生!"

　　说着,转过身大声道:"来人啊,给我将这爱嚼舌头的家伙捆起来,抬到北门城头上,再传令加派三营人马戍守城北四门,备齐守城器具,不得有失!"他缓了口气,又道:"再传令左贤王,要他带一队人马去城东解舍,关押在那里的将领一个不留,给我杀!"此时的钟会懊恼不已,悔不该当初没有听姜维之言,留下卫瓘的一条性命,结果横生出这样的枝节来。

但事已至此，也只能尽力去补救了。他吩咐完后，片刻不敢停留，出了驿馆，骑马往城北急驰而去。

天空阴沉，风声鹤唳，数百面"魏"字军旗迎风猎猎，气势非凡。只见一面酒红色的大旗矗立在正前方，旗上绣了一匹黑色骏马，昂首飞蹄，呈奔驰之貌，映着满天流动的阴云，仿佛就要从旗上跃出来，向天上驰去一般。

——这便是玄马营的战旗。

此时此刻，胡渊身披亮银铠甲，头戴亮银虎头盔，手持一柄虎头长枪，座下西域玄马高大英挺，直立在千军万马之前。卫瓘却是一身平民装束，外头加披了一件青灰色书生袍，乘马立在胡渊之侧，不住地咳嗽着。

胡渊转头与卫瓘的眼神一碰，下一刻手上虎头枪猛地朝天空一振，一道寒光冲天而起，直朝天空射去，他身后五千余名骑兵立即兵刃交撞，高声喧嚣，其座下玄马也纷纷扬蹄嘶鸣，激得尘沙飞扬。一时间声势滔天。几名胆大的军士更是跃军而出，策马从城下疾奔而过，在马背上翻滚跳跃，向城上的守兵大肆挑衅。

钟偡立在城头上，大声喝令手下军士不得擅自出手，回头看见钟会率领着一众亲兵走上城来，赶忙上前迎接："您总算是到了！"

此刻钟会已换上了一身军装，英武之气毕现。他走到城边，凝望着玄马营的大旗，问钟偡道："目前情况如何？"

钟偡拱手道："禀主子，锦官城守兵已调到阳城四门戍守，滚木、石灰、热油等守城之物也已备妥，城外虽然来不及布防，但应该可力保不失。"

"敌军如何？"

"约有步兵万人，骑兵五千人，可见云梯与连弩车，未见投石车。"

钟会这才长出了口气——情势还不至于无法控制。他颔首道："嗯，玄马营虽然骁勇善战，但却是以骑兵为主，又如何能攻得了城？更况且眼前这批玄马营的骑兵都是刚从预备役里挑选出来的，疏于战阵，战场之上派不了多大的用场。不过，胡渊这小子大张旗鼓，也未免太嚣张了！"说着，转头下令道："扬旗，我要与敌帅对话。"

旗手立刻应声照办。

见城上士兵扬起青旗，玄马营诸军立即便安静了下来，过了一会儿，玄马营阵内同样扬起了青旗，就见胡渊与卫瓘在一小队骑兵的护送下，向城门而来，在离城约三十丈处立住，骑兵列成八方阵，将胡渊、卫瓘团团围在中央，以防敌军偷袭。

"倒是谨慎得很。"钟会微微冷笑。说着,取下头盔,向胡渊高声叫道:"我命世元驻防汉中,世元为何擅自带兵回成都?难道不知擅违军命者,罪可至死?"

城下胡渊怒声喝道:"我看罪可至死的是你!你意图不轨,阴谋造反,我奉卫监军之命,特率军来擒你回洛阳问罪,还不快快束手就擒!"

钟会大笑:"哈哈哈……世元切莫听信那奸人之言,我所做所为都是为了保全我等性命而已,同时也是奉了郭太后的遗诏,而且诸将也都首肯,此处有我等所立的盟誓,世元看过后当知我苦心。"说着,从怀中取出那张由诸将签名的白绢,远远地朝着胡渊展示。

胡渊扬起枪尖,指着钟会骂道:"放你妈的狗臭屁!所谓太后遗诏,跟本就是你信口开河!贾充领兵前来,是担忧你与蜀贼勾结。朝庭要的人是你,与其他诸将有何干系?你却藉此来威胁利诱诸将,逼他们与你签订盟誓,事后更将他们尽数监禁,强夺兵权,你以为我不知?此乃不赦之罪,你还敢在此说嘴?"

钟会却并不恼怒,慢条斯理道:"世元久驻在外,不知晓成都的事情,诸将签此盟誓,都是出自心甘情愿,绝无胁迫,不愿与盟者,我也未曾加害,而是好吃好喝的养着。我等一则是为了保全性命,二则是奉了太后的遗诏,靖除国贼,师出有名,世元当识时务,与我等一同起事才是。"

胡渊没想到都到了这般境地,钟会还在狡辩,不由得大怒:"简直就是一派胡言!你不但监禁我父,还设计让我死于贾充之手,若非卫大人有书提醒,我军早已尽丧于子午谷,此刻你竟敢大言不惭地要我随你造反,实在是无耻至极!有本事你就快下城来与我大战三百回合,让我一枪挑了你,否则我定将你抽筋剥皮,凌迟处死!"

即便钟会涵养再好,听了这话也不由得震怒。他抽出长剑指着胡渊道:"我好言相劝,竖子却敢如此无礼!我再最后劝你一次,此刻你我尚有回旋的余地,倘若一但交战,便休怪我无情了!"

胡渊顿时一腔豪气直冲头顶,仰天大笑道:"钟会,我原本敬你多智,所以甘心供你驱使,想不到你这般狼子野心,竟要害我的性命……是你不仁在先,便休怪我不义了,交战就交战,又能怎地?不过,交战之前我先送上大礼一份,你睁大眼睛看着吧!"说着,从身旁士兵手中取过一柄长矛,奋力向城上掷来。

钟偃见那长矛疾劲,忙喊道:"主子小心!"

钟会却左手微举,示意无妨。

只见那长矛在空中呼啸着画了一道弧线,"铿"的一声,正好插在钟会面前的城垛上,矛尾绑着一样事物,带动矛身不住地摇晃着。

"杨针！"钟会紧咬的齿间迸出两个字。

矛尾所绑着的，正是那杨针消瘦独眼的首级，此刻正朝着钟会前后晃动着，似乎是在向故主频频行礼一般，看着着实令人毛骨悚然。

只听城下胡渊高声叫道："钟会，将你门下走狗的首级献于你，你便等着和他一般的下场吧！"

钟会不再理会胡渊，转头冷眼看着卫瓘，叫道："卫伯玉，姜维一再说你是心腹大患，要尽早除之，我不以为然，结果令杨针惨死，这倒是我的失策了。"胡渊虽然骁勇善战，但却并无甚谋略，钟会一瞬间便想明白了，这一切都是出自卫瓘的手笔。

卫瓘拱手道："咳……士季不识天时，逆天行事，起兵谋反，这已是大大的失策，又何必在乎，咳……在乎杀我一人？你年岁尚轻，倘若能及早回头，司马公仁厚，念你功勋卓著，一定不会追究的。但你若一意孤行，只怕下场不堪设想啊！咳……"他咳声连连，中气不足，其言传到城上，已是声若细蚊。

好在钟会的听力极强，卫瓘的话一字不落地飘进了他的耳朵。他笑了笑，叫道："你的话未免太过于天真，如果司马公仁厚，邓艾的事又如何解释？难道他不是功勋卓著？我倒是要劝伯玉及早回头，从我起事，我念在你有智谋，必加以重用。"

卫瓘摇头道："咳……士季执迷不悟，我也救不了你。胡将军，咱们回吧。"说着，便要掉转马头。

钟会忙喝道："伯玉且慢，我还有一事不明，欲请教于阁下！"

卫瓘回身望着钟会："卫瓘才疏学浅，咳……怕不能答君所问。"

"你可知丘建已死？"

"还不知道。"

钟会从一旁取过丘建首级，示与卫瓘："你与丘建共谋，将我原本的军令与白玉盒掉包，并另附函警告胡渊。杨针得知此事，便从你的竹囊中将白玉盒窃出，我于绵竹关截杀丘建后，再命杨针将原军令送往汉中……汉中与成都之间我早已严密设防，却不知伯玉有何巧计，能将消息另传到汉中？"

卫瓘摇头道："咳……我乃一介病夫，又有何本事将消息传递到汉中？传消息之人乃是士季自己，非我也！"

"钟某还是不明白，愿闻其详。"

卫瓘轻笑一声，从怀中取出一只白玉盒来，说道："咳……右上角刻有鲤鱼图案的便是阁下的白玉盒，"说着，从盒中取出那张赤令，继续道："这纸笺虽为赤色，咳……但却并不一定只有阁下的令件才是赤色的，还不明白吗？"

钟会脸色骤变,颤声道:"原来……你所调包的不是白玉盒,而是……军令!"

卫瓘微微颔首:"那日丘建离去之后,我便再取过一张赤色纸笺,咳……另外悄悄写了一封书函,与原本赤令交换,藏于白玉盒中,专候梁上君子下手。咳……之前你趁我昏睡之际派人窃去司马公的手谕,所谓'事过不三',你难道真的以为我不知道,有一个人在梁上监视我已久?"

"也就是说,丘建之死,也早在你的计算之中了?"

卫瓘叹了口气,黯然道:"欲成大事者,必有所取舍。丘建之死也是不得已的,我虽掉换了军令,但难保你取回白玉盒之后,不会再将军令读过,因此丘建之行,不过是个饵,你杀丘建之后,一定以为我计已尽,便不会再详细检查军令的真假,咳……结果杨针不远千里将白玉盒交到小胡将军之手,盒内所藏的却是'杀信使,率军返成都'的指令,小胡将军当场就要了杨针的性命。唉!真是可怜啊!"也不知道他口中所说的"可怜"指的是杨针,还是丘建。

钟会看着眼前杨针的首级,若有所思,默然不语。

卫瓘又道:"此计算得上险到了极至,只要阁下当时将赤令拿起验过,便能立刻看出破绽来,咳……但我深知士季你虽智谋有余,但谨慎略显不足,故行此险计。嘿嘿,果然还是令你上当……"

"哼哼哼。"钟会忽然发出一阵令人心悸的冷笑,打断了卫瓘:"卫大人好歹毒的'饵兵之计'啊,丘建做为你放出来的饵食,临死之前还念念不忘卫大人的嘱托,实在是个愚昧的奴才!"

卫瓘不禁眼中含泪:"咳……情势如此紧迫,这也是没有办法的。等他日回到洛阳之后,咳……我便上报朝庭,追赠丘建官爵,以嘉勉他的功绩。"

"哈哈哈……卫伯玉何必假仁假义?你我乃是同道之人,为求达成目的,不惜牺牲旁人的性命。成大事者历来便是如此,你又何必为了一个无关紧要的奴才故做哀痛状?真令人做呕!"

卫瓘怒道:"我怎会和你是同道?你这个嗜杀之人,还敢来说我?若不是今日你图谋不轨,意欲造反,也不必伤了这许多性命,咳……你不识大义,逆天行事,必遭天谴!"

钟会手指苍天道:"老子云:'天地不仁,以万物为刍狗',上天本来就无情无道,又何来顺逆可言?这天下乃是有能者之天下,有能者居之,我尽我之能,成我之志,又何来逆天之有?伯玉当真迂腐得紧!"

卫瓘不怒反笑:"咳……不错,这天下是有能者之天下,但你却不过是个好行小惠之人，何敢称自己有能？当初邓艾知你有谋天下之志，咳……便笑称他将于洛阳大狱候你，可见邓艾有先见之明，今日得已印证，果然不虚。"

钟会冷笑："他不过是个庸才，如何能与我相提并论？昔日他为你所擒，今日我却要你死于这城下，这便是我与他的差别。"说着，回头喝道："将人给我带上来！"

话音落下，立刻便有两名士兵押着卫璀来到城边，他的皮帽与绵袄已被剥去，只穿着一件白色单衣，双手缚在身后，脸上尚有刚才被钟会殴打过的痕迹。他一见到卫瓘便立刻大声叫道："大哥！千万别受这厮要胁……我这条贱命，死不足惜，你身为朝廷重臣，诛奸反逆乃是国命，你务必诛除此贼，可千万不要与之妥协啊！"

亲弟被擒，这本在卫瓘的意料之中，他本想借助胡渊之威迫钟会放人，但经过刚才一番对话，已知开战在所难免，放人也就无从谈起了。此时一见到卫璀，不禁心痛如绞，咬牙切齿道："咳……钟会！与你斗计的人是我，与我弟无关，倘若你敢伤他一根汗毛，我必要你开膛剖腹而死！咳……"

钟会走上前来，不怀好意地上下打量着卫璀，摇着头，讥讽道："啧啧，伯玉以仁义自诩，说丘建之死乃是迫不得已，但是，一位仁义之士又怎会以自己之亲弟为替身，借此拖延时间，好让自己脱身出城呢？我想想，这应该叫什么来着？……哦对了，这该叫大义灭亲，或是……不择手段！"

卫瓘索性把心一横，怒喝道："咳……钟士季，我绝不受人威胁，摆在你面前唯一的出路，便是弃械投降，保住我弟性命，如此，我还可以向司马公求情，减免你的罪行。倘若你胆敢伤我弟的性命，我必将你处以极刑，令你求生不得，求死不能！咳……"

钟会不由得仰天大笑："哈哈哈……你以为我将这家伙搬出来是要当人质威胁你？如此低劣之谋岂是我钟会所为？伯玉未免也将我看得太轻了！"

卫瓘听了，心下稍定，问道："那你究竟想怎样？"

"我还能怎么样？"说着，钟会取过小刀，将卫璀手上所捆缚的绳索割断，对卫璀道："你我乃是同朝之臣，应该知道擅启白玉盒，乃是夷三族之罪。我命丘建送白玉盒给胡渊，你却擅自开启，已是犯了朝令，我今天便依法行事，先诛卫璀，再定你的罪！"说罢，双手猛地一伸，将卫璀自城楼上推了下去。

卫瓘大惊，赶紧推开眼前的士兵，拍马来救，然而他离城尚有三十余丈远，那马又不是长了翅膀，四蹄着地能有多快，怎么可能追得上一人下坠之势？只听得惊叫声中，卫璀已重重摔在地面上，发出"砰"的一声闷响。

卫瓘急奔到卫璀的身边，下马将卫璀抱在怀中，只见他右脸骨头尽碎，满面的鲜血，一双眼睛空洞无神，显然已失去了视力，只是还没有完全断气罢了。只见他强提着一口气，伸出早已断折的左手，搭在卫瓘的肩上，虚弱地叫了声："大……哥。"

此时卫瓘心中的懊悔无以复加，他不住地在心里责备自己，不该将仲玉留在城内。但是，倘若两人一起走，钟会立刻便会发现，阻止其造反的最后一线希望也将化为乌有，他又该怎么办呢？此刻，他唯有紧搂着卫瓘，哭着安慰他："仲玉不要慌张，我一定带你回洛阳，那里有世上最好的大夫，一定能将你救活，仲玉千万要挺住……"

卫瓘却摇了摇头，喘息道："大哥……只怕……只怕仲玉不能……不能再追随左右服侍你了……以后……天寒之时……得多加条毛毡……勿食燥热……勿饮……烈酒……药必……必以姜汤为引……反复煎煮……三次……仲玉……不能陪大哥了……望大哥……多……保……"话未说完，全身一阵抽搐，就此不动了。

卫瓘大恸，只觉得胸口聚集着一股郁闷之气，仿佛要炸开似的。他不禁仰天长啸，但喉咙内却只能发出"嘶嘶哎哎"的声音。随即他双手掩面，重重地咳嗽着，痰的苦涩与血的鲜甜一瞬间一齐涌上了他的舌尖，仿佛那才是他应该品尝的滋味——在这阴谋场上无人能避的宿命的滋味。

"大人当心！"

胡渊策马疾驰而来，一个俯身将卫瓘连同卫瓘的尸体一起抱上马背，随即往反方向驰骋而去，只听得身后"嗖嗖"之声不绝于耳，无数支利箭自城上倾泻下来，在他们身后铺成了一片箭林。

卫瓘趴在马背上，虚弱地叫道："胡将军……咳……为我弟报仇啊……"

"在下义不容辞！"

说罢，胡渊俯身从地上抄起一块圆石，用尽力气，朝玄马营阵中掷去。只见那圆石在空中转了数转，从数十面军旗之间呼啸而过，最终击在阵中央的一面巨大的战鼓上，发出"咚"的一声巨响。那响声在沉静的空气中，徐徐向四面波散开去，离那战鼓最近的另外五面战鼓跟着被敲响，在外围的二十五面、一百二十五面、六百二十五面战鼓也随之响起。鼓声越敲越急，战士胸口内的热血也越来越沸腾。

大战一触即发。

"杀啊——"

随着一声呐喊，上百架云梯越过军队，向着城墙边迅速推进，墙上立刻箭如雨下，一时间杀声震天。

守卫领着刘信一干人等走进解舍前院，刘信却突然停下脚步，闭上双眼，似乎是在倾听着什么。

"左贤王，您这是怎么了？可有何不妥？"那守卫侧过头来，好奇地问道。

"城北开战了。"

"城北开战了？可是……我什么也听不到啊！"那守卫学着刘信的模样，侧耳倾听了半晌，最后还是摇了摇头。

"哈哈哈……"刘信看到对方这副模样，不由得大笑了起来："这是我们匈奴人才有的本事，汉人哪里有如此好的耳力？废话少说，城北既然开战，说明事态非常紧急，你速速将解舍的情况报上来，方便我等动手。"

那守卫忙拱了拱手，汇报道："启禀左贤王，河洛军与淮南军将领均被监禁在西厢，西凉军诸将则被监禁在东厢，两处厢房各有七间通铺，每间关有十至十二人不等，唯有玄马营胡烈，都督特别吩咐过，将他单独监禁于东厢最里面的厨房内，以防他与其他将领串联作乱。情况大致就是这样。"

刘信点了点头，沉声道："如此甚好……你，率领手下兵士两百人前往西厢，杀河洛、淮南诸将，其余人等听我部下的号令行事，往东厢杀西凉诸将……可还记得都督吩咐？一个不留，全部杀掉！"

那守卫知道这位匈奴左贤王嗜杀成性，听他如此安排，心下感到十分诧异，忍不住问道："敢问左贤王，我等去杀将领，您……您做什么？"刘信将原本罩在戟刃上的布袋扯下，冷笑道："我，自然是去收拾胡烈。记住，没我的命令，不许许任何人插手。"

"是！"

守卫施了个礼,转身召集人手去了。

刘信倒拖着一柄方天画戟穿过长廊,尖锐的磨擦之声回荡在解舍内,动人心魄。他来到走廊最里面的厨房门口,将挡路的酱缸一脚踢开,高声叫道:"胡将军,有客人来访,还请赐见!"

厨房内静了好一会儿,才听见胡烈沙哑的声音响起:"我被关在这厨房内,左贤王还屈驾来探我,我又怎能不见?"

刘信不禁大奇:"胡将军怎知是我?"

"真是贵人多忘事,咱们曾在涪城有过一面之缘,当时左贤王与我儿还交过手,怎么转眼便忘了?"

"胡将军过耳不忘,佩服之至!"刘信由衷地赞叹道,然后举起方天画戟猛地一劈,挂在门上的铁锁立即应声而断。他一脚踹开门,大跨步走进厨房内。一进屋,他立刻将戟横在胸前,以防胡烈偷袭,却见胡烈倚着炉灶,双手负在身后,神色冷静,只听他轻声问道:"是钟会派你来杀我的吧?"

刘信将画戟往地上一杵,昂然道:"那是他的命令,但如何杀你,却要依我的方法。你身为当世之名将,我自会给你一个体面的死法。"胡烈不由得一阵苦笑,吹动嘴旁胡须:"体面死法?势已如此,我除了引颈就戮之外,还有其他的选择吗?"

刘信从身后摘下一支短戟掷向胡烈:"与我一战,胜了,便饶你不死。"

胡烈单手接过短戟,看了看锋利的刃口,又看了看刘信,却将短戟向旁边一丢,对刘信摇了摇头。

刘信一愣:"怎么?你不愿与我一战?"

胡烈叹了口气,说道:"我早已厌倦了杀戮,不想再多起纷争了。钟会既然要你来杀我,那我甘愿赴死,也算是成全左贤王你,这样难道不好吗?"

刘信摇了摇头,声音不自觉地高亢起来:"将军若能和在下一战,那才是真的成全我。我在北地早就听闻将军的大名,西凉诸部见玄马扬尘都要退避三舍,不敢缨其锋,足见将军之勇。毒蛇为苍鹰所擒,尚且要反噬求生,将军贵为名将,却如此轻易就戮,岂不是可惜了一身好武艺?"

胡烈苦笑道:"左贤王有所不知……胡某十五岁从军,争战沙场几十年,所杀之人固然大多是敌方的战士,但也不免伤及老弱。我还记得二十岁那年,我率军攻先零一部,苦战三昼夜,最终虽将敌军歼尽,但我军也是死伤惨重,我二哥胡广便是丧于此战。我一怒之下,纵军大掠先零部,奸淫虏掠为所欲为……"说到此处,他忽然叹了口气,眼中透出无比哀伤的神色来:"当时有个小女孩,约莫十二、三岁,她紧抱父母的尸体，大声号哭，我命三名手下士兵将她轮奸，然后在她身上倒满了猪油，放火焚之……此时此刻，我的脑海中仍不时地浮现出她那幼小的身躯，在火焰中不断挣扎的样子，她那童稚的哀嚎声听起来格外刺耳……那是我戎马生涯中所犯下的最严重的一宗罪过，简直就是猪狗不如，每每念及此事，仍是懊悔不已。"

"可是……"

他忽然起身，向前走了几步："左贤王，我所杀之人，大多是胡人，我一直企盼有朝一日能死在胡人之手，也算有个报应。今日倘若钟会派他人前来，我或许尚会拼死一搏，但所来之人却是左贤王你，我实在是无话可说，只能感叹天命使然，我应当有此下场。左贤王这就动手便是，胡某已了无生意。"说罢，又是一声长叹，合眼垂首，便如囚犯一般，静静等待着死亡的降临。

刘信不禁动容，拱手道："你们汉人有一句话，'知过能改，善莫大焉'。胡将军所称之罪，天下又有哪个武将没犯过？我随钟都督攻汉中时，便下令处决了十余名幼小女童，并命手下奸尸……这便是战争的残酷！但将军既然能悔悟，便是比我等高出了一筹，令在下敬佩。只是，军命不可违。也罢，我便顺了将军之意，送阁下上路！"说罢，向前跨出一步，抡起方天画戟便向胡烈的脖颈上砍去。只是，由于胡烈之前的那一番话，令他心存敬畏，出手不自觉地便缓慢了几分。

然而，胡烈这一番死前忏悔，是否出自真心？

当然不是。

胡烈久居西凉，不仅熟知羌人，对匈奴也算得上是了若指掌。他知道匈奴人素来重武德，绝不亲手用兵器屠杀手无寸铁之人，所以处死囚犯时，乃是将之装于布袋之内，再用石块丢之，直至击毙，而非以兵刃杀之。刘信现居钟会门下，奉命来杀胡烈，自然不能完全依照匈奴旧俗行事，但其内心必定多少受旧俗影响。胡烈便是算定此节，故先摆出一副束手就戮的模样，要刘信一时下不了手，而那一席忏悔之言，为的便是要加深刘信心中的矛盾。刘信面对眼前这幡然悔悟、引颈就戮之人，虽然最终还是挥出一戟，但由于胡烈的设计，这一戟，却不如平时杀人时所挥得那么快，那么猛了。

胡烈所等待的，便是这一刻。

戟刃眼看着就要砍在脖颈上，胡烈原本闭上的双目忽然爆睁，刘信不由得大骇，手上力道顿时消了大半。胡烈趁机向前一扑，右手自背后伸出，手中不知何时已多了一片自铁锅上拆下的碎片。只见他一个低身闪过刘信一击，手上碎片顺势一划，已将对方右手四根手指同时割断。刘信虽勇猛过人，但此刻却再也握不住兵器，画戟掉落在地上，发出"咚"的一声巨响。那四根断指滚落尘埃，仍不住地抽搐着。

　　胡烈丝毫不给对方喘息的机会，随即猱身而上，手上碎片向刘信右眼狠狠刺去。好在刘信久经阵仗，经验丰富至极，危急中头向左一偏，那碎片刺进了他的右脸颊，几乎要将他的面皮撕裂。胡烈待要举臂再刺，刘信左拳猛地挥出，重重击打在胡烈的腹部，将他向后击飞了出去。

　　胡烈被一记重拳击倒在地，只觉得五脏六腑如同被翻转过来似的，疼痛欲呕。他一手捧着肚子，另一手去取那落在地上的短戟，忽然感到脖子后面一紧，已经被刘信抓住了衣领，往墙上掷去。"砰"地一声，胡烈撞在墙上，只觉得金星乱冒，可还没来得及喘口气，刘信已经来到他身后，扯住他的头发，用膝盖向他脸上撞去。又是"砰"地一声，胡烈一声惨叫，鲜血立刻从鼻腔中喷涌而出。刘信手臂一较力，将胡烈整个人举了起来，摔在炉灶之上，那炉灶顿时塌了半边。

　　刘信俯身用左手拿起方天画戟，冷眼看着挣扎着站起身的胡烈，同时抬起右手用舌头舔噬着断指处的鲜血，竟似不觉疼痛一般，令人不寒而栗。他的脸上忽然浮现出一抹残忍的表情，狞笑道："我早知汉人奸诈，却想不到连你这个名将也是这般无耻，竟敢如此诓我……你倘若能与我公平一战，我或许还会敬你是条汉子，但耍这等卑鄙手段，我便不再饶你。唔……该怎么折磨你呢？对了，我要将你切成一小块一小块的，然后用盐腌上，今后每餐便用你的肉佐酒！"说罢，画戟用力一挥，向胡烈头上砍去。

　　胡烈听他说得残忍，心下大骇，只觉得一股劲风扑面，脚下不禁软倒，跌坐在地上，刘信的画戟则砸在炉灶上，震得砖头碎屑四处飞散。胡烈见刘信又要再攻，慌乱中随手抓起身旁的一只瓦罐，朝刘信的面门掷去。刘信举戟一挡，那瓦罐在他面前砸了个粉碎，里头的红色油汁溅得他满头满脸全是。

　　那瓦罐内所盛的，便是蜀中著名的烹调酱料"红油"。蜀人对麻辣饮食情有独钟，每餐必有椒蒜花椒调味，这"红油"更是烹调时不可缺少的酱料，单单这半升的"红油"，便是由五六斤的辣椒、花椒和上猪油煎熬而成，为求入味起见，辣椒、花椒等物先是以粗盐腌上数日，所以这"红油"既咸且辣，乃是开胃下饭的不二之选。

　　然而"红油"入口虽是美味，但泼在人的脸上却是令人难以忍受。刘信只觉得面上一片热辣，像有无数枚小针攒刺面部，呛得眼泪直流，大声咳嗽起来。他举手往脸上胡乱抹了抹，哪知不抹则已，一抹之下，脸上伤口顿时被撕开，那红油直流入伤口中，仿佛万蚁群噬一般，饶是他堂堂左贤王骁勇异常，也禁不住如此痛苦，大声狂啸了起来。

　　胡烈摇晃着站起身，抹去脸上血迹，见刘信紧闭双眼，满面通红，拿着方天画戟在厨房内乱挥乱劈，高声喊喝："胡烈！你这无耻小人，快给我滚过来！妈的！快滚出来跟老子一决死战！"他巨力惊人，画戟所到之处，砖墙、铁锅无不砸了个稀烂，碎片随着画戟挥舞的劲风,在刘信身边形成了一个圈。

胡烈没有吱声,而是悄悄绕到刘信的身后,抱起一只油缸,将里头半满的豆油朝他泼去。刘信被泼了个冷不防,先是愣怔了一下,随即挺戟朝胡烈所在之处一阵乱砍乱刺。胡烈在炉灶上一个打滚,轻巧地避过,对着几乎发狂的刘信喘息道:"左贤王,我一生杀胡人千万,你败在我手下,也算是不枉了!"

刘信纵声狂叫:"胡烈!你这无耻小人,谁败给你了?快快与我一决死战!"说着,又是一戟劈下,却被胡烈轻易地避开。

胡烈冷笑道:"身为武将当识时机,知所进退,不明事态缓急,只顾一味比武逞强,不过是一介莽夫而已。你好勇斗狠,不配为将,如今死在我手上,便是你最终的下场!"说着,从地上拾起两块燧石,轻轻一碰,几点火花飞出,正碰在向前攻来的刘信身上。

刘信满身是油汁,一碰着火花立刻便燃烧了起来,紧接着"砰"的一声,火焰腾空而起,迅速爬满了他的全身,令他成为一个火人。刘信惨叫一声,倒在地上不住地翻滚挣扎,大声哀嚎,足足过了半刻钟之久,这个以杀人为乐的匈奴左贤王,这才没了动静。

胡烈站在那儿看着,直到刘信惨死,胸口仍起伏不定。良久,他动了动嘴巴,从口中吐出三颗断牙,长长地舒了口气——碰上刘信这样的高手,能在戟下存活,实在是上苍庇佑。他喘息了好一阵子,听到外头砍杀之声大起,心知事情尚未了结,立刻拾起落在地上的方天画戟,大跨步走出门去。

此时此刻,解舍内已经是一片混乱不堪,钟会亲兵各挺兵刃,对着各个房间的门窗又砍又劈,房内诸将早知来者不善,便用桌椅厨柜抵住了门窗,奋力抵抗。但是如此微弱的抵抗又能撑得了几时?亲兵们见一时僵持不下,便取来巨木,撞开了一个房间的大门,随后一拥而入,里头十来名将领立刻便惨死于刀剑之下。

胡烈顺着长廊往外走,只见一队士兵正在撞门,那门板上的缝隙越来越大,形势已是岌岌可危。他毫不迟疑,大吼一声挺戟杀入阵中,力透双臂,将一柄八十二斤重的方天画戟舞得虎虎生风,犹如风车一般,当者披靡。没过数回合,胡烈已然杀尽亲兵,将房内句安等西凉将领救了出来。

句安等人见胡烈尚在人间,不禁士气大振,当下拾起兵刃,随着胡烈往另一个房间杀去。士兵人数虽多,但分散攻击,反倒给了胡烈等人各个击破的机会。胡烈一干人等每杀光一队士兵,救出一个房间的将领,敌我情势便多一分消长。胡烈先救出东厢所有的西凉将领,然后分成两队偷袭西厢的士兵,待庞会等淮南军将领都被救出后，钟会亲兵已是居于劣势。解舍的守卫们见苗头不对，便要呼喊着撤退，胡烈又怎会放活口出外报讯？他和庞会各领一队围住那些守卫，将其余众斩尽杀绝。

胡烈经历了一番苦战，早已是疲累至极，他命庞会等人收拾残局，又命句安出外打探消息，自己则走回解舍的大厅，坐在床榻上重重地喘着粗气。

不一会儿，荀恺率众走进大厅，只见他满身是血，显然也是经历了一翻激战。他一见到胡烈，立即拜伏道："胡将军，今日若不是有你，我等都要成为刀下之鬼了，你的再生之德，在下无以回报！"胡烈连忙回礼："荀将军多礼了，我也只是为求保命而已。相信此刻荀将军也已看清楚了，那钟会狼子野心，其兴兵造反与司马公，还有那位郭太后根本毫无关系，纯粹是为了贪图权势富贵而已。而今其奸谋败露，便派人来杀我等灭口，此等奸人，实在是罪大恶极！"

荀恺一听到"钟会"二字，立刻破口大骂起来："他妈的！钟会这个奸贼，我原本信他之言，他竟要杀我等灭口……胡将军，我荀恺这条命今天是你救的，以后这条命就交给你了，你要我火里来水里去，悉听尊便！"

胡烈拱手道："荀将军，我等乃是同朝之臣，将性命交到我手中这等话以后休要再说，我等只需同心协力，诛灭反贼便是大功一件，过去的事就不要再提了。"

胡烈的话再明白不过，所谓"过去的事"，指的自然便是淮南、河洛诸将在盟单上签名之事。荀恺原本正为这事而惴惴不安，怕胡烈旧事重提，听他这么一说，便放了心，不住地点头称是。

此时庞会来报，称杀敌三百七十九人，有十八名将领殉难，其余人等均无大碍。句安随后进来，报说成都城北一带正在厮杀，乃是胡渊奉了卫瓘之命，率兵自汉中而来，讨伐钟会叛逆。

胡烈不由得大喜，立刻站起身，高声道："钟会奸恶，我等应当尽力除之。既然我儿率军攻北城，钟会大军必集结防守，我等便可里应外合，助我儿攻城……荀将军，河洛军大多仍在城内，倘若见你等出面，必定会倒戈，我请你与众河洛将领速速前往招安旧军，削弱钟会之力。"

荀恺拱手道："谨遵将令！"

胡烈又吩咐道："庞将军，你与我各率领手下趁隙偷袭城防紧要之处，打开城门，放我军进城。"还没等庞会答话，一旁的句安忽插言道："胡将军，我等将领，不过数十人而已，成都紧要之处好歹都有上千人把守，只怕我等寡不敌众啊！"

胡烈点了点头，面带忧色。其实这一点他早就想到了，只是目前情势危急，手中又无军队，实在是无法可想。他寻思了片刻，始终无法理出头绪来，无奈道："你说得一点不错,我等前去,恐怕九死一生,但如今情况紧急,淮南、西凉之军又大多不在城内,这也是无奈之举,你……"

荀恺忽然猛一拍大腿,叫道:"胡将军,我倒是想起来,成都内还有一支军队,可为我方助力。"

胡烈与庞会对视了一眼,胡烈问道:"还有军队?现在何处?"

"城东曹苑,离此不远。"

胡烈听罢不由得眼前一亮:"我怎么没想到?速去联络!"

阳城北面,激战正酣。胡渊策马从阵前奔过,大声下令道:"组成箭阵,云梯后上,快。"

听到主将号令,千余名长弓手立即出阵,排成三列横阵,弯弓上箭,瞄准数十丈高的城头。只见胡渊手上虎头枪朝空中一振,立刻便有数百支箭矢"嗡"的一声如飞蝗一般往城上射去,远远的就看到有数十人中箭掉落于城下。第一列箭手放完箭,随即后撤,第二列箭手上前继续放箭,等第二列射毕即由第三列补上。如此箭势不歇,城上守军只能伏低躲避,也有闪避不及者,中箭摔落于城下。玄马营数十架云梯便在这阵箭雨的掩护之下,快速向城边逼近。

胡渊见攻势顺利,心中甚喜,高声呼喝:"传令下去,第一个攻上城楼的,如果他能活下来,我便向朝廷力荐他为千户侯,赏金一万!如果死了,便由他儿子继承其爵位!斩杀钟会者,封万户侯,赏金三万,世袭往替!"他自降生之日起便在军营中摸爬滚打,对战争之道了如指掌,但对朝廷的制度,尤其是封官制度却是一窍不通,平时胡烈也从不向他提起这些事。上面那一番封官许愿的话都是他顺口胡说的,所谓"千户侯"、"万户侯",那可是极重的封赏,不是屡立奇功者怎可获此殊荣?即便是胡烈,征战半生,功劳无数,也不过是个千户侯而已。

不过,这一招倒是收到了奇效,玄马营的士兵们虽然不懂朝制,但却知道"千户侯"、"万户侯"都是了不得的大官,不由得士气为之大振,呼喝着争先恐后攀上云梯,一时间杀声震天,大有一鼓作气之势。

然而让人意想不到的是,云梯刚刚架上城墙,城上忽然架起百余只大木架,架上挂有湿牛皮,那牛皮既厚且钝,箭不能透,玄马营的三才箭阵立即便失去了效果。只见钟会军立于城上,掀起牛皮,将一桶桶的烧石灰与热油往城下猛浇,百余名攀城的士兵惨叫着从云梯上摔下来,攻城的阵势瞬间大乱。

胡渊所擅长的是野战,是骑兵的集团式冲锋,对攻城却并不熟悉,见情势逆转,不禁有些束手无策,他咬着牙想了一阵,却想不出个所以然来,只得下令鸣金收兵。

士兵受令,敲响铜锣,示意大军后撤。一名玄马营队长策马由前线奔至胡渊的面前,高声问道:"胡小将军,为何要收兵?"

胡渊道:"贼兵坚守,强攻只会徒丧弟兄们的性命,且先收兵,从长计议。"

那人忙道:"胡将军还在城内,我等怎能就此退缩?东面有一座烽火台,突出于墙外,上头守兵不多,我军可全力攻之,必可破敌!"

胡渊依言望去,只见那座烽火台上头确实没有多少守军,精神便为之一振,当下便下令道:"那便依你之言……速传令下去,各军前往东面烽火台集结,日落之前,务必拿下此一据点!"

钟会站在城楼之上,看着攻城大军向东面的烽火台快速移动着,不禁发出一阵冷笑:"胡渊啊胡渊,你这小子倒也还有些智识,懂得寻瑕抵隙。"然后转头问钟偃:"眼下敌人攻击我军弱点,你可有何妙计退敌?"

钟偃恭谨地说道:"主公放心,末将早有安排,现只求借一队刀斧手一用。"

钟会笑了笑,已明其意,从怀中取出一枚军令,交给钟偃:"那就看你的了。"

钟偃接过军令,便转身下了城楼。

东面那座烽火台自城墙上突出来,上面约有二百人守卫着,此刻玄马营大军已汇集于此,从三面进逼,势道十分猛烈。台上守军虽奋力抵挡,仍是节节败退,日头刚过天顶,玄马营的六架云梯已架在了烽火台的城头,士兵们如同蚂蚁一般顺着云梯爬上城头,眼看着便要攻克了。

便在此时,东侧一门忽然大开,钟偃率领着一队骑兵冲了出来,直杀入攻城的军阵之中。玄马营诸军都只专注于上城,哪里会料到有敌军自城下来袭,毫无防备之下,立即被杀了个手忙脚乱。在钟偃骑兵之后又跟着一队刀斧手,他们不攻敌军,却砍云梯梯脚,爬在云梯上头的士兵纷纷自高处摔下,非死即伤,哭号之声顿时响成一片。玄马营众士兵抵挡不住,只得弃械而逃。钟偃却不追击,只是令骑兵在城下围成方阵,刀斧手则在骑兵阵后,不断以刀斧砍地,不知有何用意。

胡渊站在黄土丘上,见攻城军大败,不由得大怒,高声喝道:"诸骑兵随我来,杀尽反贼!"当下一挥马鞭,领着骑兵向钟偃冲杀了过来。玄马营骑兵天下无双,五千铁骑汇聚成一股铁流自高处倾泻而下,一时之间大地震动不止,尘沙弥天,挡者无不胆寒。

钟偃见胡渊铁骑气势惊人,非但不惧,反而微微冷笑。他掉转马头,下令道:"诸军立刻撤入城内,快!"

城外的骑兵与刀斧手领命,立刻后队变为前队,徐徐退回到城中。

胡渊见敌军要逃，不由得发急，怒声高喝："贼人休走，吃我一枪！"说着，在马臀上多加了一鞭，那玄马疾如旋风，一转眼便已追至城下。胡渊待要挺枪向殿后的钟偃刺去，忽然座下一沉，那马的四蹄竟已陷入泥泞之中，动弹不得。

这正是钟偃的"困兽之计"。他早就料到胡渊将驱骑兵前来截杀，便命令士兵以刀斧砍地，将地面土壤尽数击松，再淋上清水，整个城下立即便成为了一片泥沼之地。胡渊逞勇追来，正中陷阱，先头千余骑首先陷入泥沼之中，跟上来的骑兵勒不住马势，互相推挤，只有陷得更深，一时间场面混乱。

此时钟偃已还军入城，登上烽火台，高声下令："兽已入笼，伏兵动手！"

原本守军稀少的烽火台上，忽然间冒出了千余名弓箭手来，一时间箭如雨下，直向城下大军射来。

胡渊直到此时才知中计，只得弃马而走，然而满地的泥泞，马不能行，人行同样是不易。他走一步跌一步，在乱军中如无头苍蝇一般，乱钻乱窜，耳中只听得惨呼之声不断传来，无数人马，尽丧于利箭之下。

钟会在北门城头上看到玄马营这番凄惨光景，不禁抚掌大笑起来："哈哈哈……钟偃果然是个奇才，示弱诱敌，困兽而猎，高明至极！"当下回身下令道："现敌军已乱，城西各营速出城追杀，取胡渊首级者，重重有赏！"

钟会虽有谋略，却无通天之能，他只看见钟偃大破胡渊，却不知此刻左贤王刘信，已葬身于城东解舍之内。

钟偃矗立于烽火台上，督促守军加紧放箭，只见敌军大多躲到马腹之下，箭射不到，正自焦急，忽有从人报说钟会命城西诸营出城杀敌，钟偃点了点头，对身旁副将道："你且为我传令，我要率骑兵出城，与城西各营相呼应，杀……"话未说完，冷不防一枚暗箭忽然从旁边射来，贯穿其咽喉。他还没来得及吭声，向后一仰，便从烽火台上摔了下去，眼见着是活不成了。

那副将大惊，可还没来得及作出反应，又一枚暗箭射来，正中他的心口，他一声惨呼，扑倒于地。台上守军见主将接连被袭身亡，不由得一片大乱，那暗箭仍不断射来，几名军校立刻中箭丧命，守军不知敌人何在，纷纷往台下逃去。

钟会在北门城头上亲眼目睹钟偃被杀，同样是震惊莫名，直过了好一会儿方才回过神来，大喝道："敌人在城角箭楼，人数不多，城中卫队速往除之，其余人等坚守勿乱，擅走者格杀勿论！"

诸军闻听钟会之言，纷纷向城角箭楼望去，只见上头确实站了十余人，手持大弓，正往烽火台上放箭。众人见对方人数不多，心下稍定，百来名卫士立即朝着箭楼奔去，打算将狙击之人全数扫除。

钟会正在纳闷箭楼上何以有人放箭,回头却瞧见城下胡渊已经爬出了泥沼,站在一座小丘上重整残军,不由得心头大怒,高喝道:"妈的!城西诸营何在?为何还不见我军出城追击敌人?"便在此时,一名士兵疾奔上城,气喘吁吁道:"报……报……荀恺等人现身城西,向诸营招降,城西诸营已尽数倒戈!"

与钟偃被杀相比,这一消息才真正让人吃惊。

钟会不由得倒吸了口凉气,赶忙奔到城楼边观瞧,只见城西诸营均已离开了岗位,正在校场上整编,营前数名将领来往穿梭,正是荀恺等一班河洛将领。钟会见状悔恨不已,当初如果将他们尽数杀了,也不会落得这般被动,现在如何是好?正思忖间,却见另一名士兵跑上城来:"报——箭楼狙击之人,似乎是由将军庞会所率领,其守住箭楼入口,卫队不能攻上,请都督加派人手。"

"胡说!庞会怎么可能……"

话未说完,又有士兵上城来报:"启禀都督,胡烈率领一众西凉将领,望着烽火台杀来,城下士兵不能抵挡,请速派兵支援!"

钟会慌忙走到城楼的另一侧,便看到了一幕不可思议的情景——只见胡烈那高大的身影,正一步一步地向烽火台上走去,他身披薄甲,手持方天画戟,势态勇猛,挡者无不惨死于画戟之下。

钟会这回是真的惊呆了,心道:难道刘信失手了?不可能啊……他又仔细看了看,胡烈手中所持的,正是刘信的那柄重达八十二斤的方天画戟,不由得咬牙道:"荀恺!庞会!胡烈!岂有此理,左贤王竟失手了?当真是岂有此理!"

"报——"一名士兵奔上城头,急报道:"启禀都督,城西诸营……李辅、荀恺各率一军,正朝着北门杀来,说是要'杀钟会,除逆贼'。敌军势大,我军难以抵挡,还请都督速定夺!"

噩耗接踵而来,即使是钟会,也不免方寸大乱。

眼前的情势对他已是不利至极,是退?是守?一时间他竟犹豫不决起来。

此时胡烈等人已杀上烽火台,将台上弓箭手尽数驱走。只见胡烈站上高处,摇旗呐喊,胡渊与玄马营残军见胡烈尚在人间,同时大声欢呼了起来,朝城门奔来。胡烈立刻命人开启城门,玄马营大军蜂拥攻入城内,钟会军无法抵敌,纷纷向锦官城逃窜。

见此情形,钟会深吸了一口气,定住心神,回头见河洛诸军也已向北门杀来,知道此间无法再守下去了,不由得叹了口气,下令道:"传我令下去,阳城弃守,各军撤往锦官城,凡变节降敌者,格杀勿论!"说罢,转过头对身后一队亲兵道:"传令副将替我指挥,你们跟我来。"

先前庞会率领一众淮南将领来到阳城城北,见钟会大军多齐集于城门与烽火台上,城边箭楼却只有十余名士兵驻守,当下暗袭箭楼,以此做为基地。庞会登上箭楼,恰巧看到胡渊军陷于城外泥沼之中,万箭围剿,形势岌岌可危。他立刻取过一张大弓向烽火台上连放数箭,钟偃等一众将校纷纷死于暗箭之下,烽火台上顿时乱成一片。

夏侯咸不由得赞叹道:"将军好箭术!"

庞会微微一笑:"微末之技,不值一提。"

便在此时,箭楼下一阵喧闹,城中卫队已然杀到。庞会命其他将领继续放箭,他一人提着大刀守住箭楼梯道入口,高喝道:"淮南庞会在此,敢踏入箭楼半步者,唯死而已!"说着,大刀疾砍,当先两名士兵立即被砍翻在地。

那箭楼梯道十分狭窄,庞会占据了出入口,恰好成了"一夫当关,万夫莫开"之势,士兵们在梯道中互相推挤,反而难以发挥,卫队长见状,喝令手下不许上前,只用长枪远远地朝着庞会攒刺,庞会虽然勇猛,但终究以寡敌众,无法持久。他挥刀砍断了两枚枪头,身上腿上却也中了数枪,渐感不支,只好一步一步地退上楼去。卫队逐步进逼,只要一上箭楼,淮南诸将便将悉数丧命。

便在这紧要关头,一小队玄马营铁骑忽然从城旁奔来,直冲入卫队阵脚,那队长正要下令反击,眼前忽然银光一闪,已被虎头枪刺于马下。庞会见原本攻击的士兵们纷纷奔下楼去,尚不知发生了何事,稍稍喘了口气,便提着大刀奔下楼来,只见胡渊持枪骑马,立于箭楼之前,那批士兵则已被尽数杀散。

庞会以刀杵地,气喘吁吁道:"世元来得可真是时候,再慢上个片刻,我等必将做刀下鬼。"胡渊立刻翻身下马,拜道:"庞将军何需客气,若不是您那一箭射死烽火台上的贼将,小子恐怕早就死在城外的泥堆之中了,在此谢过将军的救命之恩!"

"呵呵,既然如此,那就算两不相欠吧!"庞会挥了挥手,随即问道:"胡将军在什么地方?"

"我爹已率大军,前往锦城追杀贼兵去了。"

庞会闻言,一腔豪迈之气油然而生,大吼道:"胡将军果然骁勇,我岂能落于人后?世元,借我一匹快马,我定要先于你老子砍下钟会的首级!我要亲手扒了他的皮,吃他的肉,喝他的血,哇哈哈哈……"

众人无不骇然。

此刻阳城一带,钟会军已然撤尽,胡烈与荀恺、李辅等人分兵进攻锦官城,城外百姓四散奔逃。钟会军在锦官城原本没有设防,此刻撤退匆忙,防备更是疏漏百出,荀恺与李辅一阵猛攻,在日落之时,便已拿下了西面的哨站,当下更率军深入,与钟会军进行巷战。他们每拿下一个据点,必会逼问守兵:钟会何在。而守兵则摇头称不知。

是啊,钟会何在?

丞相府位于皇城以南,四面松柏环绕,城北虽已是烽火连天,但这一带却仍旧安静如昔。不过,这份宁静很快便被一阵急促的马蹄声所打破。只见钟会带领着一队亲兵,在丞相府前下了马,来不及系上缰绳,便匆匆向府内奔去。

钟会穿过两个天井,绕过隆中池,来到后院寝房,门口两名士卫见他到来,正要上前行礼,钟会已然一脚踢开房门,大步走了进去。

"钟会,你……你要做什么?"董厥见钟会怒气冲冲地闯进来,也顾不得身上还绑着绷带,立即跳起身,作势攻击。

"董将军,稍安毋躁,他不会把咱们怎么样的。"

只见姜维手捻须髯,脸上一副悠然自得的神情,说道:"董将军你有所不知,我这位义弟可是最重义气的了,他此番前来,只会令咱们活命,断然不会于我等有害。贤弟,我说的可对?"

寝房内一片空荡,厨柜、矮几、卧铺等事物尽数被搬走,只是在地上多了一张席子,供姜维等人坐卧之用。寝房的窗户皆以木条封死,因此光线昏暗,一道夕阳的余辉自窗缝间透进来,照在姜维那张苍老的面颊上。此刻他身上只穿着一件单衣,盘腿坐在寝房中央,见钟会闯入,却并没有表现出丝毫惊讶,仿佛早就在候着钟会到来似的。

"呛啷!"

钟会从腰间拔出青釭剑,指着姜维怒喝道:"你说的没错,现在还不能让你们死。不过,我可以让你们活,也可以随时取你们的性命,就看你二人如何抉择了。"

姜维却摇了摇头,不紧不慢道:"贤弟本身为文士,向来不轻用兵刃,今日一进门就取出青釭剑,这便意味着情势甚急……怕今日抉择之人非我等,乃是贤弟你啊!"

钟会无语。

姜维笑道:"早将卫瓘等人杀掉,现在岂会生出这许多枝节来?"

钟会将青釭剑"铎"地往地上一插,咬牙切齿道:"那日不杀你,实在是我的失策!"说着,转过身去,在房内缓缓地踱着步子,继续道,"姜伯约,如今我计已败……胡渊与卫瓘率汉中之军南来,与胡烈等人里应外合,北面阳城已陷,锦城只怕撑不过今夜。"

姜维轻咳了一声："那又如何,与我又有何干系?"

钟会猛地一转身,大声道:"当然有干系,成都以西,尚有六万蜀军,我要你率领蜀军,助我守城。"

姜维一笑起身:"阁下将我软禁于此,不就是以为能借我之名,操控蜀军吗?怎么这当口儿反而过来求助于我,岂不矛盾?"

钟会强压着怒火,缓声道:"现在情势紧急,倘若我轻易下令,只怕蜀军军心不稳,反倒害了我等,所以我要你亲自前往,率军往城北迎敌。"

"有兵无甲,如何迎敌?"

"兵甲都在城西仓房之内,你只要带兵前往,不消一刻,便可整兵完毕。"

姜维大笑:"贤弟依旧思虑周密,为兄佩服。"

钟会却是双拳紧握,不发一语。

此时日头已尽落西山,房内仅有的一丝光线也已经消失殆尽,整个寝房内只见姜维虎目依然炯炯,钟会踱步之声越显焦躁。

姜维缓步走到青釭剑旁,沉声道:"我与你早已决裂,凭什么要助你?"

"只因你别无选择。"

姜维苦笑道:"自然是别无选择,我此时已是束手无策,又何来的选择?原本以为陛下能依照锦囊之内的计策行事,然而算算时间已过,却仍不见动静,可见陛下已经决心放弃。不过,贤弟既然忽然来访⋯⋯"他将青釭剑拔起,轻轻弹了下剑刃,"嗡"地一声,刃上青光在黑暗中隐隐流动不已。

他思索了片刻,忽然仰天大笑道:"看来老天爷待我的确不薄!钟士季,你现已穷途末路,别无选择了你,而我,将是你唯一活命的机会。"

"妈的!钟会这厮究竟藏到哪儿去了?"

荀恺回过头去,看着身后的李辅,眼神中充满了疑惑。此时已近子夜时分,之前他命大军驻扎在锦江水道旁,略事休息,自己则亲自与李辅四处巡视,以定军心。

荀恺吐了口唾沫,又道:"此刻胡烈已经拿下了锦城北门,钟会难道还有胜算?现在天色已暗,不利于搜索,我看咱们便休息一晚,明日一早,定能将钟会那奸贼揪出来,到时候便将他大卸八块!"

李辅皱眉道:"钟会狡猾多诈,只怕他从城南逃了出去,或是另藏了什么杀招⋯⋯荀将军,末将以为,还是彻夜搜索为上。"

荀恺挥了挥手,径直往主营方向走去:"现在四下里一片漆黑,目不见物,如何搜索？如果分兵搜索的话，倘若钟会趁夜偷袭，岂不是得不偿失？如今我军已占了上风，一切还是要小心谨慎才是。"

李辅应了一声，便不再说话。

两人一前一后顺着巷道，朝主营方向缓缓行去。城内居民知道城内发生争战，均关窗闭户，不露出半点光亮，巷道内一片漆黑，伸手不见五指。

走了一会儿，忽然听李辅叫道："荀将军，当……"

荀恺踢开一块绊脚的石头，问道："你说什么？"

"有……呜……"

荀恺不耐烦起来，喝斥道："究竟有何事？吞吞吐吐的，跟个娘们儿似的，有什么话你便说清楚些……"说着，转过身去，猛然间看见一匹高头大马矗立在面前，马上骑士身上缠满了绷带，手提一柄大刀，露出一副焦黄的牙齿。

只听那人笑道："他是说：当心，有敌人！"说罢，大刀一挥，荀恺尚未来得及发出呼喊，已是身首异处，与李辅的尸首并列于地。

那人自然是董厥。

董厥将大刀在脚底下一抹，回头轻声道："各军噤声，分头夜袭敌营，不需杀绝，将敌军逼回阳城即可……动手！"

他身后蜀军五千余人，各个口中衔草，脚底缠布，手持刀枪，一得董厥的命令，便立刻分兵前行，悄无声息地朝营火通天的河洛军大营奔去。

夜，已深。

城内战火却刚刚燃起。

此时此刻，皇城东苑广场上燃起了数万支火把，将夜空照得如同白昼一般。只见姜维立于出师门城楼之上，看着数万名蜀军装配整编，眼睛里闪动着奇异的光泽。此时一匹快马自北面奔来，传来董厥夜袭成功的消息。

"很好。其他魏军如何？"

"庞会、胡烈等军尚有将近两万人，散于锦城东北，仍在搜寻钟会。"

"再去探过，若有消息，随时回报。"

那探马拱手称是，却并不离去，说道："董将军尚有一事要我转告，我军于锦江边俘获几百名钟会亲兵，董将军已将之卸甲绑缚，还请大将军发落。"姜维略一思索，吩咐道："速传我军令过去，将那些亲兵带来此处，我自会处理。"

探马行过礼后，策马往北奔去。

钟会站在姜维身后，淡淡地说道："尚有两万多人，你要将之歼灭，恐怕不易啊！"

"何劳都督忧心？老夫自有歼敌之计。"

"那是……"

"不过是我所擅长的而已。"说完，姜维便不再理会钟会，径直走下出师门，看见六部蜀军已经整编完毕，于是踏步走上将台。此时夜风乍起，吹动数万只火炬，将他的身影照得更为高大、挺拔。数万名蜀军原地肃立，连一丝呼吸的声音都没有。

"诸位弟兄！"

姜维嗓音宏亮，他环顾着每一名士兵的面孔，停顿了半晌，这才说道："诸位兄弟，这些日子真是委屈你们了……姜某不敏，使魏狗破我剑阁，据我成都，还累得诸位弟兄成了魏狗的阶下之囚，姜某愧为统帅，在此先向诸位谢罪了！"说罢，"噗通"一声跪倒在将台上，向众军士连磕了三个响头。

众人被姜维此举着实给吓了一大跳，纷纷下跪还礼，几名将官赶忙奔上前来，对姜维连连叩首。

"大将军，您这可是折煞我们了！"

"大将军，快快请起，我们愧不敢当啊！"

"大将军，快起来……"

姜维却并未起身，仍旧跪在地上，大声道："姜某自然明白，在这些日子里，外面是怎么看待姜某所作所为的。降国之时，我不能以死殉国，已失臣节；投降之后，又与敌帅同车同席，巴结讨好，实在是无耻之辈，大家即便嘴上不说，心里必说'姜伯约原本便是魏人，这回只想着回去做魏国的官，早就将蜀国给忘得一干二净了！'"

这般言论在场军士就算嘴上没有说过，但心里却是想过的，众军士听这番话从姜维自己口中说出来，心中不免惭愧，不由得纷纷低下头去。

姜维环视众人，又道："诸位兄弟，我自然知道有此等流言蜚语，不过请诸位不必自责，姜某并不气愤，也不难过，反之，姜某甚感欣慰……何以如此？因为我知道诸位仍心怀汉室，诸位仍记得丞相给我等的教诲……鞠躬尽瘁，死而后已！"说罢，手臂一振。

数万蜀军"唰"地一声同时单膝跪下，高喊："鞠躬尽瘁，死而后已！"

姜维缓缓站起身，高声道："诸位请起！"说着，手指天空，又道："诸位，天佑我大汉，使我再见到诸位，再见我蜀国之荣光。而如今魏狗仍在成都城内肆虐，北方又有援军滚滚而来，情势可谓十分紧迫，但是有诸位相助，魏狗再多又有何惧？我等以忠义之军，面对不忠不义之贼寇，又有何惧？天明之后，魏军将尸横遍野，滋养我蜀中大地,重现我天府之国的荣光!诸位,歼尽魏狗,复我汉室!"

蜀军众将士不禁热血沸腾,同声振臂高呼:"歼尽魏狗,复我汉室——歼尽魏狗,复我汉室——"声势何等惊人。

姜维见士气已旺,当下取出军令,下令道:"诸军听命! 一、二骑兵营换快马,自成都城外东西两侧绕往阳城北面,夺取城门,以断魏狗的退路。三、四骑兵营同样出城,分别夺取阳城东西两侧城门,接应我方百姓,切勿使魏狗趁机出城。"

他将军令交给统兵将领后,继续下令道:"各步兵营精选战士,着厚甲,持刀斧,从南往北进行扫荡。第一营走锦城西大道,过三垣里,直入锦城小北门。第二营走城中大街,过新景里转下马桥,直入锦城北门。第三营走皇门道,过锦江桥,同样往锦城北门。第四营走锦城东大道,沿东墙直入锦城东北城门。四路军齐发,左右相互连结,逐步扫荡,遇有魏军,不需围歼,只要将之往北面逼退即可,至锦官城北门之后,严守岗哨,切勿使魏狗再往南突破!"

步兵诸将纷纷领命。

姜维最后下令道:"皇城虎骑、豹骑两营,选少数精锐,换夜行装,潜入阳城逐户疏散百姓,令百姓往东西两侧城门逃去,并将焦油、干草、硝石等物置于城中各处,于四更之前,撤回皇城待命。"

虎骑、豹骑两营将领上前应命。

下令已毕,姜维又朗声对诸军道:"此番作战关乎我蜀国的气运,之前一再错失良机,着实可惜,如今这是能否复国的唯一机会,请诸位务必尽力,于天明之前各就其位,等候我的指示。"

诸军同时行礼,齐声吼道:"谨遵大将军之命!"

姜维站立于将台之上,看着军队逐一开拔,心下渐感笃定。

成都城中的蜀军人数远多于魏军,依寻常兵法,应该是将军队分成小股,逐一歼灭散布在各地的敌人,避免敌军会合,以减少我方的损伤。但此一战法未免缓不济急,现在敌军尚有两万人,况且东面梓潼还有淮南军队,贾充又领大军自北方而来,倘若无法速战速决,到头来情势仍是对本方不利。这计策虽然狠了些,但为求歼灭魏军,也只能出此下策了,更何况已派出虎、豹两营,当能将损伤减之最少。

"如果当初陛下能依计行事,此刻恐怕……唉……"姜维不由得一声长叹。

"启禀大将军,我们在宫城边逮到这个家伙。"

这时有两名军校走上前来,打断了姜维的思绪。那二人将一名全身绑得如同粽子一般的人甩在将台前,只听得那人尖着嗓子骂道:"你等粗鲁匹夫,是向天借胆了,竟然敢向我动手,当心我叫皇上下令抄你们满门!"

一听那声音,姜维立刻气不打一处来。只听他闷"哼"一声,沉声道:"原来是黄中常啊?许久不见了,黄中常为何不在宫里伺候皇上,跑到这儿来干什么?难道……是去给敌军通风报信不成?"

此时那两名军校已为黄皓松了绑。黄皓一待解脱,立刻跳起来,顾不得整理衣衫,叫道:"你这老匹夫,竟然在皇城前集结大军,存心是要造反了?我就是来盯着你的,好向皇上报明你不轨之举!"

姜维哈哈一笑,没有说话,而是仰头看着夜空。

一名军校在一旁道:"大将军,这个阉贼偷听军机,按军律,咱们应该将他就地问斩,以明军法才是。"另一名军校却道:"就地问斩?这未免也太便宜他了!大将军,咱们就说这阉贼与魏狗勾结,窃盗我军机密,处以车裂之刑才是恰当。再说……他没准儿真的是敌方安插在这里的探子也说不定呢!"

姜维含笑不语。

黄皓原本气焰嚣张,听那两名军校你一言我一语,言语虽轻飘,然而不是问斩就是车裂,末了还把通敌叛国的罪名扣在自己头上,心下不由得大惧,口气立即便软了下来,陪笑道:"姜老将军,下官只是听到外面喧闹,便出来瞧瞧情形,犯不着与我这奴才一般见识吧,大将军,您大人有大量……"

姜维跳下将台,"啪"地一声结结实实赏了黄皓一巴掌,打得他转了个圈,跌坐在地上,张口吐出几枚牙齿来。只听姜维冷冷道:"你这该死的狗阉人,惑乱朝廷,误我国事,我本该将你就地问斩……"

黄皓原本已摇摇晃晃地站起身,听姜维说要将他问斩,立刻又吓得跪倒在地,头磕得"咚咚"直响,大叫道:"大将军饶命!大将军饶命……"

姜维踱开两步,朝他身上吐了口唾沫,不屑道:"不过,现在乃是非常之际,攘外为重,安内为次,你再怎么说也是我朝的人,杀了你恐怕多生枝节。你这就给我滚回去吧,告诉皇上,复国在此一举,千万不要再搞出其他的状况来,安心等候便是了。"

黄皓死里逃生,哪里还敢逗留片刻,对着姜维磕了几个响头,道:"奴才遵命、奴才遵命!"便头也不回地跑回了皇宫。

那两名军校看着黄皓的背影,正要抱怨可惜,却听姜维缓缓道:"现在还不是杀他的时机,待剿平魏贼后,再清君侧也不迟。"

他不知道,他已经失去了杀掉黄皓的唯一机会。

那两名军校行礼称是,刚要退下,却听姜维又道:"你二人速将本部人马整顿好,咱们随后出发,跟在各军之后,以防不测。"

"遵命!"两名军校行礼而去。

看着他们离开的背影,姜维若有所思,忽然听到后方传来脚步之声,回头一看,只见钟会已经站在了身后,说道:"大将军好毒的计啊!"

姜维横了他一眼,笑道:"与君相比,简直不值得一提。"

钟会默然无语。

火光映在他的脸上,使其面色阴晴难定。

姜维转过身来,向出师门边走去,一边行一边郎声道:"钟士季,你长于谋略,且文武双全,本是一介难得的人才……你可知道你的谋反大计功败垂成,原因何在?"

钟会依然不语。

姜维继续道:"阁下应该知道,所谓'王者之道',乃是立于万人之上,非得人助不能成功。昔日昭烈帝、曹操、孙权三人建国之初,均是广施仁义,剖腹以待天下英才,方才造就了天下三分之势。都督欲举事与司马昭相抗,本该大举收揽人才是,但你却薄仁寡义,不惜属下性命,视英才为垫脚石,如此欲得天下,简直就是痴人说梦!你以重利诱之,虽能得杨针、刘信等人相助,但不能御之以仁义,最终却败在了丘建这么一个小人物的手上。那日在偏殿,你说你不信以德服人之说,我当时便知阁下必不能成事。"

沉默了半晌,钟会终于开口:"将军不是也不信吗?"

姜维微微一笑:"我是不信你信的这套。"他放缓了语调,继续道,"都督曾经说过,上善若水,水不能攫,不能伤,却随容器而方圆……人心便似这水,所谓以德服人,只是给人心一个容器罢了。"

"所以你便以忠义立军,鞠躬尽瘁,死而后已?"

姜维笑容一肃,正色道:"十万大军人心各异,倘若不能使万心齐一,又如何能作战争胜?所以我要复兴汉室,我教军士以忠义,给他们一个容器,让十万大军能为同一个理想而效死力,则驱十万大军如伸一指。都督仅是以利诱人,以力迫之,正如同以手攫水,虽能攫取一时,但如果一旦露出缺口,则万众皆溃矣。都督精研玄学,探究本性,怎么会不明白这个道理?"

钟会低下头,但很快又抬起来,笑道:"我以为将军是愚忠,想不到你也是滥用大义之人,与我又有何异?"

姜维呼出一口白气,朗声道:"这天下又有什么大义可言?倘若有大义在,天下何故如此纷乱?复兴汉室,难道我不知道那只是个遥不可及的梦想?但如果不称复兴汉室，我又何以统率诸军？以忠义教化军心，自古皆是如此，这又怎能算得上是滥用？"

"或许我不配说大义，但我却知滥用大义者，终将为大义所累。"

"谁被谁所累，将来自会见分晓！"姜维不再与之辩论，走下将台，高声道："董厥擒获你的亲兵，我已命人带过来了，便交还给你带领指挥，留在此处，等待战乱平息之后，我再发落。"

"你不派兵看守我等？"

"无兵无甲，又能有何作为？"

"将军此刻要去哪里？"

此时姜维已跨上一匹战马，提起长枪随意舞动了两下，说道："我率军压阵往北，恐怕扫荡有误，我要亲自指挥。"

钟会站在原地，眼看着姜维策马领军绝尘远去，他用目光扫视四周，最后落在东苑，不由得回忆起那日在此拿下邓艾时的情景。昔日千军万马，声势何等惊人，如今偌大的东苑内却是冷清萧然，空旷无人，恰如他此时此刻的心境。想到此处，他再也忍耐不住，"哇"地呕出一大口鲜血来，口中仍不住喃喃自语："姜伯约，我乃天纵奇才，何来听你的说教？你滥用大义，用一个不存在的汉室，叫士兵们去送死，这难道就比我高尚了吗？妈的！我钟会从不轻易言败，今日也是！终将有一日，我要你知道我的手段，哇……"又是一口鲜血呕出。

他手扶出师门，大口地喘着粗气，好一会儿，这才站直身子，却没想到此时他手所扶之处突然向里凹陷了进去，石灰砖屑不住地掉落下来，出师门上的砖墙竟向两旁打开，露出一道窄窄的石阶来。

钟会被这突如其来的机关给吓了一跳，他愣怔了半晌，深吸一口气，方才俯身检查那道石阶。那阶上虽积了厚厚的灰尘，但一道来回的脚印仍是清析可见——显然近日才有人从这里出入过。

"这里……究竟是什么地方？"钟会犹疑了片刻，见四下无人，心底一定，抽出倚天剑，摘下一支火炬，沿着石阶走了上去。

那石阶既窄且陡，钟会走起来格外地小心。向上约莫走出五十阶，转过一个弯，只见眼前忽然开阔，乃是一层石室，里头摆满了兵器盔甲，虽积了厚厚的灰尘，但兵甲在火光的映照之下仍是耀眼，显然依旧堪用。这里所摆放的兵甲皆是普通士兵所使用的皮甲，可以折叠存放，他粗略地算了下，约有三、五百件之多。

钟会继续上到第二层，只见里头放着一面巨大的战鼓，几面铜锣，并有数十面指挥用的大旗，以及少量的兵器。他并未逗留，继续上到顶层，就见正中央放着一只炉灶，上接一道铁管直通城上。他走到炉灶旁，伸手抚着一小处没有积灰尘的地方，喃喃自语道："这是个烽火台……有人似乎从这儿拿走了某样物什，那会是何物？"

就算他想破了脑袋也猜测不到，这里正是诸葛亮生前所设下的三道暗层，藏匿褐狼烟的所在。刘禅前日深夜前来，打开出师门的机关，取走了烽火台内的褐狼烟，离去之时却未将机关关上。一切也是机缘凑巧，钟会一伸手正好触着机关之处，遂发现了蜀国这一最高军事机密。

钟会在暗层内来来回回走了四、五趟，脸上忽然露出一抹诡诈的笑容，显然已是心有定计。他回到底层，轻抚着那些铠甲兵刃，自言自语道："姜伯约啊姜伯约，你自恃谨慎，却是轻估了我钟会……如今，便要你为此付出代价！"

锦江北岸一带火光滔天，四处均是杀伐之声。胡烈率领一支残兵退至一座山丘处，下令士兵组成圆阵，以防敌军突击。此刻，东侧忽然奔来一队骑兵，各个伤痕累累，被大火熏得遍体乌黑，当先一将丢了头盔，俊俏的脸上尽是烧伤痕迹，这人正是胡渊。

胡渊奔至胡烈面前勒住马头，高声道："爹！蜀军攻势猛烈，我们已经守不住了！"

"可有庞会、田章、王买等人的消息？"

"他们已完全被敌军隔开，失去了联系，只能自己率兵撤退了。"

胡烈不免神色黯然："据探马来报，城西荀恺、李辅已死，只怕庞会等人也是凶多吉少了。"

胡渊"啪"地一声将马鞭摔在地上，大骂道："钟会这厮只为一己存活，竟然纵放降兵，实在是无耻之极！"

胡烈叹息道："唉，这也是断尾求生罢了，他将蜀军放出来，难道姜维还会奉他为主吗？"

便在此时，有探马来报："启禀将军，蜀军重甲兵约三万人，自蜀宫分四路向北逐步扫荡，贼帅姜维另领一军压阵，我军不敌，已向北败退。"

父子俩一听姜维之名，都不禁打了个寒颤。

胡渊忙道："爹，敌军势大，孩儿以为还是先退出成都，待召集军队后，再做打算才是。"

胡烈却摇了摇头："你懂得什么，成都城极难攻陷，咱们好不容易才进得城来，倘若退出岂不可惜？蜀军虽多……"说到此处，像是忽然想到什么，沉思了起来，片刻后道:"且慢,蜀军人数既然多于我军,理应当分兵出击才是,但姜维却不这么做,而是以重甲兵进行扫荡,刻意将我军往北逼退,这究竟为何?"

胡渊歪头想了一会儿,手指一弹:"他想将所有魏军聚而歼之!"胡烈摇头道:"不,我军少说也有两万余人,若各军聚集拼死一战,即便蜀军人数占优势,但是想要将我军尽数歼灭,也必是死伤惨重,此乃用兵将领所必知,姜维何等老辣,如何会不明白这个道理?他这等扫荡阵势必有其用意。"说罢,低头再次苦苦思索起来。

胡渊看着南方,似乎已经可以听到重甲兵行进之声,赶紧道:"爹,现在可不是思索的时候,敌军转瞬便到,咱们得快快行动才是。"胡烈沉吟半晌,忽然抬头问道:"世元,你有无胆量?"

"父亲为何如此问?"

"我虽然不明白姜维的用意何在,但咱们不应该受敌军所制,敌要我往北,我就偏往南而行。"

"您要突围?"

"不必突围,咱们避过姜维的兵锋,直趋蜀国皇城!"

胡渊立刻面露难色,说道:"但是蜀军既然用扫荡的阵势,咱们要避过其兵锋,恐怕不易啊!"胡烈微微一笑,伸手往南一指:"陆路上自然是避不过,但水路或许有希望。"

胡渊看着锦江,脸上仍旧是一副不解的神情:"孩儿还是不明白。"

胡渊气得一顿足,喝斥道:"叫你平日里多读些兵书,就是不肯!那锦江横贯锦官城,江上搭有大大小小十余座过桥,蜀军既然用重甲兵出击,要往北进只能过桥,这么一来,桥下便是我等偷渡的地方。这回你明白了吧?"

胡渊拍手道:"孩儿总算是明白了,这便命兵士卸去重装铠甲,趁蜀军主力过桥之时,带马匹从锦江较浅之处偷渡而过,如此正好避过蜀军的扫荡阵势。姜维大军一路北上,只道我军已退出锦官城,但我军却逆势南袭,直取皇宫,只要我等先擒下那个刘阿斗,姜维军再凶狠,也必受节制,钟会自可手到擒来,此计甚妙!"

胡烈微笑着点了点头,但随即肃然道:"世元切莫轻敌,此计乃是险中求胜,敌军何时过桥,咱们又该于何处渡江,都要计算得精准,倘若渡江之时被蜀军发现,咱们便都死无葬身之地!事不宜迟,你我各领一军分头前行,日出之时,于皇城汇合,明白?"

"孩儿明白!"

成都城百里方圆之内,数万名军士各依其主帅的谋略而动。夜虽深沉,却无人有睡意，每个人都在急切地盼望着结果，而这结果，将在天明时见分晓，而无数人的命运，也将由此而改变。

　　姜维穿过锦官城与阳城之间的瓮城，停下来，将战马交给一旁的士兵，拾阶而上来到阳城南门。城上万余名蜀军正严阵以待，每隔十余步便置有一只大火炉，炉火烧红了半边夜空，些许鸡禽误以为破晓，纷纷啼叫了起来。

　　一名军校走到姜维身侧，拱手道："大将军，一切都很顺利，魏军已被困入阳城之中，刚才贼将庞会率军企图突出北门，已被我军挡了回去。"

　　姜维向北方眺望，只见一队火炬自北门边向南撤回，显然是被击退的庞会军，其余火炬则散在城中央，显得杂乱不安。

　　"很好。"姜维双手交叉于胸前，下令道："传我军令下去，准备动手。"

　　"是！"那名军校转身大声道："传大将军令，准备——"

　　传令兵每隔百丈一人，"准备"之声此起彼落，数千名弓箭手走到前排，在城垛上各就各位，等待进一步的指令。

　　这时，一名虎骑尉穿着夜行装，快速登上城楼，来到姜维跟前回报道："启禀大将军，引火之物已准备妥当，百姓也已撤离了半数。"

　　姜维脸上的肌肉不自觉地哆嗦了一下，沉声道："可以动手了。"

　　那虎骑尉一愣，忙道："大将军，百姓只撤了一半……"

　　姜维眼中立刻露出凶狠之色，盯着那虎骑尉道："我已经知道了……我说可以动手了，你难道没听见？"那虎骑尉不禁倒抽了口凉气，叫道："大将军，只要再再有一个时辰……再有一个时辰百姓就能撤尽……现在城内还有几千名百姓，而且多是老弱，还请大将军三思啊！"

　　姜维望着那片老旧的阳城市区，耳中仿佛可以听见东西两门前百姓撤离时的喧闹之声。他叹了口气，正要再下命令，忽听远方有人高叫道："报——魏军挟持上千百姓，企图从西门突围而出！"

　　姜维只觉得浑身僵直了起来，一股凉气自脊椎骨迅速上升。他明白此刻已没有分毫心软的空间了，已经到了别无选择的时刻，唯有下令动手。

　　"下令封锁东西两门，弓箭手点火！"

　　那名虎骑尉赶紧又上前一步，大声道："请大将军三思啊，您这火一放下去，固然是将魏军烧尽，但也将烧死数千名无辜的百姓。大将军，阳城何辜！百姓何辜啊！"

　　姜维目视远方，沉声道："我岂不明白百姓无辜？但是要复国，这是唯一的办法，倘若只是将魏军逐出成都，他日流窜蜀中，只能是为祸更多百姓，而且此刻魏国已经派大军南下，如果不能将眼前这批魏军尽速歼灭，我等内外受敌，只有再多亡国一次。放火焚城，是下下之策，却也是上上之策！"

"大将军，阳城老旧狭小，您要一把火烧了也就算了，但是城内百姓再怎么说也是皇上的子民啊，我们入城撤离百姓之时，曾承诺在天明之前均可撤离，如今天色未明，大将军便封锁城门，喝令放火，这……这如何对得起百姓？"

姜维不由得大怒，厉声道："你一个小小的虎骑尉，怎敢跟我这说三道四？再不锁城，魏军便要突围而出，难不成你要我为区区几千百姓，而丧掉整个国家吗？"

"可是，大将军……"

"够了！两害相权，只能取其轻。我意已决，传令下去，点火！"

姜维面容坚决，眼眶中却已蓄满了泪水。他在心中默念：只求此番复国成功，他日我姜维以死谢罪便是！

只听得"点火"传令之声不断，弓箭手纷纷弯弓搭箭，将箭头伸进火炉内点上火。一时之间，阳城四面墙上布满了无数小小的火点，只要再一道命令下来，这些火点便会朝着城中倾泻而下，将阳城、魏军以及数千来不及撤离的百姓全部烧成灰烬。

姜维深吸了一口气，那一瞬间，他的心念澄净得几乎透明——此时此刻，他的眼中只剩下魏军那点点的火炬，过不多时，那些火炬便将淹没在一片浩然的火海之中，届时他会派兵将城外残敌全数歼灭，然后发兵北进，在贾充大军尚未南下之前，夺回汉中，再然后……

"大将军，快看那边！"

一声呼喝，将姜维猛地拉回到现实，他随着所有的士兵一齐往南面望去。

只见巍峨的蜀国宫城之内，一道耀眼的烟雾正袅袅升起，那烟雾呈青褐色，虽然在黑暗之中，却仍然清晰可见。破晓之前风势虽疾劲，但那道褐色烟雾依旧笔直地注入到云端里，远远望去，倒似一条褐色巨龙直插天际一般，有如神迹！

"是褐狼烟！"姜维一声惊呼。

褐狼烟起，大军齐集。

城头上的一众蜀军立刻起了一阵骚动，他们之间彼此交头接耳道："难道……那就是褐狼烟？我还第一次看到。"

"废话，之前又没放过，怎会有人看到？"

"不会有错的，烟呈青褐色，风吹不散……那定是褐狼烟无疑！"

"怪了，怎么会在宫里放褐狼烟？难道皇上有危难了？"

"管他皇上有没有危难,'褐狼烟起,大军齐集',这可是丞相生前下的指令啊,咱们……"

姜维瞪视着那道褐色烟柱,只感到一阵头晕目眩,同时腹间又开始隐隐作痛。

他很清楚那道烟是谁放的,也很清楚放那道烟的目的究竟为何。

姜维无力地望着阳城中的魏军,火炬正向着东西两门快速移动着,他们此刻已然发现了防线的破绽,拿城中的百姓当肉盾。如此下去,东西两门将守不过半个时辰——他把心一横,右手挥下:"放箭!"

四周竟是一片安静,没有听到传令之声,也没有听到飞箭破空之声。姜维深感奇怪,环顾城头,所有的蜀军军士也正看着他,眼神中除了犹豫,更多的却是质疑。

"滥用大义者,终将为大义所累……"钟会那番话在姜维的耳边不合时宜地响起,他无奈地合上双眼,叹了口气。是的,他以忠义立军,教士兵们要以"复兴汉室"为己任,那正是他所立下的"大义",如今宫内燃起了象征着至高军令的褐狼烟,纵然他知道那烟雾之后所隐藏的真意,可他又如何能令士兵放箭?又有何立场阻止军队回援?

看来这一切,都结束了。

大滴大滴的热泪,自姜维紧闭的双眼中滚落而下。

一切努力终成泡影,他已无能为力。

可是接下来,我该怎么办?

姜维不住地问自己。

然而魏军并没有给姜维太多的时间犹豫,阳城东西两门的杀伐之声越来越猛烈。时机已过,即便现在放火,也未必能歼灭所有魏军了。

"报——大将军,董将军、王将军、周将军已各带其兵马南撤赴援,董将军要我转告大将军,毋忘丞相遗命。"一名士兵奔至姜维跟前,下跪报道。

丞相遗命?

哈!姜维心想:就算丞相再怎么神机妙算,恐怕也无法算到他所视为最高军事机密的褐狼烟,竟会在如此微妙的时刻被点燃吧?他不由得仰天一声长叹:"皇上啊皇上,你为何总要误我?"无奈之下,他只得转身下了城楼,下令道:"传令下去,全军南撤,往褐狼烟所在处会集!"

许多年前,姜维首次率军北伐,他特意选择了诸葛亮北伐的旧路,兵出陇右,雄心壮志,欲一扫曹魏西疆,但最终被魏国庸州刺史郭淮、讨蜀护军夏侯霸联手击败于洮西,粮尽退兵。姜维于南撤的路上告诉自己:以丞相大才,五次北伐尚不能胜,我这区区一次失败算得了什么？待明年秋后粮草充足之时,定能战胜魏军。北行之路意气风发,南返之路思图再举,便成了往后二十余年间姜维的写照。

如今亦然,蜀军大举南撤,姜维率一众轻骑为前锋,抢先驰过锦江桥。姜维一面挥舞着马鞭,一面思索着该如何善后——火焚阳城之计固然不成,但目前蜀军主力未失,兵权在握,即便撤回皇宫也只是稍有耽搁,待事情一弄明白,大军可立即再举,将成都城内的魏军加以围歼,然后克日北上,能抢多少据点便是多少,那贾充再怎么说也只是个二流人物,没理由挡不住……

想到此处,他不由得精神大振。

只是他并不知道,此番赴援皇城,却是他生命中的最后一趟南行之路。

蓦地一声锣响,一支魏军自昏暗的巷弄中杀出来,直突入蜀军阵中,领军者乃是一名中年将领,跨下一匹白马,手持长槊,威风凛凛。这队魏军人数虽不多,但个个勇猛无比,持刀乱砍乱杀,顷刻间便将蜀军阵势给截断。那名将领命士兵封锁桥头,并在锦江桥上点火,竟是刻意要断了姜维的退路。

姜维见状大怒,拍马来战,魏军将领也迎了上来。

姜维一枪刺过去,大喝道:"来将何人,敢偷袭我军？"那将领侧身闪过,回击了一槊,喝道:"我乃大魏征西将军行军司马,师纂是也！"

"邓艾余军？"

"大魏王师！"

两人口中对话,手上也不闲着,来来往往厮杀在了一起。

那日在出师门外,邓艾与一众中军将士均被钟会大军擒下,除邓艾父子被押往洛阳受审以外,其于将士仍暂留成都。事后,师纂率马应、田续等将向钟会投诚,钟会恐邓艾军勇猛,故卸其兵甲,命钟偄将一众余军送往城东曹苑软禁起来。那曹苑离成都约有三里之遥,钟会将邓艾故军安置于此,也算是眼不见为净。

之前胡烈等人杀了刘信及钟会亲卫之后,欲反击钟会却又担忧兵力不足,正巧荀恺提醒,胡烈便立即命句安前往城东曹苑,说服师纂等人共抗钟会。师纂闻听钟会造反,立即同意出兵,牵弘、杨欣、王顾等人曾败于胡渊之手,本不愿相助,但经句安一再劝说,又想击败钟会之后,或许有援救邓艾的机会,当下率中军前来。诸军刚一到成都,便闻知姜维率兵复出,魏军危急,邓艾帐下诸将与姜维素为仇敌,便决定率兵北上,却不想正好与姜维的南行军遭遇于锦江桥畔。

姜维、师纂两人一交手便是数个回合,马蹄交踏,金铁相鸣,姜维的银枪似暴风骤雨,遍击师纂全身要害,而师纂仗着年轻力壮,长槊大开大合,竟与姜维斗了个旗鼓相当。姜维见锦江桥上火势越来越烈，蜀军几次冲突都被魏军给挡了回去，心知此刻并非缠斗之时，当下虚晃一招，调转马头便走。师纂杀得正兴起，哪里肯放过，大喝一声"匹夫休走"，随即拍马追来。

姜维似乎是无心恋战，往南飞驰而去，两人一前一后奔过几个街坊，师纂眼看着堪堪就要追上，当下加上一鞭，座下四蹄疾飞，举槊径直往姜维的背心刺去，忽见姜维将枪交于左手，紧接着青光一闪，师纂还没搞清楚发生什么事，已是人首分离，滚落于马下，那断折的长槊便插他的身旁，兀自颤动不已。

姜维手持青釭剑，将师纂的首级挑起，冷笑道："死缠不休者，合当如此！"

他带着师纂的首级回到桥头，率军将魏军杀散，正要喝命士兵救火，忽然又听到一阵喊杀声，一彪魏军自桥底下蹿出来，为首的将领手提一把开山大斧，径直往桥身上砍去。姜维见状大惊，赶紧迎上去，大喝道："来者何人？"

"邓艾军马应。"

又是一斧劈下去，两块桥板应声而碎。

姜维大怒，一枪朝着马应刺去，喝道："贼将休想得逞！"马应侧身避过，回敬道："姜维匹夫，明年今日便是你的死忌！"说罢，举斧便往姜维头上劈落。姜维举枪一挡，双臂不禁剧震，往后退开了数步。马应见形势大好，拍马便朝姜维冲杀过来。姜维的武艺得名师传授，在当今可谓首屈一指，不惧师纂枪法高强，又怎会怕马应力大？他一枪轻巧地带开马应的大斧，紧接着青光一闪，已将马应的人头割了下来。

姜维大喝："速速灭火，敌军在此已有埋伏，晚了恐怕……"谁知话音未落，前方便鼓声大作，周默、梁浩、张成、皇甫陵、田续各引一军冲杀了过来，将他团团困在中央，形成围攻之势。六个人战成一团。

众人见姜维神态自若，一边四面格挡，一边大声呼喝士卒灭火，竟不将他们放在眼里，不禁大怒。梁浩逞勇攻上，姜维一记"凤点头"格开梁浩的守势，反手一枪将其刺于马下。周默见姜维露出破绽，一刀朝姜维的腰侧砍来，姜维竟是不挡不架，长枪回摆，后发先至，将周默打得脑浆迸裂而死。张成趁势欺上，左手扣住姜维的枪身，右手铁叉直刺过来，姜维青釭剑猛然出鞘，张成立刻连人带马断成两截。

余下皇甫陵与田续见姜维如此勇猛，举手投足间连杀三将，不禁大骇而走。姜维拍马追来，弯弓搭箭，一箭射穿了皇甫陵的咽喉，正要提枪再来杀田续，却见牵弘、杨欣、王颀三将正领中军自前方冲杀了过来。姜维一声大喝："挡我者死！"正要上前撕杀，忽觉腹部一阵剧痛传来，不由得退后了两步。

牵弘等人慑于姜维的威势，本要勒马而走，忽然看到姜维手按腹部，面色铁青，不知何故。牵弘鼓起勇气,大喝道:"我敢挡你,又能把我怎地?"说罢一枪刺来,姜维忙横枪一格,只觉腹间剧痛难忍,不禁又后退了一步。杨欣、王颀见状精神一振,心知姜维必是身体有恙,随即拍马来战。姜维一枪攻去,却是软弱无力,被杨欣轻易拦开,一记反击刺中姜维的大腿。姜维连退了数步,额头上豆大的汗珠不断渗出,见牵弘攻来,赶紧举枪格住,谁知右侧王颀大刀已然到了跟前。姜维侧身闪过,左手抽出青釭剑,正要砍下,手上却是一阵酸软,青釭剑竟拿捏不住,掉落在地上。

姜维只感到腹痛转剧,身上肌肉越发地酸软无力,心知此番已是无幸,不禁仰天叹道:"我本以为天将助我复国,却不想竟是要我死于此间!我计之败,实是天不佑也!"说完,便感到左胸一痛,已被杨欣挺枪刺中。姜维一声虎吼,挥枪将杨欣逼开。牵弘趁隙欺上,一枪刺穿了姜维的肋间,鲜血立刻从他的口鼻之中喷涌而出。此时他虽倚在马上,右手紧握长枪,但肺间却吸不着一丝空气,身体也无法动弹。王颀趁机迎上,手起刀落,将他胸腹剖开。巨痛之下他却无法叫喊,缓缓地从马上跌了下来,挣扎了几下,便不动了。

那一日姜维与钟会结拜,发誓称若有违誓言,便将开膛剖腹而死,今日死于王颀刀下,正应了其誓言。

锦江对岸万余名蜀军目睹姜维身死,均是惊骇莫名,愣在原地,足足有半刻钟之久,不知所以然。是啊,姜维在他们的心目中,早已非普通人,而是名副其实的战神。而如今战神竟然战死,这怎会不令他们震惊?

忽听一人高声哭喊道:"渡江!渡江!为大将军报仇!为大将军报仇!"所有蜀军在那一瞬间同时躁动了起来,一时之间哭声震天,人人痛哭嘶叫:"为大将军报仇!为大将军报仇……"纷纷卸去重甲,口衔兵刃,跳入冰冷的锦江之中,奋勇向对岸游去。对岸牵弘等人忙指挥手下,在岸边摆好阵势,以迎敌军渡江。

孙子曰:古之善用兵者,驱兵若驱群羊,驱而往,驱而来,莫知所之。

此时天色已明,却不见有朝阳升起,满天阴云密布,不一会儿,竟然淅淅沥沥地落起雨来。那雨水打落在姜维粗糙的面颊上,似乎是代替那未能流出的眼泪。

少顷,雨势渐歇,锦江岸边的杀声跟着渐渐息了。

此时此刻,出师门前火光正炽。钟会立于出师门上,看着一众亲兵正慢吞吞地穿盔戴甲,心中焦急万分,不住地催促道:"快些!再快些!你们动作慢成这个样子,怎么配当我的亲兵?"这批亲兵原本被钟会留驻于阳城,先是被荀恺等擒伏,再由董厥接收,奉了姜维之命,将这批亲兵押回出师门交给钟会。

钟会见诸军好不容易整装完毕，便朗声道："姜维轻视我等，以为我军无兵无甲，不能作战，便将大军尽数调往城北，却不知这出师门内竟另藏有大批甲胄兵器，供我等使用。哼哼！现在我军装备充足，只要调动妥当，便可独霸蜀中！"

说着，他从墙壁上摘下一只火炬，向着天空摇晃道："现如今，刘禅等一众蜀国皇室尚在宫内，并无士兵驻防，正好给了咱们可趁之机。机不可失，时不再来，现分兵一半守住此门，其余人等随我入宫，将刘禅掳于此间，姜维忧其主安危，必受制于我，倘若能得到蜀国大军，胡烈等人又算得了什么？"他语气高昂，眼中散发着光芒，显得十分兴奋："诸军听我号令！第一队随我入宫，第二队登墙守备，倘若有变，鸣金为号，不得有失！"

"都督之计确实巧妙，可惜我与都督却是想到一块儿去了。"

一道粗豪的声音忽然自北面传来。钟会一惊，忙抬头看去，只见千余名骑士不知何时已列阵于北面高地，当先一将昂首直立，在晨曦之中显得格外高大，正是胡烈。只听他大声喝道："钟会，你可曾想过咱们还有相见之日？"

钟会万没想到玄马营竟会出现在此，不由得切齿大骂："匹夫！我早该杀了你！"

胡烈笑道："你是该杀了我。你那只匈奴走狗已被我烧死在城东解舍之内，你可要与他相见？"

钟会手持倚天剑，高叫道："只怕今日丧命之人，是你这个老匹夫！"

胡渊在一旁讥笑道："钟大都督，口说无凭，亮真章吧！"

钟会气得浑身发抖。

胡烈不由得哈哈大笑起来。良久，忽然笑容一敛，喝道："钟会，你背主叛国，是为不忠；谋害下属，是为不仁；设计诱我等造反，是为不义。似你这般不忠不仁不义之人，还有何脸面活于世上？我原本欲攻皇城，挟持刘禅，迫姜维投降，但天命凑巧，却要我在这儿碰到了你。今日我便替天行道，除去你这逆贼！"说罢，大手一挥，玄马铁骑扬起满天尘沙，向着钟会的亲兵冲杀了过来。

钟会见敌势凶猛，心下不禁慌乱，对亲兵喝道："都给我拼死抵挡，有退半步者，杀无赦！"话音落下，自己却下了城楼，策马往蜀宫内奔去。

一时间出师门外杀声震天，惨叫声不绝于耳，几百名亲兵如何能抵挡得了玄马营铁骑的冲突？不消一刻，便彻底崩溃，除几十人逃散外，剩下的死的死、降的降。就见几十匹玄马穿过出师门，朝着钟会逃去的方向快速追了过去。

钟会用力鞭着座骑，大口喘着粗气，心道：我钟会乃是天纵奇才，怎能败于胡烈这等莽夫之手？不，我不会败，我要入宫去，有刘禅在，我便不会败……

"哈！这不是咱们的钟大都督吗？"

钟会跨下座骑突然立起来，险些将他掀倒在地。他急忙抬头看去，只见几十匹玄马列阵于前，马上士兵各挺兵刃向前……忽然之间，他想起那日与姜维结拜时所立下的誓言，心下略有所悟，不由得仰天大笑："果真天道循环，报应不爽。罢了——"说着，便将倚天剑横在了脖子上……

那一日，他与姜维结拜起誓：如果有背誓言，他日便死于自己剑下。

蜀道难,难于上青天。

邓艾身上扛着沉重的枷锁,光着脚板一步一步踩在地势艰险、布满碎石、荆棘的蜀道上,此时他的后颈处早已磨破了皮,鲜血直流,脚上的伤口也发脓溃烂,脓血划过他的脚踝,滴落在满地的尖石上。若论险要,这路并不会比阴平小道更险;若论负重,这枷锁也不会比兵器粮饷更沉。但入蜀时的意气风发早已不复存在,锐气也被消磨殆尽,邓艾每踏出一步,膝盖便酸软一分,钻心的疼痛令他浑身颤栗。

"大伙辛苦了,在此地歇一下吧。"

那领头的队长大声吆喝着。一众三十余人闻言,原本苦着的脸立刻露出了笑容,当下便找了一块大石阴凉之处,坐下来暂歇。

邓艾坐在邓忠之侧,二人对望了一眼,没有说话,只是大口地喘着粗气。旁边一名士兵打开水壶,猛灌了几口水。听到水声,邓忠转过头去看着那水壶,粗大的喉节恐怖地蠕动着,眼睛里充满了渴望的神色。

"怎么,想喝水?"那士兵侧过脸来,似笑非笑地看着邓忠。

邓艾转过头去,没有说话。

"嘿!"那士兵起身走到邓忠面前,笑道:"小将军,走了那么多的路,你想必也渴了,想喝水对吧?"

邓忠迟疑了片刻,终于点了点头。

那士兵打开水壶,将壶嘴凑到邓忠的面前,却不倒水,而是笑嘻嘻地说道:"想喝水容易的很,只要叫我一声'将军',我便喂你喝水。"邓忠眼中立刻露出鄙夷之色,哑着嗓子道:"你连个校尉都不是,何敢称将军?"那士兵有些来气,喝道:"我便是要你说一声将军！怎么，叫不出口吗？"邓忠不愿再看他，将头别了过去，还不忘说上一句："像你这样的人，一辈子都别想做将军。"

那士兵勃然大怒，站起身正对着邓忠，一巴掌掴在他的脸上，狂叫道："你他妈的！不识好歹的东西，你小子不过是凭着父亲之便，这才当上将军的，你自以为比我强多少？你不过就是个纨绔子弟而已，狂什么狂？老子再问一次，你叫是不叫？到底叫不叫？"说着，又一掌掴过去。

"波"的一声，邓忠从口中吐出一口血痰，对那士兵怒目而视："让我叫，那就等下辈子再叫吧！"

"妈的！"那士兵怒极，却又无计可施，难不成还能当真把他打死？他可是朝廷重犯，有个什么三长两短的恐怕自己也不得好死。想到这，他忽然眼珠一转，将水壶收起，从背囊中取出一块硬馒头，阴笑道："小将军，刚才算我说错话……您一定是饿了吧？我便喂你吃些东西，好好吃啊，别噎着了！"说着，便撕下馒头，硬塞进邓忠口中。

那馒头硬如石块，毫无水份，邓忠连日来只进得少量水米，口腔内本就干裂，还生了不少脓包出来，平常不进食时便跟含着一块火碳似的，更何况此时被硬塞入馒头，脓包立刻被划破，馒头和着脓血噎在嗓子眼处，无法咽下。邓忠大声呕吐起来，那士兵却不让邓忠将口中之物吐出，反而硬塞硬挤，将整只馒头都塞了进去。邓忠伏在大石上用力地咳嗽着，十分痛苦。

"将军，且放过小儿吧。"一旁的邓艾轻轻说道。

那士兵愣了一下，随即眉开眼笑："哈，还是老人家比较明世理。"他忙凑到邓艾跟前，笑道："你再说一次我听听。"

"将军，且放过我儿吧。"

那士兵立刻对同伴道："听到没有？听到没有？连咱们的邓大都督都要称我为将军，哈哈哈，爽快！"说着，含了一口水，吐在邓忠面上，不屑道："看在你老子的面子上，我便赏你一口水，你能喝多少便喝多少吧，可别怪我了。"说着，又走回邓艾身边，笑道："邓大都督，你为这小子叫我一声将军，定是委屈了，我便也赏你口水，让你开心一下。"当下也含了口水，便要往邓艾面上喷去。

邓忠挣扎着爬起来，一头撞在那士兵的腰际，叫道："休辱我父！"

那士兵被他这么一撞，一口水全吐在另一名士兵的身上，先前的士兵大怒道："妈的！该死的臭小鬼也敢撞你爷爷我？"说罢，一脚便往邓忠腿上踹去，被喷得一身水的士兵也是大怒，上前一起殴打邓忠。

"阿常、阿茂！别闹了，他们可是朝廷要犯，给打死了咱们可是担当不起啊！"那队长担心事态严重，高声喝止。"队长，这小子命硬得紧，打不死的。"那士兵道，随即发泄似的又是一拳猛击在邓忠的腹部，邓忠立刻如虾米一般蜷曲起来，痛得连胃液都吐了出来。

"却不知你命硬不硬，打不打得死？"

一个深沉的声音从高处传来，那士兵猛然一惊，抬头望去，只见大石上一骑士逆光而立，手上一柄大刀直砍过来。那士兵转身要逃，只见骑士双脚一夹马腹，马匹立刻嘶鸣一声凌空跃起，手中大刀一挥，已将两名士兵的脑袋同时砍了下来。

"不好！有敌来袭，全军戒备！"

那队长大声呼喊，只听得杀声震天，马鸣萧萧，数十骑士从大石后跃出，直往押解队伍冲杀了过来。士兵们本都还坐在地上休息，大都是连兵刃都还没来得及拔出，便已丧在对方的铁蹄之下。那队长见形势不妙，转身要逃，领兵将领策马从后面追上，拔出马刀，将他头颅割了下来。

还不到半盏茶的功夫，那队负责押解的士兵已被屠杀殆尽。领兵将领策马在乱石堆间绕了两圈，确定再无活口后，这才翻身下马，奔到邓艾面前跪下，叫道："都督，恕王颀来迟，害都督受苦如此，王颀万死莫赎！"看着邓艾满是伤痕的双足，他不禁落下泪来，随即回头大怒道："你们这帮狗头，还不过来给都督松锁！"

有两名士兵立刻奔过来，为邓艾脱去肩上的枷锁，打开腿上的脚镣。邓艾忙扶起王颀："大家都是生死兄弟，何出此言？"王颀哽咽道："我等受都督的大恩，那日在出师门前竟战不过胡渊那小子，累得都督受奸人所害，末将实在是没用……对不起都督！"

另一边，有人为邓忠卸去枷锁。邓忠一得解脱，忙拾起地上的水囊猛灌起来。

邓艾拍了拍王颀的肩膀，笑道："往事无须再论……总算天不亡我邓艾，要我重获自由。"他稍稍一顿，忽觉情况不对，忙问道："你等既能来救我，可是成都有变？"王颀点头道："钟会、姜维共谋造反，我等趁乱脱困，已将乱事给平定。"当下便将钟会如何拘禁诸将，胡渊等如何率兵攻成都，钟会如何又将姜维等蜀国兵将释出，他们又是如何于锦江畔击杀姜维等事说了一回，又道："牵弘、杨欣已率大军前来迎接都督回成都，不久便到。如今钟会、姜维俱死，成都各军多以我等为首，都督应速回成都主持大局，待局势一定，这蜀中便是您一人独霸了。"

邓忠在一旁"咕噜咕噜"地灌着水，听到这里，大是兴奋："是啊，爹，这可是天助我等，现在钟会、姜维俱死，我等便可续行前计，先回成都整顿大军，再北上与贾充会合，则大事抵定，万无一失！"

然而邓艾对儿子所说的话却置若惘闻，只见他合上双眼，低头沉思了半晌，忽然问道："你是说……姜维是死于汝等三人之手？可是如此？"

"正是死于我等三人之手……那姜维死前勇猛无比，连杀师纂、马应等六员大将，但终究不敌我与牵弘、杨欣二人联手，被杨欣一枪刺穿了肺，然后被我开膛剖腹而死。"王颀说起诛杀姜维时的情景，言谈间显得颇为得意。

邓艾侧过头来，正色道："王颀，为将者切忌言过其实，我与姜伯约多次交手，论武艺，他远在我之上，你们三人要想杀他，那几乎不可能，除非是他马前失蹄，或者是身染恶疾，不能发力。"王颀脸上一红，露出尴尬的表情："都督果然英明，姜维与我等作战时，面色铁青，额头冒汗，手不能握剑……我将他腹部剖开，只见其胆囊已成结石，大如鸡卵，料想这正是病源所在。"

邓艾不由得一阵感叹："蜀中无能人，姜维既兼筹谋，又需冲锋陷阵，其心力劳顿，只有比诸葛亮更甚，其胆大如鸡卵，却如今才发作，也算是天意啊，不然的话，咱们定永无相见之日！"

王颀也是大为感慨："都督所言甚是，在我看来，这四海天下，除了都督与姜维外，再无英雄可言，如今天下英雄便只剩下都督一个了。我等敬重姜维是个英雄，已命人将他的尸体缝合，按照王爵的礼仪葬于成都北门旁。"

邓艾双眼凝视着远方，点头道："你们做得好，是该好好地葬他……那日在出师门旁，我曾见到姜伯约，他神情落寞，但双眼依旧炯炯，绝非败军之将的模样，我便知他必定尚有计谋。他甘冒毁誉蛰居于钟会之下，然而功未成而身先死，却不知往后悠悠青史，要怎么为他下评注了！"

此时山风骤起，吹得满山松柏沙沙作响，邓忠、王颀等人立在松柏之中，无人发一语，像是在为姜维默哀。只见邓艾摇摇头，继续道："我与姜伯约交战数十载，只以为天下之士，非彼即我，再无他人了！想不到，天意渺渺，我等也不过是草芥之辈，他先我一步死于成都，我也落难于此,唉……"

邓忠拍了拍父亲的背脊，劝解道："爹何出此丧志之言？文王有羑里之困，韩信有胯下之辱，爹一时失算被擒，又算得了什么？爹不是常教我'天下无不败之战，却无先言败之胜战'吗？如今我等前途仍旧宽阔，爹又岂可半途而废？贾充手上既有十万大军，我等只需与他会合，这天下岂又逃得出父亲的手掌心？"

邓艾笑道："该打！这会儿倒换你来教训起老子来了？那贾充气量狭窄，与钟会有得一拼，知我计败，又岂会容我？只怕杀手已在道上，要杀我等灭口了。"邓忠摇头道："都说贾公闾颇重仁义，应该不至于如此绝情吧？"

"重仁义个屁！他不是眼见有利可图，又怎会助我？"邓艾一笑，正要再说，忽然听见南面有马蹄声起，一队人马约有百来骑，正朝着此处驰来，观其衣着，正是邓艾故军。王颀见状大喜："都督，这定是杨欣等人来了，我且上前迎接。"说罢，立刻向那队人马跑去，用力地挥着双手。

邓忠看着远处飘扬的"邓"字军旗，大笑道："这杨欣来得可真够快的！我等闷了这几日，总算可以一吐怨气了，可惜师纂已死，否则我定要将他……"忽听邓艾大声叫道："王颀当心！那不是杨欣！"但已经迟了，就见那队人马直冲过来，竟似没看到王颀一般，王颀大声呼叫，转瞬已被淹没在铁蹄声中。就在邓艾向王颀出声预警的同时，那队人马已抽出兵刃，大声呼啸着，朝王颀余军杀来。

眼见着一刀劈下，邓艾急忙将邓忠推到一旁，跳起身来，从地上拾起一柄长枪，向上一格，挡下了当先两名骑兵的冲杀，只见另外五、六骑又杀了上来。邓艾挥舞长枪，企图将马上骑兵打落，但却因为连日来的苦行，食水不足，早已累得乏力，出手便慢了少许，一名骑兵张手一挟，已将他手中长枪夺了过去，另一名士兵跳下马来，照着其后项用力一击，邓艾只觉头昏眼花，双腿酸软，被那士兵给压倒在地。

王颀所带来的其他士兵也都是猝不及防，许多人赶忙往自己座骑奔去，但尚未上马，便已死于敌人的刀枪之下。那队人马看起来颇为训练有素，交互往来奔驰数趟，已将数十名士兵杀了个一干二净。

一名将领翻身下马，走到邓艾面前，伸出只有四根指头的左手，冷笑道："邓士载，你可想过会有今日？"邓艾被压在地上，奋力抬起头，厉声道："没有，我无论如何都想不到，有朝一日竟会死在你这人渣之手。"

田续不禁仰天大笑："随你怎么辱骂都无所谓，反正你今天是死定了！邓艾，我奉卫监军之命前来杀你，你服是不服？"邓艾不屑道："你回去转告那痨病鬼，我两次栽在他手上，五体投地，但请他别再派猪狗出来杀人了，猪狗只能在泥堆中打滚偷生，不配取我的性命！"田续冷笑道："死到临头，嘴上还不饶人！邓艾，那日在阴平小道，你断去我一指，我深感大恩，如今我便要十倍奉还于你。来人啊！给我将这老匹夫的十根指头全都剁下来，带回去喂狗！"

立刻便有两名士兵上前，将邓艾双手扣在大石上。邓艾用力挣扎，怎奈伤疲交加，挣之不开。

"妈的！田续你这奸贼，我父亲说你是猪狗，那是辱没了畜牲，你连畜牲都不如！有本事你就和小爷单打独斗，休要伤我父亲一根汗毛！"邓忠被两名士兵押着，起身不得，只能在一旁大声破口大骂。

田续强压怒火，缓缓踱到邓忠身后，一把攫住他的头发，狞笑道："你不过是个靠父亲余荫升官的纨绔子弟罢了，论单打独斗，你怎么会是我的对手？真是天大的笑话！"

"有种的就来上一回，也好让我心服！"

田续反而大笑起来，和颜悦色道："你以为我不知道？你激我出手，便是想趁机逃走，再带着杨欣等人回来救你父。我又何必多惹麻烦？反正今天我吃定你了！"邓忠"呸"地一声，一口浓痰吐在田续的脸上："田续你这奸贼，你不得好……"田续没有给邓忠说完话的机会，直接飞起一刀将对方的头颅割了下来。

他将脚踏在头颅上，用力踩了几脚，这才伸手抹去面颊上的痰渍，笑嘻嘻地回过头，对邓艾道："夜长梦多，我田续从来不做浪费时间的事，历代史籍中写得明白，战场之上，明明已将对方大将逼上绝路，却偏要一通废话，结果对方援军到了，自己反倒遭殃。我绝对不会做这样的蠢事，都督以为如何？"

不等邓艾答话，立刻喝道："给我动手！"

邓艾见爱子惨死，心下大恸，狂吼道："天杀的田续！你杀我儿，我必报仇……哼！"闷哼一声，右手小指已被剁下。田续走了过来，一把扣住邓艾的咽喉，沉声道："沙场便是如此，你杀我儿，我杀你父，为将者，便是要冷血无情，这些岂不都是你教我的？"说着手上大刀一挥，又斩去了邓艾右手中指。

邓艾深吸了口气，忍住剧痛，颤声道："可惜你不明白，那是能者之道，似你这等猪狗不如的脓包，只有待宰的份。"田续举刀指着邓艾的咽喉，冷笑道："邓艾，本来我要慢慢折磨你的，但你的本事很大，惹怒了我，我便赏你一个痛快，去见你儿子吧！"说着，便要举刀挥下。

讽刺的是，田续之前所谓"夜长梦多"云云，那不过是对邓艾的戏弄之言，哪成想竟然应验。就在他手起刀落的同时，一枝羽箭"嗖"地一声自后方忽然射来，正好贯穿他的手掌。他大叫一声，单刀落地，捧着右手，转过身来怒喝道："妈的！是谁……"话音未落，右腿一痛，竟又中一箭。

来箭之快之准，他竟是连闪避的机会都没有。

田续心知情况不妙，赶紧伏下以求掩护，但那箭势绵密不绝，竟没有给他丝毫喘息的机会。他双膝刚一屈下，头、胸、腹已连中数箭，可怜他连放箭者的身影都没瞧见，已然向前扑倒，可谓死得不明不白。

这一下事出突然，田续军顿时乱了手脚，朝四处逃避，就见一支一支的羽箭仍不断地自山坡松林中倾泻而下，箭势不急不密，却是支支精准，田续军处势较低，四周又没有什么掩蔽之处，只听见惨呼之声不断，不消片刻，百余名士兵已被射倒在乱石之间。一名士兵辛辛苦苦攀上大石，朝另一面奋力跃下，忽见三支羽箭同时射至，他人尚在空中，已没了气息。奇怪的是，邓艾倚在大石旁，却是一箭也没有近身。

待约莫一炷香的功夫，田续军已是全灭，箭势逐渐歇缓了下来，山林间又恢复到之前的寂静。又过一会儿，坡上松林微微摇晃，百余名弓箭手缓缓自林中步出，走下坡来，只见这批人各个手持七尺大弓，身穿黑衣，头上斗笠压低遮住半张脸孔，显得颇为神秘。当先一人乃是个瘦小老头，与其他人同样的打扮，只是臂上多缠了条红带。

老头走至邓艾面前，躬身道："邓大都督，救援来迟，还望恕罪。"

邓艾长出了口气，没有理会他，而是眼睛望着虚空某处。少顷，他撕下衣摆，将断指伤口裹上，然后起身走到邓忠的尸体旁，将儿子的首级安放回脖颈上，轻轻理了理那散乱的头发，泪水无法遏制地从眼角流淌了出来。他一生作战，从未流泪，但今日眼见爱子惨死，却令他痛彻心肺。

老头走过来，低声道："请都督节哀。"

"我杀人子何止千万？天理循环，今日我儿惨死，乃是我的报应！"邓艾拭去泪水，转过身，红肿的双眼盯住那老头，问道："你等是贾公闾的手下？"那老头面上立刻露出诧异之色："都督怎知？"邓艾道："贾家部曲皆着黑衣，以赤巾为首，我与你家主人共谋，这种事又怎会不知？所谓'长弓等身，百步穿杨'，你等应该是贾家的'长百营'。"那老头立刻躬身道："都督博学多闻，小人拜服。"

汉魏之时，养士之风盛行，凡世家大族者，多养有部曲以彰显家族之力，数量少则上百人，多则千余人不等。钟会门下有杨针、刘信、钟偃等能人为其爪牙，贾充为当朝第一人，其门下亦养有"长百"、"锐气"、"逐日"三营，各擅胜场，以为私军之用。

邓艾定了定神，又问："你家主人派你等前来何事？"那老头拱手道："主公日前听闻都督被擒，十分忧心，特命我等前来营救。主公有命，务必救得都督性命，请都督前往长安，一同主持大局。"

"你家主人确实是如此说？"

"主公言道，他虽手握大军，但非成大事之才，倘若要取天下，还需都督来主持，盼都督仍记得当初之誓盟，前往共同谋事，勿枉我家主公一片苦心。"

邓艾缓缓走开几步，叹息道："这贾充究竟是智还是愚？我计已败，不能再补矣，收容我只会自取祸害，他派人救我，究竟是以利计，还是以义计？"他寻思半晌，回过身来对那老头道："我本以为你家主人见我失势便不会容我，实在是以小人之心度君子之腹。我的性命乃是贾大人所赐，自当知恩图报，贾大人特派'长百'、'逐日'两营前来救我,我又如何能拒绝?"

那老头听了不禁一愣,说道:"只有我等'长百营'前来,何来'逐日营'?"忽听得身后传来马匹嘶鸣之声,一回头,只见山道上一队人马正朝此处奔来。那队人马同样是人人身着黑衣,领队者乃是个中年汉子,头上没有半根毛发,左臂同样缠了条红带。

那老头看了半晌,疑惑道:"果真是'逐日营'……可是,主公明明只派了我们'长百营'前来营救都督,怎么'逐日营'也来了呢?难道是主公担忧我等不成,派他们来接应?"当下向邓艾拱手道:"都督,小的先失陪一会儿。"然后转身朝那光头走去。

邓艾也是心中纳闷,却又不便上前问个究竟,只得倚在大石上,从地上拾起一只水囊,一边喝水一边看着远方的动静。

只见那老头走到光头身旁,拉住了他的缰绳。那光头见到自己人似乎很开心,满脸笑容,弯下身来同老头说了些什么,老头先是愣了一会儿,然后用力摇了摇头,似乎是不同意对方所言。那光头从怀中取出一张青绢,又说了些话,老头仍是摇头不从,似乎是顶了对方几句,只听得两人声音越来越大,到后来竟然争吵了起来,邓艾朦胧间只听到什么"小姐"、"贾家"等字眼儿,却丝毫不明其意。两人吵了一会儿,那光头似乎答应妥协,点了下头,又拍了拍老头的肩膀,坐直了身子。那老头则满面通红,又向那光头大声说了几句,然后转身朝邓艾这儿走来。那光头乘在马上,面带笑容看着那老头,忽然笑容一敛,从腰间抽出配剑,挥手将那老头的头颅给砍了下来。

这一下事出突然,"长百营"众人还没来得及做出反应,只听那光头大声呼喝,"逐日营"诸骑士已是策马扬鞭,望"长百营"冲杀了过来。双方人数虽相差不多,但近战之下"长百营"哪里是对手?几名弓箭手擎弓要射,但尚未拉弦,快马已奔至跟前,只听见乱石之间惨号声不断,号称"长弓等身,百步穿杨"的"长百营"转瞬间便已全军覆没。

那光头在尸堆中来来回回地跑了一会儿,命手下在每一具尸体的左胸上补一刀,似乎是怕有人的心脏生在左边。等一切妥善后,他这才来到邓艾面前,拱手道:"都督,'逐日营'拜见了。"他嗓音沙哑,说话声便如鸭叫一般,令闻者浑身不舒服。

"逐电追风,日行千里!"邓艾手上仍拿着水囊,冷冷地看着眼前之人,沉声道:"你是来杀我的吧!"那光头倒是诚实得紧,点头道:"正是,都督果然料事如神。"

邓艾一声冷笑,左手悄悄移到背后,掌中已多了一枚箭矢。他问道:"'长百营'那老头不同意你杀我,你便将之杀尽?"

那光头又点了点头:"我奉命而来,有挡我者,一律翦除,自家人也不例外。"邓艾不禁大奇:"那老头说他也是奉了贾充之命而来,难道你家主人故意要你们自相残杀不成？"

那光头一笑，弯下身来，在邓艾耳边说了几句。

邓艾听罢，不禁哈哈大笑："那日我在潜龙池畔，北地王妃咒我将死于女子之手，果然不虚！想不到天命有常，我邓艾一生杀人无数，今日得此报应，也是罪有应得了，死而无憾！死而无憾！"说罢，将水囊与箭矢掷在地上，大笑不止。

那日午后，牵弘与杨欣大军赶到此地，只见乱石间已是一片火海，无数人尸、马尸尽陷于火窟，传出阵阵焦臭。关于邓艾的一切，已然随着那火焰消逝殆尽，他的生死，成了一团谜，而谜底，只有一个人知道。

贾充，字公闾，乃是司马昭跟前的第一大红人。然而此时此刻，这位权倾朝野的大人物，却在长安的行馆内焦躁地踱着步。他面容削瘦，眼眶凹陷，目光散乱而焦躁，显然是正被某件事所深深困扰着。

"启禀大人！"一名侍从从外面跑进来，贾充赶紧上前问道："如何，可有什么消息？"那侍从道："相国与皇上人马已过了武关，明日便可到达长安，还请大人留意。"

"这样啊……"贾充面上露出失望之色，沉声道："知道了，速命人下去整顿行宫，你负责准备接驾的朝仪，退下吧……哦，慢着，'长百营'可有消息传回？"

"尚未有消息。"

贾充叹了口气，看起来心情变得越发地沉重了。他无力地挥了挥手："你下去吧，派人再往蜀中探过，一有消息，马上通知我。"

"是！"侍从躬身施礼，倒退着出了房间，退到门口的时候轻轻唤了声"小姐"，这才又转身离去。

一名少女推门进入房内，见到贾充，盈盈一拜道："爹爹安好。"

贾充回到案前坐下，拿起眼前一枚果子剥着，强堆起笑容道："怎么，今日忽然多礼起来，向爹爹请安？"少女扭动着腰肢站起身来，撒娇道："爹爹，您平日老说女儿我行我素，不懂规矩，怎么今日来向您请安，您也要责备？可是伤了女儿的一片孝心啊！"她约莫十五、六岁的年纪，身材娇小可人，皮肤雪白，虽称不上国色天香，但一双美目却颇为灵动有神，嗓音清亮甜美，撒起娇来却也别有一番韵味。

贾充慢慢剥着手上的果子，唉声叹气道："为父近来事务繁忙，心头烦闷，可没力气与你这小女孩争辩，早些回去休息吧，若实在闲得慌便找李妈学些女红，免得将来嫁到夫家被老太太数落。"

"瞧您，又来了不是？"少女嗔怪地瞪了父亲一眼。嘴上虽抱怨，但香腮上却起了两朵红云。

若在平时，每当遇到这般情景，贾充总是会大笑着在女儿的脸蛋儿上捏上一把，今天却没这个心情，只是随意摆了摆手："好，爹不说就是了。"

两人又聊了会家常，贾充有些厌烦，正要打发女儿回去，却忽然听她道："女儿明白，爹爹可是挂记着蜀中之事？"

贾充停下手上的动作，抬起头道："你怎么知道？"少女微微一笑，不慌不忙道："爹爹以为我只是小女孩，什么都不懂，但我已经十六岁了，家里有些事情啊，我也多少知道一些。"

贾充放下了手上的果子，板起脸训斥道："女孩家，有些事情还是不知道的好，免得到处多嘴多舌！"少女白了父亲一眼，嘟着小嘴儿道："爹爹为何总是轻视女儿？爹爹在这房里来来回回踱了三天的步，可解了心头之忧？"

贾充心头一凛，忙问："你知我心头所忧何事？"少女笑道："女儿自然知道，我今日前来，便是要献上一份厚礼，以解爹爹心头之忧。"说着，拍了拍手，一名侍女捧着一只漆匣走进来，放在贾充的面前。

"这是什么？"

"爹爹开了便知，女儿敢保证，爹爹见了里头的物什，包准烦恼全消。"

贾充不禁笑道："你这丫头，向来古灵精怪，该不会是什么小猫小狗之类的玩意儿，来寻老父开心吧？"口中虽这么说，但手还是不自觉地打开了那只漆匣，顿时有一股刺鼻的腥臭味自匣内涌出来，吓得他连连倒退："这……这……这是……"

"没错，这便是邓艾的首级。"少女笑道："也是医爹爹心病的良药。"

贾充的脸色立刻变得难看至极，厉声道："我明明已派'长百营'前去迎救邓艾，怎么如今却……真是难以置信！"少女走上前来，将匣子阖上，坐在贾充身旁，轻声道："爹爹，您不是有天下之志吗？见到邓艾的首级便怕成这样，又如何能夺取天下？"贾充心中又是一惊，支吾道："我……何来的天下之志？小女孩不能……胡乱讲话！"

少女掩口笑道："爹爹，您与我乃是骨肉之亲，又何必隐瞒？您与邓艾密谋之事，我早已知悉，你们计划将司马公诱来长安，趁机将其杀死，只要他一死，这天下便是邓家和咱们贾家的了，是也不是？"

贾充顿时吓得魂飞天外，两只瞪圆的眼睛惊恐地看着眼前的少女，仿佛那不是自己的女儿，而是一个陌生人，一个极其危险的陌生人。他几次双唇微颤，想要说什么，但最终还是没有说出口。

少女见到父亲这般模样，又笑道："爹爹何必如此惊恐？您与邓艾之谋十分隐密，若非女儿与你同在一屋檐之下，恐怕也不易得知。"

好一会儿，贾充才算是回过神来，问道："你究竟从何得来的消息？"少女指了指自己的眼睛与耳朵，得意道："耳目而已。"见父亲并未说话，她又道："爹爹，您与邓艾所设下的计谋，巧是巧到了颠毫，但同时也是凶险到了极点，邓艾虽主其事，可您也该先定下善后之计才是啊。那日邓艾计败被擒的消息传来后，女儿与爹爹一般心惊，只怕共谋之事走漏，咱们一家性命休矣。只是，接下来该怎么样，爹爹的举措却与女儿所想的不同。爹爹仗着手上握有军权，不愿大计半途而废，因此派出'长百营'去迎救邓艾，有意将他迎来长安，主持大局，爹爹是这么打算的吧？"

此刻贾充已稍稍恢复了些冷静，沉声道："我好不容易才弄到这十万大军，倘若邓艾能来长安，以他之能，我等便可席卷天下，如此岂非妙计？"

少女却摇了摇头："金裂而补之，必留隙缺；衣破而缝之，必留针脚。依爹爹与邓艾之计，天下原是垂手可得，但如今邓艾之计已然败露，爹爹以为将邓艾救到长安，还能再使用相同的计策吗？"

"但是，这十万大军……"

"为大事者，应果决能断，爹爹放不下这军权，硬是要将邓艾迎来，徒留谋反的证据罢了，只怕到时邓艾未到，我等全族已被诛灭。"

贾充默然无语，细思之下这计策果然是破绽百出、凶险至极。退一万步讲，即便成功救出邓艾，又成功夺取了天下，可谁又能担保邓艾在功成名就之后，不对有功之臣加以屠戮？这是极有可能的，古往今来，开国皇帝历来便是如此。想到此处，他不禁额头见汗，心中连呼：好险！

只听那少女继续道："邓艾的生死既然关乎到我全族的安危，女儿只好自作主张，为爹爹了断此事。"说着，她将漆匣打开，朝邓艾的首级瞧了一会儿，摇头道："邓艾本来也可称为一世之雄，可惜走岔了一步，才会丧在我这女流之手。听说邓艾知道是我下的命令时，仰天长笑，引颈就戮，却不知是何缘故？"

对这个女儿，贾充是越来越刮目相看了，问道："你哪来的人马？"

"女儿借了爹爹的'逐日营'一用。"

"你窃去了我的令牌？"

少女微微颔首，随即道："即便没有令牌，女儿和'逐日营'多少也还有点交情，要他们出去办些事，多半还是可以的。"

"那'长百营'……"

"这就怪不得女儿了。女儿命'逐日营'携我的手函前往，要'长百营'配合，谁知'长百营'那老头固执得很，我事前已吩咐过'逐日营'，若他们阻碍大计，便斩尽杀绝，不得留下一个活口。"少女的话如同泉水一般，"叮叮咚咚"地从口中流淌出来，声音十分悦耳，可字字句句无不充满了血腥，令人毛骨悚然。

贾充的背脊立刻沁过一丝寒意，他双手颤抖着扶住漆匣，半天说不出话来。那少女凑过来用脸轻轻摩擦着父亲的肩膀，轻声道："爹爹，女儿这么做，也是为了保住咱们一家的性命而已，女儿的确是任性了点，还望您别生气。"

良久，贾充缓缓叹了口气，说道："你虽生为女儿家，却有这般见识，我又怎能生气？如今邓艾也死了，今后我该如何打算？"

"这个好办，既然不能居于无上之位，那便争取做到一人之下，万人之上。"少女说着，伸手从桌案上拿起贾充未剥完的果子，继续剥着："有件事物，爹爹看过，或许会有兴趣。"

贾充大骇："莫非……又是何人的首级？"少女"咯咯咯"发出一声娇笑，说道："爹爹勿惊，这可是大喜事。"说着，从袖管中取出一枚桃木简，递给贾充。

"问名帖？"

贾充大奇，一边端详着上面的字，一边道："这是司马家送来的问名帖，问……问谁的名？"

"妹妹尚幼，自然是问我了。"

贾充不禁大怒："荒谬！简直是荒谬！又无媒妁，怎么便来问名了？这……这岂不是抢婚吗……"话说到一半，忽然有所醒悟，忙望向那少女："是你……"少女盈盈一拜，笑道："女儿擅做主张，请了荀勖荀伯伯为媒，还请爹爹息怒。"

贾充厉声道："你……你真是好大的胆子！婚姻乃人生大事，应从父母之命，你竟敢如此乱来，倘若传了出去，说我贾家女儿淫乱苟合，你让我这张老脸往哪搁？"

少女见老父发怒，非但不惧，反而笑道："爹爹将心思全都搁在邓艾身上，却没看到另一条阳关大道，女儿只好先走一步，迟了，只怕再无良机了。"贾充虽然恼怒，但女儿今天的言谈实在是出人意表，对那所谓的"良机"倒也充满了好奇，便道："你这刁儿，擅自嫁娶算什么阳关大道？又有什么良机可商？"少女指着那木简道："请爹爹看清楚那问名帖，女儿要嫁的人是谁？"

贾充眯着眼读着木简上的字，随即抬起头，惊愕地看着女儿："司马……司马衷？司马炎的那个白痴儿子？"见少女颔首，他又低头看了看，没错，正是司马衷。他抬起头来，一脸的不可置信："司马衷可是司马公的嫡孙，这……这门婚事可不是闹着玩的,你究竟想怎样?"

"这便是女儿谋天下之计!"

贾充既吃惊又惶恐,内心深处竟不知不觉地佩服起来。他忽然站起身,朝自己的女儿做了个揖,问道:"敢问,这究竟是怎么一回事?"

少女忙将父亲扶回椅中,徐徐道:"爹爹,司马公生有二子,长子司马炎封新昌乡侯,任中抚军,次子司马攸早年过继给司马景公,袭舞阳侯,现任散骑常侍。新昌侯虽为嫡长,又常侍奉司马公左右,然而舞阳侯清正贤明,身怀大才,素得司马公的喜爱,据说有一次司马公要立他为世子,从而闹出不少风波来。"

贾充闷"哼"了一声,不屑道:"司马攸不过是个故作清高之辈,有何大才? 他处处与为父做对,偏偏司马公念在其兄长的情份上,常说要传位给他。当初司马公要立嗣,也是我与荀勖等人力谏,才保住了司马炎的世子之位,若给司马攸这小子争得上位……咦? 这和你的婚事又有什么关系?"

少女"咯咯"一笑:"当然有了! 近来有传闻,说司马公身体大不如前,已思及传位之事,新乡侯虽贵为世子,但本身并无实绩,也无才干,儿子们又都是一些庸弱无能的酒色之徒,世子地位恐将不保。新乡侯为保住世子之位,自然要结好群臣,以充实其羽翼。爹爹乃是司马公跟前第一红人,说一不二,当然是新乡侯结交的对象,所以我便在此时请荀伯伯为我向其子说媒,新乡侯当然是满口答应,过不一日,问名帖便送了过来。"

"话是没错,但这与谋天下又有何干?"

少女白了父亲一眼:"女儿还没说完呢。有爹爹的帮助,新乡侯自然能稳住世子之位,等司马公百年之后,新乡侯便成为实质上的天下之主,爹爹身为姻亲,权势自然是更加稳固,宰辅天下了。这——只是第一步。"

贾充皱眉道:"话是这样说没错,但司马衷不过是个白痴,你却聪明伶俐,要你去嫁给一个白痴,换取一个三公之位,这似乎有所不值啊!"少女笑道:"爹爹不要着急,听女儿细细道来。何止只是三公而已? 上面说的只是第一步。接下来,等新乡侯上位后,必定也要立嗣,司马衷既然是个白痴,本来不可能成为世子,但其他几个儿子却也好不到哪去,整日里欺男霸女,不学无术,相比之下,反倒是司马衷讨新乡侯的喜爱,倘若有爹爹相助一二,那情势便大为不同了。"

贾充这才恍然大悟:"你是把宝押在那个白痴身上?"

少女点头道:"正是。倘若司马衷天纵英明,那我嫁给他,也不过是个寻常后妃而已,加上女儿样貌并非倾城,无法与貌美的妃嫔争宠,最终的结局,恐怕只能落得个抑郁终老的下场。然而司马衷却是个白痴,一旦他为天子我为后,爹爹不就是一人之下,万人之上了?但这只是第二步。"

"还有第三步?"

"当然了!您想想看,司马公在魏国的地位如何?名义上是相国,实质上却行皇帝之事,等将来司马衷登上帝位,那时恐怕东吴也已称降,爹爹便不失为又一司马昭,宰治天下。女儿知道爹爹不久前新娶了一房小妾,盼她能为咱们贾家生出个儿子来,长大后,爹爹便将他扶上帝位,作姐姐的我自会好好辅佐他,于是天下便轻而易举地落入咱们贾家的手中,爹爹以为如何?"

贾充不禁大为叹服,拱手道:"我虽是你的父亲,但见识决断都不及你,南风,便照你说的去办吧,三十年后,天下必归于你手!"

少女将果子剥开,缓缓道:"爹爹过奖了,女儿只是以为,邓艾处心积虑地设下险计,结果却闹了个父子皆死、身败名裂的悲惨下场,女儿却只靠一纸媒妁,不冒任何风险,便谋得了天下。唉——你们这些男人啊,整日里只知道打打杀杀,却不知夺取天下,杀戮其实只是最末流的手段。"

"那么,最高明的手段是什么?"

少女嫣然一笑:"女人啊!"

贾充顿时目瞪口呆。

少女贾南风不再理会父亲,将果子塞入嘴中,缓缓地咀嚼起来,血红色的汁液从她唇边淌落下来,落在雪白的衣襟上,朝四周晕开,竟有些触目惊心。

成都的大雨一连下了三日，浇灭了战火，也洗净了血渍。卫瓘与胡烈最终制止了城中的混战，但连日来的战乱，已不知使多少人家破人亡。

董厥被锁在一辆囚车内，置身于大街中央，他的右腿已折断，用一块破布胡乱地扎了起来，然而血仍未止，伤口已开始化脓。大雨滂沱，他全身湿透，在囚车内昏迷不醒，朦胧中，似乎听到了一些争吵，那声音有些熟悉，却怎么也听不分明。

"我再说一次，这厮起兵作乱，我奉令将他拿下，再怎么说也不能交给你。"

"小将军，这人从前是我的下属，他现在已伤成这个样子，你又何必固执？通融一下，便给在下发落吧。"

"哈哈，你说得倒轻巧，你以为你还是皇帝陛下？我说刘大人，我在这大雨中与你好言好语说话已算是很客气了，依照军法，这等逆乱者要交给卫大人发落，重者立即处斩，轻者发配充军，军法岂有通融之理？"

"小胡将军，法律不外乎人情，现在要定天下，应该先收天下人之心。董厥既然都伤成这样了，还能做什么乱？你便卖个人情，让我带他走，则蜀中百姓都会称赞将军仁义，利人利己，何乐而不为？"

"仁义？这我可不懂，我只知道'军法不行，军心不定'，倘若我放他走了，其他人也跑来要我放，该如何处置？"

"小将军何必如此固执？"

"我便是固执，你又能把我怎样？"

刘禅身上披着一件皮袄，手持一把油纸伞，在街中央与胡渊争执不休。胡渊穿戴斗笠簑衣，早已是全身湿透，对于刘禅的喋喋不休，甚感厌烦。

此时,远处一辆大车缓缓驶来,那车身精致华丽,车头雕成龙形,在残破的成都街头上显得格外惹眼。车子在二人身旁停住,帷幕揭开,一人探出头来道:"咳……下官找遍了皇宫各院,却没瞧见后主,想不到后主已先我一步出宫了。咳……时间已不早,后主应该上路了,这就请上车吧。"

刘禅拱手道:"卫大人,您来得正好,请您与胡将军说说,让我带董厥一块走吧。"

胡渊立刻叫道:"大人,这厮无理取闹,董厥兴兵作乱,罪当处斩,我正要将他押回营舍,这厮却半途拦住我,非要我放了这叛贼,哪有这样的道理?"

卫瓘听两人将适才争吵之事说了一回,寻思片刻,问刘禅道:"咳……后主何以要救董将军?可是与他交情匪浅?"刘禅摇头道:"我与董将军并无交情,平时更是很少见面,但他终究曾是我臣下,我路过此处,见他受难,如何能弃他而去?"

"倘若是姜伯约,阁下也会救?"

"凡我朝臣民,不分贵贱,倘若落难,我必救之……可惜我力量有限,受难者无数,不能遍救。"刘禅神色黯然,几欲落泪。

卫瓘笑了笑,转头对胡渊道:"咳……胡将军,便让董厥随后主走吧。"胡渊大吃一惊,道:"他可是乱臣贼子,您要三思……"卫瓘摆了摆手:"这便是我的发落,咳……眼下成都初定,人心不稳,不如便饶了这废人,以安百姓之心。再者说,后主乃是我朝贵客,顺他的意,总显得司马公肚量宽宏些,咳……"

卫瓘如此说,胡渊也只能从命。

卫瓘见再无异议,便又叫来了一辆车,将董厥安置下来,又命一名军医随车照料,然后对刘禅躬身道:"后主陛下,如此可合了你的意?咳……且请上车,这就要北返了。"刘禅拱了拱手:"足感盛情。"然后走上车坐在卫瓘身旁。

御者一扬马鞭,一行数十辆大车便往着北方缓缓行去。

大雨滂沱,车辆在泥泞中颠簸而行,使乘车者颇不舒适。刘禅与卫瓘在车内并肩而坐,都是默不吭声,只有卫瓘偶尔发出的几声咳嗽,点缀着窗外那"沙沙"的雨声。

片刻后,刘禅忽然感到车头稍稍往上扬起,车轮着地变得轻快了些,知是上了桥。他忙揭开窗帷,只见原本平静的锦江,在三天大雨的冲淋之下,已是汹涌浑浊,江水自桥下滔滔奔过,发出震天巨响,声势惊人。桥底下,数以百计的尸体倚着桥墩层层堆叠,尽管江水浸烂了他们的肤发,鱼虾啃蚀了他们的骨肉,那些沉甸甸的兵刃更是早已沉入了江底,但他们仍不愿离去……桥上一名妇人端着一碗白饭,在大雨中边走边嚎哭,也不知是母亲哭儿子,还是妻子哭丈夫。

世间惨景,莫过于此。

渐渐的,刘禅的眼眶湿润了,他回想起了那晚的情景——

黄皓匆匆忙忙跑回太虚阁,向他禀报姜维的调度——骑兵封住阳城东西北三面,步兵自皇城向北进行扫荡,虎骑、豹骑两营则潜入阳城,疏散百姓。

刘禅叹道:"唉,姜伯约为复国,果然是不择手段!"黄皓却是一脸疑惑,问道:"陛下,姜维究竟在打着什么主意?他手握大军,理应分兵出击,将魏军各个击破才是,他……这样布阵,一定是别有居心啊!"

"姜维所求的不是各个击破,是要将魏军彻底屠尽。他是要火焚阳城啊!"

"什么?"

"先封住阳城三面,再用扫荡阵势将魏军尽数逼入阳城之内,疏散百姓,布下火种,待魏军尽数被困之后,便大火焚城,城内魏军便只能束手待毙了。"

"这个……"黄皓只说了两个字,便再也说不下去了,神色古怪至极。

"你认为姜维这计策如何?"

"回陛下……"黄皓突然有些踌躇起来,神色也变得十分扭捏,"回陛下,奴才以为,姜维这计……可以称善。"

刘禅有些吃惊地看着他。黄皓素来与姜维不和,竟会称姜维之计为善!只听他继续说道:"魏军的人数并不算少,且散落于城内各处,各个击破未免太缓,徒增我军民死伤而已,再加上北方又有敌援压境,姜伯约能将敌军聚而歼之,奴才……奴才虽不懂军事,但仍以为是个好计。"

"但他要焚毁阳城!"

"陛下,阳城已是老旧不堪,所居者都是些贫病老弱之辈,烧一个老旧之城,换敌军数万条性命,奴才以为值得。"

"值得!?"刘禅从椅子上跳起来,厉声道:"如何值得?阳城已建城三百余年,是我成都的根基所在,你竟然说烧了值得?城内住的都是贫病老弱又如何?你不也是因为贫寒才进宫当了宦官?将你烧了,换百万魏军的命,你说值不值得?"

黄皓赶紧低下头,不敢再言声。

刘禅一口气奔上高台,只见北方阳城城头已是火光点点,他忙从怀中取出一只油布包,解开扎缚的绳索,露出里头一方深色的土块,散发出刺鼻的气味。他阖上双眼,默默祈祷:"上天!我知道放褐狼烟乃是下下之策,大军齐集,势必混乱,只会造成我军重大伤亡而已,若非国脉已危,万万不可使用。我从未打算用这狼烟,即便当日姜维授我锦囊,我也不愿动用,要军士没来由地前来为我而死,非我所愿。但是今日,我只好被迫动用，为的是救阳城及百姓，而非为我自己，苍天可鉴！"

他猛地睁开双眼，剥下一方土块，丢入一旁的灯台里……

阳城确实得救了，但锦江却因此而染成赤红。刘禅用力甩了甩头，想要忘记那段痛苦的记忆，然而却事与愿违。我究竟是哪里错了？我自诩是仁爱之主，又怎么会落得个这样的结果……刘禅在内心中不住地质问自己。

"后主是不是哪里不舒服？"卫瓘注意到了刘禅面色有异，忙开口问道。

"没事，只是触景伤情而已……"刘禅拭去泪水，忽然问道："卫大人，可否请教一事？"卫瓘一怔，说道："但问无妨。"

"我听说，卫大人为了制伏钟会，不惜以自己亲弟为替身，拖延时间，是也不是？"

"诚如所言。"

"这我就不明白了，大人为何下得了这般狠心？为何能牺牲自己亲爱之人，只为擒伏钟会一人？"

卫瓘不禁叹了口气，指着外头一株半枯的柳树，缓缓道："后主，咳……你可知这柳树为何枯了？"

刘禅看着那柳树，摇了摇头。

"咳……那柳树枝丫茂密，过多的旁枝分散了主干的养分，是以难活，咳……栽树之人必须狠下心肠将某些旁枝截去，方能活其主干。成大事者，也是如此。"

刘禅想了一会儿，仍旧摇头道："但是，大人，旁枝主干本是同根所生，何以截旁枝以活主干，这岂不是太不公平了？"

卫瓘指着桥下的尸体道："咳……你身为皇帝，在宫中锦衣玉食，他们身为兵卒，只能在外拼死作战，天下又何时公平了？咳……倘若不截去旁枝，便如那柳树一般，整株枯尽，这岂是理想之道？"刘禅一声长叹："我却盼旁枝主干一同活下来，难道这是奢望？"

卫瓘一笑，不再说话。

大车缓缓向北，刘禅不忍再看成都景物，正要放下窗帷，却见北门旁，数十人不顾风雨，跪伏在地上，向一处坟冢祭拜。那坟泥土新鲜，乃是一座新葬，坟前立有一块大石碑，待车子驶近，刘禅这才看清那石碑上写着：前汉大将军姜维冢。

刘禅凝视着那坟冢，直到视线被北门完全遮住，这才收回目光。他将沉重的身体倚在车壁上，心道：伯约啊伯约，朕虽然负了你，但如今朕要远行，也不知何年何月方能回到蜀中……也许一辈子都回不来了，你可要替朕好好地看顾着蜀中子民啊！下一秒,已是泪流满面。

车队一路向北,经绵竹、涪城、剑阁、汉中,出子午谷,过大散关,一连数日奔波,西京长安巍峨的城墙已近在眼前了。

司马昭对刘禅的来降大感振奋,早已下诏,封刘禅为安乐县公,赐食邑万户,绢万匹,奴婢百人,供养一如从前;刘氏子孙为三都尉封侯者五十余人,原蜀国尚书令樊建、侍中张绍、光禄大夫谯周、秘书令郤正、殿中督张通也并封列侯。征蜀将士也逐一封赏;卫瓘功劳最大,封菑阳侯、镇东将军,除使持节,都督徐州诸军事;贾充进临沂侯,假节,以本官总督关中、陇右诸军事;胡烈封右将军、秦州刺史,镇守西疆;因胡渊年少,尚不封赐,赏金万斛,赐金甲,佐其父掌管秦州;牵弘封震威护军,任扬州刺史;杨欣封扬威护军,任凉州刺史;庞会封中尉将军,关内侯;田章封奋威护军;荀恺因战殉国追封南顿侯;李辅追赠前将军;丘建力抗钟会,追赠抚军都尉,陶安侯……等等,可谓皆大欢喜。

这一日,未央宫内人声鼎沸,大魏相国司马昭高居于殿上,群臣文左武右,分坐两侧,众人均着轻便之装,未见冠冕。刘禅身穿大红袍,披散着头发,一步一拜,自宫外爬入殿内,现场立刻安静了下来。只见刘禅叩首三声,高声道:"罪臣刘禅,智令昏聩,胆敢对抗上国,今罪臣悔悟,以蜀中六十一郡投诚请降,盼恕臣不敏,免臣一死,则臣世世代代为奴,在所不惜!"

司马昭面色苍白,双手发颤,显然已是重病缠身,将不久于人世。但见缠斗了五十余年的老冤家称降于此,岂不令他兴奋?他在侍从的搀扶下,缓缓起身,用几乎无声的嗓音说道:"安乐公既来归,过去的事便不要提了,今日所设酒宴,一贺我皇终克强敌,二为安乐公洗尘,百官在此尽情享乐,不醉不归!"

司马昭一声令下,原本严肃的未央宫立刻变得一片欢愉,侍从点上檀香,烧牛、烤猪、美酒如流水一般送到百官面前。司马昭举杯邀百官共饮,百官一齐举杯,同声道:"恭贺相国,天佑我朝,诛逆除乱,千秋万世,一统天下!"

司马昭大笑道:"愿年年有今日,岁岁有今朝。各位今日非喝到烂醉不许离席!"

与群臣连喝过三杯后,他这才返身回座,向仍立在殿上的刘禅招了招手,示意他上坐。

刘禅慌忙行礼:"罪臣不才,怎敢坐于明公之侧?"司马昭笑道:"我父子虚此位待君已有多年,安乐公不坐,又有谁敢来坐?无需客气,且请上坐。"

"既然如此,罪臣遵命。"刘禅说罢,缓缓走上前去,在司马昭身旁坐了下来。

司马昭递了杯酒给刘禅,叹道:"安乐公,候你前来,倒耗了老夫大半辈子啊!倘若君再晚来个半年，只怕老夫已是归天，你我二人岂不是无缘相见？"

刘禅接过酒杯，笑道："相国春秋鼎盛，如何说这等话？"

司马昭却摇了摇头："国有兴亡，人有生死，此乃天道。老夫虽掌握天下大权，但天定之事，非我所能为也。安乐公，我想你应该清楚得很，纵然是帝王，仍不过是洪流之中的一粟，随波逐流，莫知所终啊！"

"我道明公乃是果决之人，却不知如此信天。"

司马昭"呵呵"一笑："老夫身为凡夫俗子，又岂能不信？今日蜀亡，岂是人所能定？倘若是人能定之，何以先父不能灭蜀？魏武不能灭蜀？他们不能灭蜀，为何我能灭？这些便是天意，人定岂能胜天乎？"

刘禅想着在成都时所经历的一切，难道真的都是天意使然？

正思忖间，贾充、裴秀、荀勖等高官一一上前敬酒，众人谈笑风生，仿佛与刘禅已是多年的旧识一般。待群臣退下后，司马昭笑问刘禅："安乐公，您瞧我殿下这班文武大臣，可有谁称得上是英雄？"

刘禅马上想"青梅煮酒"一事，不由得心头一凛：这老家伙莫非在试探我？可是，他所问者是殿下的这班大臣，与我又何干？但转念又一想：司马昭相比于曹操只有更奸滑，有此一问，必有原因，需谨慎对答才是，切莫着了他的道儿。想到这，他端起酒杯道："在臣看来，英才者，须思虑缜密，果决能断。雄才者，须刚健勇猛，无惧生死。观殿下诸人，只能说是半个英才、半个雄才罢了。"

"这么说来，安乐公是说我朝无英雄之人了？"

刘禅立刻拜伏于地："罪臣不敢！"

司马昭挥了挥手，示意他起身："那么安乐公以为，近世谁可称为英雄？"

刘禅迟疑片刻，这才道："自黄巾以来，天下纷乱，群雄趁势而起，魏武皇帝与先父皆为卓越之士，江东孙氏、河北袁绍、荆州刘表、徐州吕布也都独领一方，堪称英雄；郭嘉、贾栩、陈宫、庞统、法正等擅于谋，张辽、夏侯、周瑜、吕蒙、关羽等长于战；荀彧、陈群、张昭、张纮等专于政；赵云、张飞、颜良、文丑、典韦、乐进、周泰等则是勇猛之士。其后天下三分，诸葛丞相、司马宣公、陆伯言各领一方，其智谋才能，远非凡人可比，皆可称之为英雄！至于目前在座之人，较之前者，只怕要逊上一筹了。"

"安乐公所说之人均已不在世上，可知有当世英雄？"

"刚死了三个，除此之外，臣不知再有英雄。"

司马昭一张老脸立刻现出不悦之色，沉声道："我听说，安乐公在成都之时，曾与邓艾、钟会过往甚密，又是姜维的主子，眼界自是比我等高出许多了。"刘禅见他发怒，却并不惊惶,反而笑道:"明公息怒,只因天出皇者,故地无英雄。"

"哦?此话怎讲?"

"所谓英雄者,均有不世之能,彼此争锋,不甘居下。汉末以来,正是因为英雄辈出,因此才天下大乱。灭蜀一战之所以纷乱,不正是因为那三个人齐集蜀中?而如今皇者降世,天下太平,英雄已无用武之地,所以臣不知当世尚有英雄,岂不正合天意?"

司马昭不由得抚掌大笑:"好个皇者之论,安乐公,请饮了此杯!"

刘禅一杯酒在手中端了许久,直到此时方才凑到嘴旁,仰头喝下。

司马昭又将酒斟上,问道:"安乐公,你说'皇者既出,英雄无用',这我是同意的,只不过皇者究竟谁属,恐怕还是未定啊。"

"明公何必自谦?"

司马昭忽然叹了口气,缓缓道:"我已是来日不多,这位子是坐不到了,犬儿不才,能否安定现局,尚未可知……安乐公仁德有谋,蜀中又多忠臣名士,他日还请君多加辅佐了。来,今日欢喜,再干上一杯!"刘禅听了司马昭之言,背脊为之一寒,心道:都说'司马昭之心,路人皆知',没想到就连他自己都毫不忌讳,看来是真的有心篡位了。当下便举杯道:"明公多虑了,邓艾、钟会如此英雄,尚且覆灭,足见天意已定,在下庸弱,又怎敢逆天行事?自当尽力辅佐世子。"

司马昭放下酒杯,望向刘禅,眼中闪过一道精光。只听他缓缓道:"便是怕有人以为,人定可以胜天啊!"

刘禅心头剧震,面上却不露声色,举杯道:"请!"

"请!"

二人举杯一口饮尽,相视而笑。

这时司马炎领着司马衷与新过门的儿媳妇,一同前来给司马昭和刘禅敬酒,那司马衷生得白白胖胖,五官柔和,倒与刘禅颇有几分相似。司马昭站起身,仔细端详着新媳妇,不禁哈哈大笑,气氛顿时轻松了许多。

酒过三寻,乐舞已备妥。乐师向司马昭行了个礼,轻抚琵琶,乐音流淌而出,缓如双凤互语,疾如激流过石,听者无不心神荡漾。只见数十名舞伎随着乐曲自宫后舞出来,几乎全裸,只在身上罩了一层薄纱,手持拍板,腰肢扭动,轻灵妩媚,在场魏国百官,无不高声喝起彩来。

刘禅本是微醺,见此乐舞却是心头一颤,这首"蜀中四弦"正是昔日他在宫中宴饮时必听的曲目,如今怎会在魏宫中演奏?他侧眼看向司马昭,只见他正以箸击桌,高声吟唱，简直旁若无人。忽听琵琶飞弦，羯鼓大响，那名嘴角有痣的舞妓，手执拍板轻盈地舞到司马昭跟前，司马昭伸手在她腰上捏了一把，随即哈哈大笑起来。那舞妓没有抬头，刘禅却瞧见她眼中噙着泪水，随着一回头，几滴泪珠从脸旁滚落下来。

刘禅不由得一阵酸楚。

司马昭又斟了杯酒，似醉似醒地问道："安乐公，这里比之蜀中如何？"

刘禅暗叹了口气，将手中苦酒一饮而尽，脸上强堆起一片笑容道："此间乐，不思蜀也。"

此时已是公元 264 年 2 月。

故事便在这里打住。